JOE CRAIG

# J.C.

AGENT GEGEN DEN REST DER WELT

JOE CRAIG

# AGENT GEGEN DEN REST DER WELT

Aus dem Englischen von
Alexander Wagner

 Dieses Buch ist auch als E-Book erhältlich.

Verlagsgruppe Random House FSC® N001967

2. Auflage

Die englische Originalausgabe erschien 2013 unter dem Titel:
»Jimmy Coates – Blackout« bei HarperCollins Children's Books,
einem Imprint der Verlagsgruppe HarperCollins Ltd, London
Übersetzung: Alexander Wagner
Umschlagkonzeption: Isabelle Hirtz, Inkcraft
unter Verwendung der Motive von
© Shutterstock (yanik88; Monkey Business Images; Radek Sturgolewski)
MP • Herstellung: UK
Satz: KompetenzCenter, Mönchengladbach
Druck: CPI Books GmbH, Leck
ISBN 978-3-570-16551-5
Printed in Germany

www.cbj-verlag.de

*Für Mary-Ann*

Vier Kilometer unter der Erde, von massivem Beton umgeben, stand einer der sieben Supercomputer der britischen Regierung. Er war kurz davor, gehackt zu werden. Niemand auf der Menwith Hill Royal Air Force Basis in North Yorkshire, unter der sich der Computer befand, ahnte etwas von der Attacke. Als im Inneren des Rechners ein Schadprogramm flackernd zum Leben erwachte, war die Schlacht in kürzester Zeit verloren.

Der Computerwurm fraß sich durch das System, eine rasend schnelle Folge winziger elektrischer Impulse. Sie waren kaum wahrnehmbar, und sie wären im Grunde ohne größere Auswirkung geblieben, wäre nicht im selben Moment, Hunderte Kilometer nördlich und elf Kilometer über der Erde, ein *Aurora Blackbird SR-91* in den britischen Luftraum eingedrungen.

Beide Ereignisse waren perfekt miteinander koordiniert. Der Wurm schlängelte sich wie vorgesehen durch das Computernetzwerk, schuf eine winzige Lücke im britischen Satellitenüberwachungssystem, durch die der *Aurora Blackbird* wie eine schlanke Fechterklinge stieß. Der punktgenaue Überwachungsausfall machte das Flugzeug praktisch unsichtbar. Es war hoch genug und schnell genug, um den herkömmlichen, bodengebundenen Radarsystemen zu entgehen, seine schwarze Neopren-Titan-Beschichtung schluckte jedes Licht, der Treibstoff auf Cäsium-Basis machte die Abgase absolut transparent.

In kürzester Zeit überquerte das Flugzeug die Inseln im Norden Schottlands und erreichte das Festland. Es flog noch mit 1.900 Stundenkilometern, als sich die Klappen im Boden öffneten. Zwei schwarze Leichensäcke fielen aus dem Bauch des Flugzeugs. Dann machte es sofort kehrt, um den britischen Luftraum ebenso unbemerkt wieder zu verlassen.

Die Pakete taumelten durch die Atmosphäre. Sie erreichten ihre Endgeschwindigkeit, noch bevor sie durch die Wolkendecke stürzten. Der Wind peitschte auf das beschichtete Material ein, sodass sich die Konturen der Körper im Inneren abzeichneten.

Nach einigen Sekunden entfalteten sich automatisch zwei schwarze Fallschirme und bremsten den Sturz. Die Leichensäcke schwebten durch die Luft und landeten schließlich auf einem Stück Heide, sechzehn Kilometer von der nächsten Straße entfernt. Dort lagen sie fast zwei Stunden lang, zehn Meter voneinander entfernt, bewegungslos, bis auf das Flattern des Stoffes im Wind.

Dann begannen sich beide Säcke gleichzeitig zu bewegen. Sie drehten sich, bis ihre Reißverschlüsse nach oben zeigten. Bei einem normalen Leichensack wären die Reißverschlüsse nur von außen zugänglich gewesen. Aber diese hier waren anders.

Beide Säcke öffneten sich und zwei Personen kletterten heraus. Sie richteten sich schwankend auf – ein Mann und eine Frau, beide groß und mit schwarzen Overalls bekleidet. In der Dunkelheit warfen sie sich einen stummen Blick zu. Dann dehnten und streckten sie sich. Der Mann blinzelte und bewegte rasch den Kopf, dass seine strähnigen schwarzen Haare flogen, um die Benommenheit abzuschütteln. Die Frau folgte seinem Beispiel, dann rafften beide ihre Fallschirme zusammen und stopften die schwarze Seide in die schützenden Leichensäcke.

Der Mann zog eine Streichholzschachtel und zwei gekochte Eier aus seiner Tasche. In Sekundenschnelle standen die Fallschirme und Leichensäcke in Flammen und erleuchteten den Hügel. Die beiden warteten schweigend und dämmten das Feuer mit einem Ring aus feuchtem Heidekraut ein, während sie vorsichtig die Eier schälten und verzehrten. Bald drauf traten sie die Glut aus, hinterließen keine Spur der Ausrüstung, die ihnen diesen krassen Sprung aus höchster Höhe ermöglicht hatte.

Immer noch schweigend zog die Frau einen Kompass hervor. Dann marschierten die beiden Gestalten Richtung Süden.

# KAPITEL 1

Die beiden Wachmänner schlenderten zurück zu ihrem Pförtnerhäuschen und erzählten sich dabei einen Witz.

»Alles klar«, sagte einer immer noch kichernd in sein Walkie-Talkie.

»Danke, Betastation«, kam es knisternd zurück. »Nächster Patrouillengang um 0400.«

»Gerade genug Zeit für ein Bierchen«, murmelte die andere Wache mit leicht irischem Akzent.

Sie schalteten ihre Taschenlampen aus und schlüpften rasch in ihr Häuschen, um Zuflucht vor dem scharfen Wind zu suchen. Beide Männer hätten aus dem gleichen Lego-Set gebaut sein können: ein quadratischer Block von den Schultern bis zum Boden. Sie trugen blaue Uniformen mit Schirmmützen, unter denen ihre grauen Haare hervorlugten.

Das Pförtnerhäuschen war gerade so groß, dass sie nebeneinander sitzen konnten. Nachdem sie sich niedergelassen hatten, inspizierten sie die Reihe der CCTV-Monitore. Mit deren Hilfe konnten sie das gesamte Gebäude überwachen, das sie gerade bei ihrem Patrouillengang umrundet hatten: ein kleiner gläserner Bürokomplex in der Londoner South Bank, von hohen

Mauern umgeben. Von hier aus hatte ein Mann namens Christopher Viggo seinen Wahlkampf geführt – die einzige legitime Opposition gegen die britische Regierung –, und niemand konnte sich dem Haupttor nähern, ohne vom Pförtnerhäuschen aus gesehen zu werden.

»Was ist das?«, murmelte die irische Wache. Er klopfte mit dem Finger gegen einen der Bildschirme. »Welche Kamera ist das?« Das Bild war wegen des Infrarotmodus der Kamera ziemlich grobkörnig, aber innerhalb eines hellen Flecks waren zwei menschliche Silhouetten in einer Hütte zu erkennen.

»Das sind wir«, antwortete die andere Wache.

»Das weiß ich, du Idiot, aber was ist das?« Er tippte erneut mit dem Finger auf die Stelle. »Dieses Pförtnerhäuschen hat normalerweise keine Kuppel.«

Beide lehnten sich vor, um den Bildschirm genauer zu betrachten.

»Hockt da oben jemand?«

Seine Frage wurde mit einem ohrenbetäubenden Krachen beantwortet. Splitter regneten auf sie herab und eine schwarze Gestalt brach durch das Dach. Sie landete auf der älteren Wache, wirbelte herum, fegte die Mütze des Mannes quer durch den Raum. Die harte Kante des Mützenschirms traf die andere Wache genau zwischen den Augen. Sein Körper erschlaffte, sackte zurück in den Stuhl.

Der Angreifer riss den ersten Wachmann zu Boden, nagelte seine Brust mit dem Knie dort fest. Erst jetzt erkannte der Wächter das Gesicht.

»Jimmy!« keuchte er. »Du bist –«

»Ich bin nicht da«, flüsterte Jimmy. Er presste seine Hand auf den Mund der Wache, fixierte ihn mit ruhigem Blick. Seine grünen Augen glitzerten wie in einem Sumpf lauernde Alligatoren. »Ich bin drinnen und schlafe.« Er nickte in Richtung Gebäude. Das oberste Stockwerk war zu einem einfachen Apartment umgebaut worden, in dem er mit seiner Mutter, seiner Schwester Georgie und seinem besten Freund Felix wohnte. Auch Viggo selbst lebte dort, aber die Lichter in den unteren Büros zeigten an, dass er und einige seiner Mitarbeiter noch beschäftigt waren.

»Niemand weiß, dass ich mich rausgeschlichen habe«, flüsterte Jimmy, »und das soll so bleiben. Verstanden?«

Der Wächter nickte, unter Jimmys hartem Griff wurden seine Wangen ganz weiß.

»Ich werde Sie jetzt loslassen«, erklärte Jimmy leise. »Wenn ich das tue, geben Sie keinen Mucks von sich, sofern ich es nicht sage, okay?« Die Wache nickte erneut hektisch. »Sie reparieren das Dach mit dem Brett, das ich hinter dem Häuschen abgestellt habe. In vier Minuten wecken Sie Ihren Kumpel, erklären ihm alles, und wenn es so weit ist, gehen Sie beide wie üblich auf Patrouille.« Jimmy sprach ruhig, aber mit großer Dringlichkeit. »Und ich muss mich darauf verlassen können, dass Sie beide mich heute Abend wieder reinlassen. Verstanden?«

Jimmy lockerte langsam seinen Griff und gab den Mund des Mannes frei.

»Ja, Jimmy«, keuchte die Wache. Jimmys Knie presste seine Lungen zusammen. »Aber sollte ich nicht Mr Viggo informieren?«

Jimmys Augen wurden zu Schlitzen, sein Knie bohrte sich fester in die Brust des Mannes.

»Wenn ich Chris hätte informieren wollen«, zischte er, »hätte ich es ihm in seine Buchstabensuppe geschrieben.«

»Ich habe Anweisungen, die ich befolgen muss. Sonst wird Mr Viggo –«

»Die Anweisungen sind außer Kraft gesetzt«, fauchte Jimmy zwischen zusammengepressten Zähnen. »Sie gelten in dem Falle nicht. Verstanden?«

Jimmy hörte die Härte in seiner eigenen Stimme und lockerte widerstrebend etwas von dem Druck seines Knies. Diese Männer waren schließlich auf seiner Seite. Sie waren da, um ihn zu beschützen. Sie hatten keine Schmerzen verdient.

»Und bitte erzählen Sie Chris nichts davon«, fügte er hinzu.

»*Bitte*?«, stotterte die Wache. »Bittest du mich, oder befiehlst du es mir?«

»Wie auch immer«, sagte Jimmy mit einem kleinen Lächeln. »Behalten Sie es für sich, sonst erfährt jeder, wie nachlässig Sie beide waren. Was, wenn das ein echter Angriff gewesen wäre? Was, wenn jemand einen neuerlichen Mordanschlag auf Chris unternommen hätte?«

Jimmys Ausdruck wurde finster. Seine Worte riefen

lebhafte Erinnerungen in ihm wach. Als die Regierung zum ersten Mal einen Anschlag auf Christopher Viggo verüben wollte, hatte sie Jimmy geschickt. Das schien so lange her zu sein – Jimmy hatte damals gerade erst die Wahrheit über sich selbst herausgefunden: dass er von der Regierung als genetisch konstruierter Agent eingesetzt werden sollte.

Damals wurde durch die Regierung überhaupt keine Opposition zugelassen und Viggos Proteste hatten den Mann zur Zielscheibe gemacht. Seit Jimmy die Seiten gewechselt hatte, hatten er und Viggo einiges erreicht: Die Regierung war durch sie gezwungen worden, ihre Haltung zu ändern.

»Wer sollte Viggo denn angreifen?«, protestierte die Wache. »Er arbeitet jetzt ganz legal. In ein paar Stunden findet eine Wahl statt. Eine richtige Wahl, Jimmy! Die erste seit Jahren. Wenn es eine echte Bedrohung gäbe, hätte Viggo in den letzten sechs Monaten niemals so frei in der Öffentlichkeit sprechen können. Oder an so einem großartigen Ort leben und arbeiten können, ohne sich in der Kanalisation verstecken zu müssen.«

Jimmy schenkte dem Mann kaum Beachtung. Er erhob sich, klopfte die Holzsplitter von seiner Trainingshose und seinem Kapuzenpulli. Er hatte den schlanken, drahtigen Körper eines dreizehnjährigen Jungen, kaum jemand hätte in ihm besondere Fähigkeiten vermutet.

»Wenn Chris' Aktivitäten jetzt ganz legal sind«,

murmelte Jimmy, »warum hat er dann Ex-Militärs als Wachleute? Wovor hat er Angst?« Sein Blick streifte über die blau schimmernden CCTV-Monitore, als könnten sie die Antwort liefern. »*Was* ist da draußen?«

»Es sind nur Schatten, Jimmy«, erwiderte der Wachmann. »Es ist gefährlicher für dich als für Mr Viggo. Du stehst immer noch ganz oben auf der *NJ7*-Fahndungsliste. Du hast Glück, dass sie keine Ahnung von deinem Aufenthalt hier haben.«

Bei der Erwähnung des *NJ7* stieß Jimmy ein leises, angewidertes Knurren aus. Es war Großbritanniens topmoderner Geheimdienst. Der beste der Welt: der effizienteste und skrupelloseste. Auch Viggo hatte einmal für sie gearbeitet, bevor ihm ihre Maßnahmen zu extrem wurden. Jimmy musterte die beiden Wachen. Auch sie waren Ex-NJ7-Agenten, aber jetzt auf Viggos Seite.

»Sie sind nicht gerade sehr aufmerksam, oder?«, sagte Jimmy mit Blick auf die drei leeren Chips-Tüten am Boden. Der Wachmann öffnete seinen Mund, hatte aber nicht wirklich etwas zu sagen. Er wirkte so verlegen, dass Jimmy den Kopf schüttelte und wegschaute.

»Lassen Sie mich einfach später wieder rein«, seufzte Jimmy. »Und sorgen Sie dafür, dass meine Abwesenheit nicht bemerkt wird, okay?«

»In Ordnung, Jimmy«, sagte der Wächter kleinlaut. »Aber wo willst du hin?«

Er bekam keine Antwort. Jimmy war bereits aus der Tür geschlüpft und in der Dunkelheit verschwunden.

Eva Doren tippte eilig auf der Tastatur. Alle paar Sekunden schaute sie ängstlich über die Schulter. Die Computer des *NJ7* waren raffiniert abgesichert, das Eindringen hatte unerwartet lange gedauert. Sie war kein Hacker, aber sie hatte in den Monaten, seit sie hier arbeitete, viel über die Sicherheitsmaßnahmen des *NJ7* gelernt, außerdem besaß sie die Freigabe für die meisten der generischen Zugangscodes.

Sie wischte sich den Schweiß von der Stirn und hämmerte weitere Zahlen in die Tastatur. Wieder vergeblich, und die Fehlermeldung schien diesmal noch wütender zu blinken, ebenso wie der vertikale grüne Streifen – das Emblem des *NJ7*.

Jedes Mal, wenn sie diesen grünen Streifen sah, kroch Panik in ihr hoch. Er stand für die Lügen, die Einschüchterungsmaßnahmen, diese überall lauernde Gewalt. Unter deren Folgen hatte das ganze Land gelitten, auch wenn die meisten nichts davon geahnt hatten. Und noch immer konnte man jederzeit vom *NJ7* verhaftet und eingesperrt werden, wenn man irgendetwas tat oder sagte, das nach Kritik an der Regierung roch. Niemand spürte diese Gefahr im Augenblick intensiver als Eva selbst.

Beim *NJ7* war man der Überzeugung, Eva hätte Jimmy Coates verraten und ihre Familie verlassen, um als Assistentin für Miss Bennett zu arbeiten, die skrupellose Direktorin des *NJ7*. Eva lebte in ständiger Angst, jemand könnte die Wahrheit herausfinden: dass sie immer noch loyal zu Jimmy stand. Jimmys Schwester, Georgie Coates, war ihre beste Freundin, und Eva tat alles, was in ihrer Macht stand, um den beiden zu helfen.

*Komm schon*, flehte sie und blinzelte ein paar Mal, um die Müdigkeit abzuschütteln. Sie war noch nicht bereit aufzugeben. Sorgfältig tippte sie einen weiteren Code ein, und diesmal …

*Ja!* Triumphierend ballte sie die Faust, richtete sich auf und straffte die Schultern. *Habe ich euch*, dachte sie stolz. Aber als sie sich durch die Dateien klickte, war jede mit einem unbekannten Programm zusätzlich verschlüsselt. Verärgert verzog sie die Lippen.

»Mist!«, murmelte sie. Die Technikabteilung übertrieb es wirklich, fand Eva, eine komplette Zeitverschwendung. Gleichzeitig wusste Eva, dass niemand in der Geschichte des *NJ7* vorsichtiger gewesen war als der Mann, hinter dessen Akten sie heute Abend her war: Dr. Higgins.

Dr. Higgins hatte den *NJ7* vor Monaten unter mysteriösen Umständen verlassen, doch sein Schatten schien noch heute über jedem Korridor zu schweben. Als Wissenschaftler war er für die Entwicklung der ersten beiden genetisch veränderten Agenten verantwortlich gewesen: Jimmy Coates und Mitchell Glenthorne.

Eva saß jetzt an seinem früheren Schreibtisch, an dem Computer mit seiner alten Festplatte, der dort zur genaueren Untersuchung bereitstand.

*Wenn ich nur mehr Zeit hätte*, dachte sie. *Und warum ausgerechnet heute Abend?* Aber natürlich war das Timing perfekt: Die Wahl morgen war eine super Ablenkung. Eva war seit Monaten undercover beim *NJ7*, aber zum ersten Mal konnte sie sich völlig unbeobachtet durch die Tunnel des Hauptquartiers bewegen. Um sie herum herrschte überall hektische Aktivität, niemanden interessierte, wohin sie ging oder was sie vorhatte.

Für einen Moment stellte sie sich die Straßen von Central London über sich vor. So spät in der Nacht waren sie zweifellos völlig verlassen, doch im Tunnelnetz direkt darunter, da wimmelte es nur so von Menschen. Deren eiligen Schritte hallten von den kahlen Wänden wider, das Rascheln der Papiere verschmolz mit geflüsterten Gesprächen. Schwärme von schwarzen Anzügen mit grünen Streifen eilten durch die Betonflure. Wie emsige Ameisen in ihrem Bau bereiteten sich die *NJ7*-Agenten auf die kommende Wahl vor.

Wenn Jimmy ihr nur genauer gesagt hätte, welche Informationen er benötigte. Sie hätte versuchen können, sie woanders zu finden. Aber es hatte keine Gelegenheit zu einem ausführlicheren Austausch gegeben. Am Morgen hatte Eva Miss Bennett zur der Pressekonferenz des Premierministers begleiten müssen. Was die Journalisten fragen durften, wurde immer Monate im Voraus festgelegt, aber diesmal waren auch einige spontane Fragen zugelassen. Da die ersten Parlamentswahlen seit Jahren anstanden, hatten natürlich alle Journalisten drängende aktuelle Fragen, also hatte

Eva geholfen, alles möglicherweise gegen die Regierung Gerichtete herauszufiltern.

Jede Frage musste auf ein offizielles Formular geschrieben werden, und Eva hatte keine Ahnung, wie es Jimmy gelungen war, ein weiteres in ihren Stapel zu schmuggeln. Sie spürte immer noch ihre Gänsehaut, die sie bekommen hatte, als sie Jimmys Handschrift erkannte. Sie hatte rasch aufgeblickt, aber nur noch den gebeugten Rücken einer davonhumpelnden Reinigungskraft bemerkt. War das Jimmy gewesen? Oder fantasierte Eva, um sich die merkwürdigen Vorgänge zu erklären?

Auf dem Zettel hatte in Jimmys krakeliger Schrift gestanden, dass sie sich am späten Abend auf dem nahe gelegenen Parkplatz treffen mussten. Eva sollte Jimmy Informationen aus Dr. Higgins' Computer besorgen – über das genetische Design der jugendlichen Agenten und insbesondere über Jimmys DNA.

In diesem Augenblick ließ ein Geräusch Eva zusammenzucken. Jemand näherte sich, und hier gab es nirgendwo ein Versteck. Beim *NJ7* gab es keine Türen, nur ein gewaltiges Netzwerk von Tunneln, mit offenen Bereichen für Schreibtische und Büroräume. Frustriert schlug sie mit der Handfläche auf den Schreibtisch, hinterließ dabei einen feuchten Handabdruck auf dem Leder, den sie sofort mit dem Ärmel abwischte. Die Schritte im Flur vermischten sich mit dem lauten Pochen ihres Herzens. Sie musste an einem anderen Abend wiederkommen, wenn sie alle benötigten Zugangscodes aufgetrieben hatte.

Schnell schaltete sie den Computer aus, wischte die Tastatur sauber und ging zum Aktenschrank. Er war abgeschlossen.

»Wie können die überhaupt arbeiten in dieser blöden Abteilung?«, murmelte sie. Aber sie ließ sich nicht irritieren. Auf dem Aktenschrank befand sich eine gelbe Dokumentenbox. Darauf stand die Zahl 7 untermalt von einem grünen Streifen. *Irgendeine Information ist besser als nichts*, dachte sich Eva. Jimmy mit leeren Händen zu treffen, war keine echte Option.

Sie öffnete die Dokumentenbox, in der sich ein Stapel dünner farbiger Ordner, alte Computerausdrucke und einige lose handschriftliche Notizen befanden. Auf dem Dokumentenkasten lag eine dicke Staubschicht, weil er vermutlich länger nicht mehr geöffnet worden war. Eva fischte einige der am meisten zerfledderten Akten heraus. *Wenn es hier etwas über die genetisch modifizierten Agenten gibt*, dachte Eva, *dann sicher in den ältesten Dokumenten.* Auch die dünneren Ordner nahm sie an sich.

Sorgfältig wischte sie ihre Fingerabdrücke ab, schloss den Dokumentenkasten und schlüpfte mit den Papieren und Ordnern unter dem Arm aus dem Büro. Zwei *NJ7*-Techniker kamen ihr entgegen, in ein leises Gespräch vertieft. Eva musterte sie im Vorübergehen. Hatten sie bemerkt, woher sie kam? Ihre Mienen spiegelten ruhige Effizienz, doch selbst das steigerte Evas Nervosität.

Nur mit großer Mühe gelang es ihr, sich ganz selbstverständlich zu bewegen. Sie musste den Eindruck erwecken, im Auftrag von Miss Bennett unterwegs zu sein, sonst würde man sie unter die Lupe nehmen. Obwohl sie erst vierzehn war, hatten sich die anderen *NJ7*-Mitarbeiter an Eva gewöhnt. Entweder sie akzeptierten sie, oder sie hatten zu viel Angst vor Miss Bennett, um ihre Anwesenheit infrage zu stellen.

Die Korridore der *NJ7*-Technikabteilung waren Eva weniger vertraut als der Rest des Komplexes. Der düstere Schimmer der Energiesparlampen warf orangefarbene Schatten auf den Beton. Eva sehnte sich nach der Helligkeit der echten Glühbirnen in Miss Bennetts Büro. An das fehlende Sonnenlicht hatte sie sich längst gewöhnt.

Eva umklammerte den Papierstapel, hielt den Kopf gesenkt, tat ihr Bestes, um in einem gleichmäßigen selbstbewussten Tempo zu gehen. Jedes Mal, wenn sie um die Ecke bog, erstreckte sich vor ihr ein weiterer endloser Tunnel, oder sie traf auf größere Räume, in denen Agententeams an Computern arbeiteten. Sie überlegte sich bereits verzweifelt Ausreden, falls sie angehalten würde.

*Erklär ihnen, dass du Miss Bennett eine Nachricht von William Lee überbringst*, beschloss sie. Diese beiden Regierungsmitglieder waren dafür bekannt, dass sie sich gegenseitig hassten. William Lee war der Leiter der Sicherheitsabteilung. Einmal hatte er versucht, Miss Bennetts Führungsposition im *NJ7* zu übernehmen – er hatte sogar angestrebt, selbst Premierminister zu werden. Doch Miss Bennett hatte ihn in seine Schranken verwiesen.

Eva konnte die Machtspielchen der beiden jetzt zu ihrem eigenen Vorteil nutzen. Aber welche Botschaft überbrachte sie? Natürlich eine streng geheime. Sie durfte sie niemandem verraten. Genau das würde sie erwidern, wenn ein Agent sie anhielt.

Eva dachte noch immer über ihre Ausrede nach, als sie sich in einem verlassen wirkenden Labor voller Computermonitore und surrender technischer Geräte wiederfand. Erst auf den zweiten Blick bemerkte sie einen Mann, der an einem Computerterminal saß und sie über die Schulter hinweg anstarrte.

Dummerweise war es der einzige Mann, bei dem Evas Geschichte nicht ziehen würde: William Lee.

# KAPITEL 2

William Lee sprang so abrupt auf, dass der Bürostuhl hinter ihm schwindelerregend kreiselte. Eva blieb wie angewurzelt stehen, starrte zu dem riesigen, eurasisch aussehenden Mann.

»Eva«, knurrte Lee. Seine hoch aufragende Haartolle schwankte leicht, während er sprach. »Solltest du nicht bei Miss Bennett sein?«

»Ja«, erwiderte Eva eilig. »Natürlich. Ich bin gerade auf dem Weg zu ihr.«

Eine bedrohliche Stille machte sich breit. Eva fand, sie dauere eine gefühlte Ewigkeit. Lee musterte sie von Kopf bis Fuß, fixierte schließlich die Ordner unter ihrem linken Arm.

Seit Miss Bennett ihn ausgetrickst hatte, schien der Mann körperlich schwächer, als wäre er ein paar Zentimeter geschrumpft, doch sein Verstand war immer noch messerscharf. Eva suchte verzweifelt nach einer plausiblen Ausrede für ihre Anwesenheit in diesem Gebäudetrakt, gleichzeitig wusste sie, dass zu viele Erklärungen verdächtig klingen würden. Warum hatte Lee sie noch nicht gefragt, was sie hier tat? Die Stille lastete nun fürchterlich auf ihr.

Endlich ergriff Lee das Wort. Doch es kam etwas anderes, als Eva erwartet hatte.

»Ich habe nur kurz die Satellitenüberwachung überprüft«, murmelte er. »Da gibt es ein Problem.« Er starrte Eva ausdruckslos an. Sie nickte nur. Warum rechtfertigte *er* sich *ihr* gegenüber? Hatte Miss Bennett sein Selbstvertrauen wirklich so sehr geschwächt?

»Ich probiere, ob ich es beheben kann«, fuhr Lee fort.

»Soll ich einen Techniker für Sie holen?«, platzte Eva heraus, begierig darauf, so schnell wie möglich zu verschwinden.

»Nein, nein«, beharrte Lee. »Es ist nur eine kleine Störung. Ich habe es unter Kontrolle.«

Eva nickte erneut, versuchte ruhig zu atmen, während sie sich zum Gehen wandte. *Dreh dich nicht um*, ermahnte sie sich. *Und beeile dich nicht*. Die Papiere unter ihrem Arm hatten jetzt das Gewicht von Steinen.

Endlich hörte sie das Quietschen von Lees Stuhl, das Klappern seiner Computertastatur. Zügig ging Eva den nächsten Gang entlang. *Entspann dich*, dachte sie. *Er hat keinen Verdacht geschöpft. Er hat dich nichts gefragt.*

Aber dann hallte ein Quietschen den Flur entlang. Waren das Lees Schritte, die ihr folgten, oder bildete sie sich das nur ein? Etwa zwanzig Meter vor ihr kam eine Kreuzung. Wenn sie es bis dorthin schaffte, könnte sie möglicherweise verschwinden, und Lee würde ihr nicht weiter folgen – fürs Erste. Aber die Kreuzung war noch zu weit weg. Sie würde es nie schaffen, bevor Lee sie erreichte.

Dann erspähte sie ihre Chance. In der Wand des Tunnels gab es eine schmale Öffnung. Sie war weniger als einen halben Meter breit und völlig dunkel. Eva dankte ihrem Glück – sie hatte einen alten Durchgang gefunden, aus der Zeit, als verschiedene Servicetunnel vereint wurden, um das *NJ7*-Labyrinth zu schaffen. Sie eilte darauf zu, trat in den Schatten.

Beinahe wäre sie gestürzt. Der Spalt im Beton war eigentlich eine Treppe. Eva konnte ganz unten ein Licht erkennen. Vorsichtig stieg sie hinab, wobei ihre Schultern auf beiden Seiten den kalten Beton streiften.

Sie hielt inne, um auf Lees Schritte zu lauschen. Es war nichts mehr zu hören, bis auf ein leises Gemurmel, das zu ihr heraufdrang. Eva schlich weiter darauf zu, sorgsam im Schatten verborgen. Als sich ihre Augen an das helle Licht des Raumes vor ihr angepasst hatten, sah sie etwas, das ihre Angst vor William Lee schlagartig unbedeutend machte.

Ein halbes Dutzend *NJ7*-Techniker eilten durch den Raum, reichten sich gegenseitig Unterlagen, murmelten Anweisungen. Ihre weißen Kittel leuchteten in dem intensiven grünen Licht. In der Mitte des Raumes, auf einer großen Metallplatte, lag der vernarbte und geschundene Körper eines älteren Teenagers. Seine Gliedmaßen waren mit Metallklammern fixiert. Direkt in sein Auge zielte ein grüner Laserstrahl, der von einer großen, an einen Computer angeschlossenen Maschine abgefeuert wurde.

Eva konnte den Blick nicht von dem Jungen wenden – nicht wegen des Lasers oder der Verletzungen, sondern weil sich seine Brust hob und senkte.

Dieser Junge war am Leben.

Jimmy nahm eine Zick-Zack-Route durch London, scannte dabei beständig seine Umgebung. Seine Instinkte setzten Millionen von Wahrnehmungsfragmenten zusammen, und er war sich sicher: Da war jemand. Irgendjemand folgte ihm.

*Vergiss es*, beruhigte er sich selbst. Wenn es jemand vom *NJ7* wäre, hätte der schon längst zugeschlagen. *Es ist nichts*, versicherte er sich und hielt inne, um in einem spiegelnden Schaufenster die Straße hinter sich zu überprüfen. *Nur Paranoia*. Er rieb sich die Augen. Jeder einzelne Körperteil schmerzte wie nie zuvor – als würde er aus allen Richtungen zusammengepresst und sein Kopf unter einer Waschmaschine im Schleudergang stecken. Er suchte in sich selbst nach seiner besonderen Energie. Sie vibrierte beständig in seinem Innersten, bereit, ihm durch die Adern zu schießen, jede Kontrolle zu übernehmen. Jimmy verließ sich immer mehr auf seine Konditionierung. Die Qual, sie zu unterdrücken, war einfach zu groß.

Er schöpfte Kraft aus dieser brennenden Energie, die irgendwo hinter seinem Magen zu entstehen schien. Sie überschwemmte ihn in einer Welle, die den Schmerz beiseitefegte. Unwillkürlich stieß Jimmy einen erleichterten Seufzer aus, gepaart mit einem wütenden Stöhnen: Beide Anteile seiner Persönlichkeit kämpften jetzt vereint, um ihn am Leben zu erhalten.

Mit neuer Energie sprintete er los.

Die Straßen Londons waren erfüllt von einem aufgeregten Murmeln. Wegen der zahlreichen Kundgebungen bewegten sich viel mehr Menschen in der Stadt als sonst – die letzten Vorbereitungen für die Wahl am nächsten Tag. Jimmy erreichte Trafalgar Square, wo gerade eine Pro-Regierungskundgebung zu Ende ging. Er mischte sich unter die Menge, um mögliche Verfolger abzuschütteln.

*Wie können nur all diese Menschen die Regierung unterstützen?*, fragte sich Jimmy und musterte die Plakate und Banner. Er überlegte, ob sie für ihre Teilnahme bezahlt oder sogar vom *NJ7* dazu gezwungen wurden. Am südlichen Ende des Platzes erhob sich ein großer Bildschirm, von dem Botschaften und Regierungsslogans in die Nacht hinausstrahlten: »Effizienz. Stabilität. Sicherheit.« Jimmy stieß ein verärgertes Grunzen aus. Vor dem Bildschirm stand eine Frau mittleren Alters, die in ein Mikrofon rief, dass die Regierung die Steuern niedrig halten und das Land besser managen würde, als Viggo es je könnte, weil er keine Erfahrung hatte.

»Und warum sollten Sie sich den Stress zumuten, wichtige politische Entscheidungen treffen zu müssen?«, fuhr sie fort. »Regieren ist Regierungssache! Den Menschen ein Mitspracherecht zu geben, schafft nur Verwirrung!« Zustimmendes Gemurmel aus der Menge. »Warum sollten Sie sich den Kopf zerbrechen müssen?« Erneut laute Zustimmung der Versammelten, nur Jimmy schnaubte ärgerlich. Ein glatzköpfiger Mann mit einer wattierten Jacke und einem Regierungsplakat drehte sich zu ihm um, warf ihm einen bösen Blick zu.

Jimmy eilte zum anderen Ende des Platzes, wo eine große Gruppe von Viggo-Anhängern ihren eigenen, etwas kleineren Bildschirm aufgestellt hatte, auf dem sie zur Unterstützung von Freiheit und Demokratie aufforderten. Viggos ansteckendes Lächeln blitzte über den Bildschirm, und Jimmy konnte nicht umhin, ebenfalls zu lächeln. Für ein paar Sekunden verlangsamte er sein Tempo, stolz darauf, dass er geholfen hatte, dies zu ermöglichen.

»Schließen Sie sich mir an, verändern Sie das Land!«, erklärte Viggo. Es liefen Ausschnitte seiner besten Reden der letzten Monate. »Glauben Sie an den Wandel! Glauben Sie an die Demokratie! Glauben Sie an die Freiheit!« Jeder Satz löste Jubel auf der Pro-Viggo-Hälfte des Platzes aus. Viggos Gesicht, auf dem Monitor gewaltig vergrößert, schien die Menge in seinen Bann zu ziehen. Jimmy freute sich über die echte Begeisterung um ihn herum. Ganze Familien waren da, auch viele junge Leute in Jimmys Alter. Zum ersten Mal fühlte sich Jimmy wirklich als Teil von etwas Besonderem, einem historischen Ereignis. *Das Land wird sich ändern*, dachte Jimmy. *Es wird großartig werden.*

Ein Schrei ertönte – und riss Jimmy jäh aus seiner Begeisterung. Er schaute sich alarmiert um. Die Regierungskundgebung hatte sich aufgelöst und einige der Anhänger waren zum Pro-Viggo-Ende des Platzes gekommen. Der glatzköpfige Mann mit der wattierten Jacke wedelte mit seinem Plakat und buhte. Jimmy wollte den Vorgang ignorieren und weiterlaufen, da versuchte ein Viggo-Anhänger in einer Ordner-Weste, den kahlen Mann weiterzuwinken. Doch es wurde nicht gut aufgenommen.

Das Gesicht des kahlen Mannes rötete sich vor Wut. Plötzlich rammte er sein Plakat gegen die Brust des Ordners. Der Viggo-Anhänger taumelte ein paar Schritte zurück, dann hob er zur Verteidigung die Fäuste. Jimmy reagierte sofort. Er bahnte sich einen Weg durch die Menge, schnappte sich dabei eine *Wählt Viggo*-Mütze vom Kopf eines Teenagers. Er hielt seinen Kopf gesenkt, richtete sich erst in letzter Sekunde auf, zog die Mütze über das Gesicht des Viggo-Anhängers. Gleichzeitig schob er den Mann nach hinten und nahm seinen Platz ein.

Das Plakat des Glatzkopfs zischte knapp über Jimmys Kopf hinweg. Sofort verpasste Jimmy dem Mann mit seiner Linken einen Schlag in den Bauch, dann folgte seine Rechte mit einem kräftigen Kreuzschlag. Die Jacke des Mannes war nicht annähernd dick genug, um die Schläge abzufedern. Seine Augen weiteten sich, er ruderte wild mit den Armen, während er nach Luft schnappte. Schließlich schnellte Jimmys rechter Fuß vor und traf exakt die Kniescheibe des Mannes.

Jimmy fühlte, wie seine Instinkte ihn drängten, einen letzten Schlag zu landen – einen tödlichen. *Nein*, befahl Jimmy sich selbst, brachte Arme und Beine wieder unter Kontrolle. Erneut schnappte er sich die *Wählt Viggo*-Mütze und stülpte sie jetzt auf den Kopf des kahlen Mannes.

»Was war das?«, keuchte der Mann, rollte sich auf dem Boden und umklammerte dabei sein Knie.

Jimmy sprintete bereits los, hörte aber in seinem Kopf die Antwort: Das war eine *Fouette*. Woher wusste er das? Dieser schnelle Tritt war eine Bewegung, die er vorher noch nie benutzt hatte. Unerwartet hatte sich ihm eine völlig neue Welt erschlossen: die französische Kampftechnik des *Savate*. Seine Konditionierung reagierte stets neu, flexibel, entfaltete sich immer mehr.

Vom Rand des Platzes aus blickte er zurück, sah, wie Männer und Frauen in Ordnerjacken dafür sorgten, dass der kurze Gewaltausbruch endgültig vorüber war. Jimmy schlüpfte in die Dunkelheit eines Hauseingangs. *Savate-Kampftechnik*, dachte er und streckte sich. *Das gefällt mir.*

Eva zitterte und zog ihren Mantel fester um sich. Nicht ganz leicht, mit einem Aktenstapel in den Armen. *Wie lange muss ich noch warten?*, fragte sie sich. Sie befand sich im neunten Stock eines Parkhauses in der Great College Street in Westminster, Central London.

Sie wippte auf den Zehenballen, spähte in die Schatten um sie herum.

Es hatte quälend lange gedauert, aber schließlich war sie den *NJ7*-Laboren unbemerkt entkommen. Nun fiel das Mondlicht in Streifen auf das Parkdeck, schuf mit seinem matten Glanz auf der Betonfläche kleine Inseln. Der Rest war Schwärze. Nur die Silhouetten einiger weniger Autos zeichneten sich ab. *Wahrscheinlich sind sie gestohlen oder hier von ihren Besitzern entsorgt worden*, dachte sie sich.

Plötzlich spürte sie im Nacken warmen Atem.

»Dreh dich nicht um«, flüsterte Jimmys Stimme.

»Wie hast du ...?«

»Bist du verfolgt worden?«

Eva schüttelte kurz den Kopf.

»Bist du sicher?«

»Jimmy!«, sagte Eva streng und drehte sich um. Sie standen sich in der Dunkelheit gegenüber, nur Jimmys Augen funkelten im schwachen Licht.

»Ich wurde nicht verfolgt«, wiederholte Eva. »Ich weiß, was ich tue. Ich bin vierundzwanzig Stunden am Tag undercover. Was glaubst du, wie das ist?«

Sie waren sich so nah, dass Eva die Wärme ihres eigenen Atems spüren konnte, der von Jimmys Gesicht reflektiert wurde. »Ich bin vielleicht nicht genetisch perfektioniert, aber ich habe auch ein paar Dinge gelernt, okay? Also sei nicht so ...« Sie verstummte. Sie konnte Jimmys Anspannung spüren, sah, wie sein Blick beständig die Umgebung absuchte.

»Okay«, seufzte er endlich. »Tut mir leid. Du hast recht. Ich muss dir vertrauen. Es ist nur … in mir drin …« Er schloss für einen Moment die Augen und knirschte mit den Zähnen. »Es macht mich so …« Er zuckte mit den Achseln und öffnete die Augen wieder. »Hast du etwas für mich?«

Eva zog den Papierstapel hervor und hielt ihn Jimmy hin.

»Was ist das?«, fragte er. »Ich brauche die Daten von seiner Festplatte. Dr. Higgins hätte das sicher niemals ausgedruckt.«

»Ich kam nicht in seinen Computer rein«, erklärte Eva. »Aber ich schaffe das noch. Wenn ich mehr Zeit habe. Ich besorge mir die Zugangscodes und …«

Jimmy war ein Stück zur Seite getreten, hatte die Papiere auf der Motorhaube eines Range Rovers ausgebreitet. Seine Hände bewegten sich schnell, drehten jedes Blatt einzeln um, scannten es in weniger als einer halben Sekunde. Seine Pupillen bewegten sich in raschem, regelmäßigem Rhythmus und jedes Detail wurde irgendwo in seinem Kopf gespeichert.

Nach kaum einer Minute fegte er die ganzen Papiere von der Motorhaube.

»Die sind nutzlos!«, seufzte er. »Du solltest doch …« Er unterbrach sich, zügelte seine Enttäuschung. Er wollte seine Freundin nicht anschreien.

»Ich hab's dir doch gesagt!«, protestierte Eva, während sie am Boden herumkrabbelte und die Papiere einsammelte. »Es ist nicht leicht! Ich kann nicht einfach dort eindringen und gleich wieder abhauen. In der ganzen Abteilung sind rund um die Uhr *NJ7*-Techniker.« Sie hielt inne. Ihre Stimme zitterte. »Jimmy, ich habe dort etwas Schreckliches gesehen.« Die Erinnerung ließ sie erstarren.

»Du wirst nicht glauben, was sie da unten machen«, flüsterte sie. »Sie haben einen Jungen, einen jungen Mann, sicher nicht sehr viel älter als ich. Er lebt, ist aber bewusstlos, und sie schießen mit diesem Laser in seine Augen, als wollten sie sein Gehirn manipulieren oder …« Sie verstummte, versuchte, die aufsteigende Panik zu unterdrücken.

»Tut mir leid«, sagte Jimmy leise, kniete sich neben sie und legte eine Hand auf ihre Schulter. »Ich hätte dir das nicht zumuten dürfen, es ist nur …«

»Jimmy, sag mir …« Eva holte tief Luft und sah Jimmy in die Augen. »Hat man dich auf diese Art … *gemacht?*«

Jimmy wandte den Blick ab. Es war das erste Mal in dieser Nacht, dass seine Augen nicht nervös umherzuckten. Dann schaute er wieder zu ihr.

»Ich habe den Jungen auch gesehen«, erklärte er, während er sich erhob. »Es ist Mitchells Bruder. Das war vor vielen Monaten, als ich beim *NJ7* eingebrochen bin, um etwas über den Aufenthaltsort von Felix' Eltern herauszufinden. Dr. Higgins hatte Mitchells Bruder auf einem Metalltisch gefesselt. Sein Name ist Lenny. Lenny Glenthorne. Offenbar experimentieren sie immer noch mit ihm.«

»Ist er auch … ein Agent?«

»Nein«, sagte Jimmy schnell. »Er ist nicht wie Mitchell oder ich. Zumindest glaube ich das. Bei Mitchell und mir wurde so ein Laser schon im Mutterleib eingesetzt. Er diente dazu, meine DNA zu manipulieren und neu zu kombinieren. Der Laser, den sie bei Lenny benutzen, muss anders sein. Andernfalls …« Plötzlich verstummte er und alle seine Muskeln spannten sich.

»Was ist?«, flüsterte Eva, aber Jimmy schnitt ihr mit einer knappen Geste das Wort ab. Er machte ihr ein Zeichen, ihm auf die andere Seite des Range Rovers zu folgen, wo sie über die Motorhaube in Richtung Aufzug spähten.

Evas Herz pochte rasend. Sie bekam kaum mehr Luft.

Jimmy machte kleine, entschlossene Gesten, deutete auf sie, dann in Richtung des Aufzugs, machte ihr klar, dass sie die Aufzugstüren beobachten solle. Eva nickte, hatte aber keine Ahnung, wie sie reagieren sollte, falls sie etwas beobachtete. Jimmy ging neben dem Vorderrad des Range Rovers in die Hocke und entfernte vorsichtig die Radkappe.

Wenige Sekunden später blitzte ein Lichtspalt zwischen den sich öffnenden Aufzugstüren. Bevor sie weiter aufgehen konnten, war Jimmy bereits in Aktion. Mit einem Schlenker seines Handgelenks schleuderte er die Radkappe in Richtung Aufzug. Dann packte er Evas Schulter, zog sie mit sich zur anderen Seite des

Parkdecks, wo die Schatten am dunkelsten waren und die Rampe nach unten führte.

Jimmy bewegte sich so rasch, dass Eva halb selbst rannte, halb mitgeschleift wurde. Ein Geräusch ließ sie innehalten. Es war die Radkappe, die nicht, wie erwartet, einen *NJ7*-Agenten traf, sondern scheppernd gegen die Rückwand des Aufzugs knallte. Es folgte ein kurzer, nervöser Lachanfall, dann die Stimme eines Jungen: »Das war so cool!«

# KAPITEL 3

Die Stimme hallte durch das Parkdeck und Jimmys Herz machte einen Satz. Er ließ Evas Kragen los und bemerkte kaum, dass sie stolperte und fiel. Dann ertönte ein weiterer Ruf: »Jimmy, warte!«

Es war seine Schwester Georgie. Bei ihr war sein bester Freund Felix, der aus irgendeinem Grund die Hände oben auf seinen Kopf presste. Die beiden traten aus dem Fahrstuhl, grinsten breit.

»Was macht ihr …?«, keuchte Jimmy, wurde aber sofort von Eva und Georgie übertönt, die aufeinander zustürmten, sich in einer Umarmung förmlich erdrückten. Jimmy war so verblüfft, dass er kaum etwas von ihrer fröhlichen Begrüßung mitbekam. Doch dann riss er sich rasch wieder zusammen.

»Geht es vielleicht noch etwas lauter?«, flüsterte er. »Es gibt da in Australien einen stocktauben Wombat, der euch sicher nicht ganz verstanden hat. Wie habt ihr mich überhaupt gefunden?«

»Es war knapp«, schnaufte Felix. »Du rennst zu schnell. Wir haben dich hier reinkommen sehen, aber wir wussten nicht, auf welchem Stockwerk du bist. Wir mussten jedes Level überprüfen!«

Jimmy musste lächeln. Eigentlich sollte niemand seiner Spur folgen können, er war beeindruckt, dass es Felix und Georgie trotzdem geschafft hatten.

»Du hättest mich beinahe enthauptet.« Felix' Grinsen enthüllte eine endlose Reihe von Zähnen, und jeder stand in einem anderen Winkel. Seine Hände umklammerten immer noch das schwarze Haarbüschel auf seinem Kopf. Jimmy wurde klar, was passiert war.

Er joggte zum Lift, wo die Radkappe in der Rückwand steckte, ein gutes Stück schwarzes Haar einklemmte. »Äh, ja«, murmelte Jimmy. Er hatte auf die Brust eines Erwachsenen gezielt, stattdessen war das Geschoss haarscharf über Felix' Kopf hinweggesegelt. »Sorry.«

Felix zuckte mit den Achseln. »Ich brauchte sowieso einen Haarschnitt.«

»Was soll das?«, fragte Georgie streng. »Du kannst dich nicht einfach davonschleichen, weißt du.«

»Was du aber offenbar auch getan hast«, entgegnete Jimmy. »Hat Mum nichts bemerkt? Oder Chris? Und was ist mit den Sicherheitskräften?«

»Alle sind so abgelenkt von der Wahl, dass wir unbemerkt eine Viehherde durch das Gebäude hätten treiben können«, erklärte Georgie. »Wir haben gesehen, wie du mit den Sicherheitskräften umgesprungen bist, also sagten wir ihnen, wir gehören zu dir.«

Jimmy schüttelte erstaunt den Kopf.

»Ich dachte, du wärst vielleicht raus, um ein paar Mitternachtssnacks zu holen«, sagte Felix. »Ich wäre wahrscheinlich nicht gekommen, wenn ich gewusst hätte, dass du Eva triffst. Nichts für ungut, Eva, es ist nur, du weißt schon …« Eva funkelte ihn genervt an, also hob er die Hände und zog seine Augenbrauen so hoch, dass sie fast mit seinem Haar verschmolzen. »Was?«, quietschte er.

»Warum hast du uns nicht gesagt, dass du Eva triffst?« fragte Georgie.

»Es ist kompliziert«, antwortete Jimmy kleinlaut.

»Dann erklär's uns.« Georgie wollte nicht vertröstet werden.

Jimmy fühlte sich plötzlich so wehrlos wie ein ganz normaler Junge. Es gab keine besondere Agenten-Fähigkeit für den Umgang mit einer älteren Schwester. Georgie stand da, die Arme verschränkt, den Kopf zur Seite geneigt, die Lippen geschürzt.

»Du steckst in ziemlichen Schwierigkeiten«, flüsterte Felix. »Den ganzen Weg hierher hat sie mir gesagt, was sie mit dir anstellt, wenn –«

»Halt die Klappe, Felix«, schnappte Georgie. »Lass ihn erklären.«

In Jimmys Kopf baute sich ein gewaltiger Druck auf. Sein ganzes Leben bestand aus Geheimnissen. Zuerst hatten ihm seine Eltern verheimlicht, dass sie *NJ7*-Agenten waren, die im Auftrag der Regierung einen genetisch optimierten Agenten aufziehen sollten – ihn.

Sobald Jimmy die Wahrheit über sich herausgefunden hatte, war sein Leben implodiert. Sein Vater hatte ihn verraten, indem er dem *NJ7* treu geblieben war, anstatt sich Christopher Viggo anzuschließen, wie Jimmy und seine Mutter es getan hatten. Dann hatte er Jimmy enthüllt, dass er nicht einmal sein richtiger Vater war. Für seine Loyalität zur Regierung war er reichlich belohnt worden: Ian Coates war zum britischen Premierminister aufgestiegen.

All das ging Jimmy durch den Kopf, während er sich fragte, ob er seiner Schwester sein neuestes Geheimnis verraten durfte. Es war wahrscheinlich das gefährlichste Geheimnis von allen, und eines, das er in den letzten sechs Monaten verzweifelt gehütet hatte. Er spürte, wie seine Finger zitterten, während sich Mund und Lippen weigerten, die Worte zu formen.

»Nun?«, fragte Georgie, ihr Ausdruck wurde sanfter. Sie trat zu ihrem Bruder, legte ihm die Hände auf die Schultern.

Jimmy sah zu ihr auf. Es war lange her, dass er sich wie ein jüngerer Bruder gefühlt hatte, aber Georgies braune Augen machten ihm klar, dass er es eigentlich gerne war.

Langsam hob er die Hände, um seiner Schwester seine Finger zu zeigen. Im Halbdunkel des Parkdecks dauerte es ein paar Sekunden, bis sie realisierte, was er ihr da vor Augen hielt. Dann änderte sich ihr Ausdruck schlagartig.

»Sie sind blau«, keuchte sie. »Was ist das? Was ist passiert?«

»Es passiert immer noch«, sagte Jimmy flüsternd

und erstickte fast an den Worten. »Ich habe eine Strahlenvergiftung.«

Er hörte das Echo seiner eigenen Worte, blickte in die verwirrten Gesichter von Felix, Georgie und Eva, und plötzlich sprudelte es nur so aus ihm heraus.

»Es war in der Westsahara. Der französische Geheimdienst hat mich ausgetrickst. Sie haben mich zu einer Uranmine geschickt. Sie haben behauptet, es wäre sicher, aber sie wussten, dass es gefährlich war und …« Seine Worte entströmten ihm, als ob sie seit Monaten aufgestaut gewesen wären. Manchmal sprach Jimmy so rasch, dass man ihn kaum verstehen konnte, aber endlich war die Sache heraus sowie die ganzen Informationen, die er in den letzten Monaten darüber gesammelt hatte.

»Ich habe über Strahlenvergiftungen gelesen«, sagte er, »aber dort steht immer nur, was eigentlich *passieren sollte*. Und einiges davon geschieht bei mir nicht, oder es ist anders, weil ich … » Er hielt inne, schnappte nach Luft.

»Ist okay, Jimmy«, sagte Georgie. »Erzähl weiter.«

»So stark, wie ich der Strahlung ausgesetzt war … eigentlich müsste ich längst tot sein. Ich habe einige Symptome, aber nicht alle und nicht immer. Meine Muskeln schmerzen, aber das könnte auch mit meiner Konditionierung zu tun haben. Und manchmal spüre ich es vielleicht nur, weil ich meine, ich müsste es spüren. Aber ich habe auch Kopfschmerzen – schlimmer als je zuvor – und diese …« Erneut hielt er seine Finger hoch und wackelte damit. »Zuerst breitete sich das Blau aus, und ich dachte, meine Finger würden taub, aber dann hörte es auf, oder vielleicht schreitet es nur langsamer voran.«

Er unterbrach sich. Er bekam kaum noch Luft und vor lauter Sorge und Anspannung verzog sich sein Gesicht zu einer Grimasse.

Felix, Georgie und Eva starrten ihn an.

Was sie wohl dachten? Am liebsten wäre Jimmy gewesen, dass sie ihn als ganz normalen Jungen gesehen hätten. Aber andererseits war es gut, die Sorgen endlich mit seinen Freunden teilen zu können.

»Du musst zum Arzt«, sagte Felix mit einem Achselzucken, als ob Jimmy nur eine Erkältung oder irgendeinen Ausschlag hätte.

»Danke, du Genie«, erwiderte Jimmy. »Habe ich schon versucht. Der erste Arzt hatte gerade rausgefunden, dass ich keine Gefahr für andere darstelle, da wurde er vom *NJ7* ausgeschaltet. Danach wollte ich zu einem echten Spezialisten, aber der *NJ7* kam mir zuvor.« Jimmy senkte den Blick. »Sieht fast so aus, als wäre meine Krankheit für die Ärzte tödlicher als für mich.«

»Du hättest es *uns* erzählen sollen«, sagte Georgie leise. »Warum hast du das nicht getan? Du Idiot!« Sie wurde unwillkürlich lauter und ballte enttäuscht die Fäuste. »Dachtest du, wir würden dir nicht helfen?«

»Was hättest du tun sollen?«, fragte Jimmy. »Was wirst du jetzt tun? Ein Heilmittel erfinden?«

»Du musst es Mum sagen«, beharrte Georgie. »Vergiss die Wahlen. Deine Krankheit ist viel wichtiger. Sag es Mum und Chris, sie werden dir helfen ...«

»Chris weiß es«, gab Jimmy zu. »Er hat es von dem ersten Arzt erfahren. Chris folgte meiner Spur, fand meine Testergebnisse. Das ist Monate her. Er musste mir versprechen, es niemandem zu erzählen, dann kam diese ganze Aufregung mit der Wahl und –«

»Also weiß es Chris schon *seit Monaten*?« Georgie war jetzt richtig wütend. »Aber mir wolltest du nichts sagen? Oder Mum?«

Sie starrte Jimmy an, der ihrem Blick auswich. Nach einer Weile veränderte sich hörbar die Atmung seiner Schwester. Als er sie schließlich ansah, kullerten Tränen über ihre Wangen.

»Es ist okay«, versuchte Jimmy sie zu beruhigen. »Ich sagte doch, das Blau hat aufgehört, sich zu verbreiten.« Er hielt erneut seine Finger hoch, aber der Anblick schien Georgie nur noch mehr aufzubringen. »Also wird es wahrscheinlich nicht schlimmer.«

»Das ist echt seltsam«, flüsterte Felix und untersuchte Jimmys Finger.

»Habt ihr es denn gar nicht bemerkt?«, fragte Eva und schaute von Felix zu Georgie. »Ich meine, ihr habt doch die letzten Monate mit ihm gelebt, oder?«

Felix riss ratlos die Augen auf, Georgie biss sich auf die Unterlippe.

»Sorry, Jimmy«, murmelte Felix. »Ich schätze, es war einfach zu viel los. Ich habe schon gesehen, dass deine Finger blau waren, aber ich dachte, ich weiß nicht, du hättest dir die Hände nicht gewaschen oder so.«

»Es ist nicht deine Schuld«, beruhigte ihn Jimmy. »Ich habe es vor euch verheimlicht. Ich wollte es dir nicht sagen. Ich …« Er verstummte. Er war sich nicht mal sicher, warum er seine Vergiftung verschwiegen hatte. Vielleicht weil er nicht alle vom Wahlkampf ablenken wollte? Aber tief im Innersten kannte er den wahren Grund. Den anderen davon zu erzählen, hätte es nur noch realer erscheinen lassen. Es nicht zu erwähnen, machte es leichter, die sich in ihm ausbreitende Gefahr zu leugnen.

»Ich komme schon wieder in Ordnung«, verkündete Jimmy entschlossen und schob seine Angst beiseite. »Ich muss nur mehr darüber herausfinden, wie mein Körper funktioniert. Deshalb habe ich Eva gebeten …«

»Du kannst dich nicht selbst heilen, Jimmy«, sagte Georgie. »Egal wie viel du über dich weißt.«

»Aber ich habe es dir doch gesagt«, antwortete Jimmy zunehmend wütend, »selbst wenn ich einen Arzt fände, der eine Strahlenvergiftung bei einem genetisch veränderten Freak heilen kann, würde er vom *NJ7* getötet, bevor ich in seine Nähe gelange.«

Georgie trat auf ihn zu und schlang ihre Arme um seinen Hals.

»Du bist kein Freak«, flüsterte sie ihm ins Ohr. »Das darfst du nicht sagen.«

»Wie wäre es mit einem *dieser* Ärzte?« Es war Felix'

Stimme und sie linderte sofort die Verwirrung in Jimmys Kopf. Felix durchwühlte die Papierberge, die Eva aus Dr. Higgins' Büro mitgebracht hatte. Er hielt ein altes Foto hoch.

Das Foto zeigte etwa ein Dutzend Menschen in zwei Reihen wie eine Fußballmannschaft, aber es waren Männer und Frauen, alle mindestens fünfzig, in weißen Kitteln. Sie schienen in einer Art Labor zu stehen, die meisten von ihnen lächelten verlegen, als würden sie lieber wieder an die Arbeit gehen.

»Die sehen hässlich genug aus, um alles heilen zu können«, witzelte Felix.

»Was soll das helfen?«, grunzte Jimmy, obwohl er Felix' speziellen Humor inzwischen ziemlich gut kannte. *Vielleicht ist das seine Superkraft*, dachte Jimmy.

»Das könnte tatsächlich helfen«, sagte Georgie. »Schau.« Sie zeigte auf einen großen Mann in der letzten Reihe. »Ist das nicht …?«

»Ihr seid so lahm«, seufzte Felix. »Es ist Dr. Higgins!« Aufgebracht wedelte er mit dem Bild. »Das muss ein Foto vom Jahrestreffen der durchgeknalltesten *NJ7*-Wissenschaftler sein.«

»Ich glaube nicht, dass sie Jahrestreffen haben«, erwiderte Georgie. »Aber wie auch immer – ich denke, du hast recht. Er sieht darauf jünger aus, aber er ist es definitiv.«

»Also dann sind diese anderen Leute …« Die Puzzleteilchen setzten sich in Jimmys Kopf zusammen.

»Das müssen die Wissenschaftler sein, die …« Eva

hielt inne, unsicher, wie sie es ausdrücken sollte, »… die an deinen Genen gearbeitet haben, Jimmy.«

Jimmy schnappte sich das Foto. Dr. Higgins war der Einzige, den er kannte.

»Hast du einen dieser Menschen je beim *NJ7* gesehen?«, fragte er.

»Ich glaube nicht«, erwiderte Eva. »Aber dort arbeiten Hunderte von Leuten. Ich brauche etwas Zeit, um herauszufinden, wer sie alle sind und was inzwischen aus ihnen wurde.« Dann kam ihr offenbar eine Idee, und sie senkte ihre Stimme. »Ich kann das Foto einscannen, durch das Gesichtserkennungsprogramm laufen lassen, dann durch die *NJ7*-Datenbank …«

»Ist Dr. Higgins noch in Amerika?«, fragte Felix. »Er würde dir wahrscheinlich helfen.«

»Vielleicht«, erwiderte Jimmy, »aber er könnte inzwischen auch überall auf der Welt sein. Eva …«, er drückte ihr das Foto in die Hand, »… wenn du einen dieser anderen Wissenschaftler findest, ist das meine größte Chance.«

»Sofern sie nicht loyal zur Regierung stehen«, wandte Georgie ein. »Sonst werden sie dich ausliefern, und der *NJ7* wird dich töten.«

»Ich muss es riskieren«, insistierte Jimmy. »Ich habe keine andere Wahl.«

»In Ordnung«, verkündete Eva. »Ich werde sehen, was ich tun kann.« Sie sammelte alle Dokumente ein und legte das Foto oben auf den Stapel. »Ich schicke dir eine Nachricht per Sudoku.«

»Per *was?*«, fragte Jimmy.

»Du weißt schon«, sagte Felix. »Das Rätsel auf der Rückseite der Zeitung.«

»Seit wann liest du denn Zeitung?«, fragte Jimmy.

»Seit deine Mutter mich dazu verdonnert hat, meine Hausaufgaben zu machen.«

»Oh, richtig. Tut mir leid.«

»Ist schon okay. Ich mache nur die Rätsel und erzähle ihr, es wäre Mathe.«

»Nicht«, sagte Eva. »Mach niemals das Sudoku.«

»Was?« Felix sah verletzt aus. »Warum?«

»Oder das Kreuzworträtsel.« Eva schaute wirklich verängstigt. »Die Regierung kontrolliert all diese Rätsel. Jeden Tag werden die Zahlen und Wörter von einem Regierungscomputer so entworfen, dass die Leute sich danach entspannt und glücklich fühlen. Es ist wie eine Droge. Das ist einer der Wege, um die Leute zu betäuben und ruhigzustellen.«

Jimmy konnte es nicht fassen.

»Du meinst, alle Rätsel in der Zeitung werden von der Regierung entwickelt, um alle gehorsamer zu machen?«

»In jeder Zeitung, außer der *Daily Mail*«, erklärte Eva. »Sie haben zu viele Rätsel und ich glaube, ihre Leser sind sowieso gehorsam.«

»Die ganze Zeit haben sie mich einer Gehirnwäsche unterzogen!«, keuchte Felix. Er umklammerte seinen Schädel. »Ich wusste es!«

»Ich denke, dein Schädel würde eine besondere Art von Wäsche vertragen, Felix«, sagte Georgie grinsend.

Dann wandte sie sich wieder Eva zu und wurde ernst. »Wenn diese Rätsel also von einem Regierungscomputer gesteuert werden, wie willst du sie dann benutzen, um uns Nachrichten zu schicken?«

»Ich habe Zugang zum Computerprogramm«, strahlte Eva. »Also besorgt euch die *Times* und haltet das Sudoku vor die Kreuzworträtsel-Fragen. Dadurch werden bestimmte Wörter hervorgehoben, nach diesen sucht ihr online und ruft die erste Seite auf, die dann erscheint, das wird eine Message-Board-Seite sein, auf der ich euch meine Nachricht hinterlasse. Und wenn ich eine dringende Information habe, stelle ich sie direkt in die gesuchten Lösungsworte.«

»Danke, Eva«, sagte Jimmy, unsicher, ob er auch dankbar genug klang. Er wusste, Eva riskierte ihr Leben für ihn. Sie lächelte nur und wandte sich in Richtung der Aufzüge, doch Felix hielt sie auf.

»Eva, warte.« Er sprach plötzlich leise und mit gesenktem Blick. »Wenn du dir immer das ganze Zeug auf den *NJ7*-Computern durchsiehst, die Dokumente und diesen ganzen anderen Kram …«

»Was dann?«, fragte Eva.

Jimmy kapierte sofort, was Felix auf dem Herzen hatte. Er sah eine Traurigkeit in den Augen seines Freundes, die vor einigen Monaten noch nicht da gewesen war – bevor seine Eltern verschwunden waren.

»Siehst du jemals was über meine Mutter und meinen Vater?« Felix' Stimme blieb ruhig, aber es kostete ihn viel Mühe. Seine Eltern waren in New York entführt worden, und jeder hatte vermutet, es wäre der *NJ7* gewesen. Aber Jimmy hatte die Wahrheit herausgefunden. Der Chef der *CIA* hatte zugegeben, sie in seine Gewalt gebracht zu haben.

Jimmy würde die Ereignisse nie vergessen. Er sah immer noch den Triumph in Colonel Keays Augen, die Falten in seinem Gesicht zu einem teuflischen Grinsen zusammenlaufen. Der Mann hatte seine Macht als CIA-Chef ausgenutzt, um Jimmy auf eine Fake-Mission zu einer Ölplattform zu schicken. Was dazu geführt hatte, dass Colonel Keays jetzt noch mehr Macht hatte. Tatsächlich stand er kurz davor, Präsident der USA zu werden.

»Die *CIA* hat sie in ihrer Gewalt, so viel ist sicher«, fuhr Jimmy fort. »Nicht der *NJ7*. Colonel Keays hatte keinen Grund, mich darüber zu belügen. Es wird Zeit brauchen, aber wir werden sie zurückholen.«

»Ich dachte nur, es wäre gut, das zu überprüfen«, murmelte Felix. »Für den Fall, der *NJ7* weiß etwas.« Er zuckte müde mit den Achseln.

Jimmy spürte, wie auch in ihm ein Gefühl der Traurigkeit aufstieg. *Wenigstens lässt mich meine Konditionierung immer noch Mitgefühl empfinden*, dachte er.

»Tut mir so leid, Felix«, flüsterte Eva. »Wenn ich etwas über deine Eltern finde, schicke ich dir sofort eine Nachricht. Aber ich glaube, Jimmy hat recht.«

Sie eilte zum Aufzug, ihre Schritte hallten durch das Parkdeck.

»Wir sollten warten, bis sie weg ist«, flüsterte Jimmy

zu Felix und Georgie. »Dann gehen wir zusammen in die andere Richtung.«

»Oh«, rief Eva und drehte sich um, während sie auf den Lift wartete. »Ich habe William Lee gesehen. Er war dabei, das Satellitenüberwachungssystem zu reparieren. Es funktionierte nicht richtig.«

»In ganz London?«, fragte Jimmy hoffnungsvoll.

»So hat es sich angehört«, sagte Eva. »Aber er machte nicht den Eindruck, als hätte er es wirklich drauf, es wieder in Ordnung zu bringen.« Der Lift kam, Eva trat in die Kabine. »Also ist die Straßenüberwachung vielleicht nicht so gut wie üblich. Ich schicke dir eine Nachricht, wenn sich das ändert. Vergesst nicht – die Rätsel in der Zeitung!«

»Danke noch mal, Eva«, flüsterte Jimmy.

»Viel Glück.« Evas Worte gingen im Geräusch der sich schließenden Aufzugstüren unter.

# KAPITEL 4

»Jetzt werden wir einiges erklären müssen«, sagte Felix besorgt.

Georgie und Jimmy nickten schweigend, während die drei zu Christopher Viggos Wahlkampfzentrale aufblickten.

Sie war jetzt heller erleuchtet als bei ihrem Verschwinden. Überall im Gebäude huschten die Silhouetten von Viggos Mitarbeitern herum. Im obersten Stockwerk brannten alle Lichter, dort wo eigentlich Jimmy, Felix und Georgie schlafen sollten.

»Mum scheint wach zu sein«, sagte Georgie. »Wahrscheinlich wartet sie auf uns.«

»Unsichtbar sein wäre jetzt praktisch«, erwiderte Jimmy.

»Klar doch«, antwortete Georgie. »Damit du dich reinschleichen kannst, und wir kriegen den ganzen Ärger ab!«

»Was wäre eigentlich mit deiner Kleidung, wenn du unsichtbar würdest?«, überlegte Felix. »Ich meine, wenn das wirklich eine deiner Fähigkeiten wäre.«

»Keine Ahnung.« Jimmy zuckte mit den Achseln. »Sie würde auch unsichtbar, schätze ich.«

»Das ist albern«, mischte sich Georgie ein. »Was wäre der Sinn von unsichtbarer Kleidung?«

»Ist doch klar«, sagte Felix. »Damit andere unsichtbare Menschen dich nicht nackt sehen können.«

»Okay«, seufzte Jimmy. »Soll ich dir alle Gründe aufzählen, warum das überhaupt keinen Sinn ergibt?«

Verlegen grinste sie den Wachen zu, die kommentarlos das Tor öffneten, dabei aber so wirkten, als hätten sie die drei Jugendlichen am liebsten ermordet.

Im Gebäude eilten sie zu den Aufzügen. Mitglieder von Viggos Kampagne liefen hektisch umher, nahmen Anrufe entgegen und führten heftige Diskussionen, während auf zwei Fernsehbildschirmen die aktuellen Nachrichten liefen.

Jimmy hielt den Kopf gesenkt, seine Kapuze tief in die Stirn gezogen. Seit Beginn der Kampagne war er voller Sorge, der *NJ7* könnte einen Maulwurf in Viggos Lager eingeschleust haben. Es gab zwar keine Anzeichen dafür, trotzdem zog er es vor, anonym zu bleiben. Wenn der *NJ7* seinen Aufenthaltsort herausfände, brächte das allen nur Ärger.

Felix und Georgie gaben sich keine Mühe, unerkannt zu bleiben. Ganz im Gegenteil, Felix strahlte alle an, besonders die Frauen. Er alberte gerne mit Viggos Mitarbeitern herum, wann immer er die Gelegenheit dazu hatte.

»Wir hätten besser den Dienstboteneingang nehmen sollen«, murmelte Jimmy.

»Was soll das bringen?«, antwortete Felix. »Deine Mum weiß doch längst, dass wir nicht da sind.«

»Und diese Leute kommen sowieso nicht in Kontakt mit Mama«, fügte Georgie hinzu, während sie auf den Lift warteten. »Chris hält alles strikt getrennt.«

Natürlich hatten Felix und Georgie recht, aber Jimmy fühlte sich trotzdem unwohl. Er blickte in die Gesichter der Menschen, die mit Viggo am Sturz der Regierung arbeiteten. Im Moment führte die Regierung das Land ohne jede Beteiligung der Bevölkerung. Es gab keine offiziellen Wahlen. Das System nannte sich *Neodemokratie*, doch es war alles andere als eine Demokratie. Lediglich auf Druck von Jimmy und Viggo hin hatte die Regierung zugestimmt, diese Wahl abzuhalten.

Erneut musterte Jimmy die engagiert arbeitenden Unterstützer der Wahlkampagne. Sie glaubten fest an Demokratie und Freiheit, riskierten dafür sogar ihr Leben. Sollte Viggo morgen die Wahl verlieren, würden sie alle als Staatsfeinde betrachtet. *Aber er wird nicht verlieren*, dachte Jimmy mit einem Lächeln. *Wir werden endlich den NJ7 stürzen.*

Während der Aufzug sie in die oberste Etage brachte, arbeitete Jimmys Gehirn auf Hochtouren, aber es ging ihm dabei nicht um die Wahl.

»Wir steigen ein Stockwerk vorher aus«, verkündete er leise. »Dann nehmen wir die Treppe. Wir kehren in unsere Zimmer zurück, ohne Mum zu begegnen.«

»Was soll das bringen?«, fragte Felix und unterdrückte ein Gähnen. »Sie wird uns morgen früh trotzdem zur Schnecke machen.«

»Nein, wird sie nicht,« sagte Jimmy. »In ein paar Stunden beginnt die Wahl. Sie ist da voll eingespannt. Wenn das vorbei ist und sie mit uns über heute Abend redet, dann wird ihr Ärger schon verraucht sein. Und hoffentlich ist sie total glücklich, weil Chris gewonnen hat …«

Sie traten in den dunklen Korridor. Unter Jimmys Führung schlichen sie die Treppe hinauf.

»Das ist genial, Jimmy«, flüsterte Felix. »Vielleicht können wir so tun, als wären wir nie fort gewesen.«

Jimmy hob eine Hand, brachte ihn so zum Schweigen und spähte um die Ecke. Der Flur war finster, aber durch die Wohnzimmertür fiel Licht, vermutlich wartete dort seine Mutter und lauschte auf die Aufzuggeräusche. Gerade wollte er seinen Freunden signalisieren, sich rasch in ihre Zimmer zu schleichen, da ließen ihn mehrere entfernte Stimmen innehalten.

Rasch und lautlos huschte er durch den Flur, der Teppich dämpfte seine Schritte. Doch anstatt sich nach links zu seinem Schlafzimmer zu wenden, flitzte er nach rechts und presste sich mit dem Rücken an die Wand neben dem Wohnzimmer. Die Tür war leicht angelehnt, und durch den Spalt zwischen den Scharnieren hatte Jimmy eine perfekte Sicht.

»Was soll das?«, flüsterte Felix und sein warmer Atem strich über Jimmys Ohr.

Jimmy fuhr herum, legte seinem Freund eine Hand

über den Mund. Felix seinerseits drehte sich zu Georgie, presste einen Finger auf die Lippen. Georgie verdrehte die Augen und formte mit den Lippen stumm: *Echt jetzt?*

Jimmys Augen passten sich schnell an das Licht im Wohnzimmer an. Er sah den Hinterkopf seiner Mutter. Sie saß im Morgenmantel auf dem Sofa. Sie war nicht allein. Zu Jimmys Überraschung stand Christopher Viggo in einer Ecke, in der Hand eine offene Champagnerflasche.

»Ich habe es dir doch gesagt«, sagte Jimmys Mutter, sie klang ärgerlich. »Du musst nicht hier mit mir warten.«

»Das Licht brannte, ich habe mir Sorgen gemacht«, antwortete Viggo. »Das ist alles.« Seine Stimme war tief und leicht heiser.

»Du hast zu viele Reden gehalten«, antwortete Helen Coates. Sie rutschte nervös auf dem Sofa herum, ihr Kopf folgte kaum merklich den Bewegungen der Champagnerflasche. »Du solltest deine Stimme schonen.«

»Keine Sorge. Es ist fast vorbei.« Viggo fuhr sich über sein Stoppelkinn und schob eine lose Haarsträhne hinter sein Ohr. »Oder es fängt gerade erst an, je nachdem.« Seine Augen funkelten. Er stand völlig aufrecht, ein großer Mann, der den kleinen Raum dominierte. Die karge Möblierung ließ ihn noch imposanter erscheinen. Er lächelte leicht.

»Du brauchst Schlaf.« Helen zog wegen der kühlen Luft aus der Klimaanlage den Morgenmantel fester zusammen. »Es hat keinen Sinn, die ganze Nacht durchzuarbeiten. Du musst morgen frisch aussehen.«

»Du brauchst auch Schlaf«, erwiderte er leise. »Ist Saffron im Bett?« Sein Blick wanderte durch den Raum.

Jimmy zuckte kurz zusammen, war aber zuversichtlich, nicht entdeckt worden zu sein. Er blickte rasch den Flur hinauf, zu dem Zimmer, das Viggo mit seiner Freundin Saffron Walden teilte. Die Tür war geschlossen, kein Licht fiel durch den Türspalt.

»Was reden sie?«, flüsterte Felix plötzlich. »Ich kann nichts verstehen.«

Jimmy trat widerwillig beiseite, damit sein Freund durch den Türspalt lugen konnte.

Georgie dagegen verlor zunehmend das Interesse.

»Das ist doch öde«, flüsterte sie. »Ich gehe ins Bett. Erzählt mir morgen, was passiert ist.«

Gerade als sie sich zum Gehen wandte, streckte Jimmy den Arm aus, zog sie zu sich heran, bis sein Mund direkt neben ihrem Ohr war.

»Danke, dass du mir gefolgt bist«, sagte er leise.

Georgie nickte und lächelte ihm im Gehen zu.

Die Stimme von Jimmys Mutter weckte erneut seine Aufmerksamkeit.

»Entweder du gehst wieder an die Arbeit oder ab ins Bett«, sagte Helen zu Viggo. »Die Kinder werden bald hier sein.«

»Woher weißt du das?« Viggo war verwirrt. »Wo waren sie? Es wird bald Tag!«

»Kümmert dich das wirklich?«, schnappte Helen und fixierte Viggo.

Viggo hob entschuldigend die Hände und ließ die Champagnerflasche zwischen seinen Fingerspitzen pendeln.

»Ich habe mit den Wachen gesprochen«, fuhr Helen fort. »Die drei sind vor ein paar Stunden raus. Es war niemand bei ihnen. Jetzt stell die Flasche ab. Du siehst lächerlich aus.«

»Feiere mit mir«, bat Viggo.

»Du hast die Wahl noch nicht gewonnen.«

»Aber das werde ich.« Er lächelte, seine Zähne blitzten so hell wie seine Augen.

»Und, was gibt es heute Abend zu feiern?« Helen stand langsam auf und trat auf Viggo zu. »Die Tatsache, dass wir kaum noch miteinander reden?«

»Hör auf damit.« Viggos Stimme klang jetzt eher sanft als triumphierend. Er stellte die Flasche ab und nahm Jimmys Mutter bei den Handgelenken. »Wir schreiben Geschichte. Ich werde die Regierungsform dieses Landes ändern. Ich weiß, dass du dasselbe willst! Also, all das …« Er zögerte und umschloss Helens Hände mit seinen. »… all das wird es wert gewesen sein.«

Helen Coates wandte sich ab. Zum ersten Mal sah Jimmy den sorgenvollen Ausdruck in ihrem Gesicht. Ihr kurzes braunes Haar warf ein Netz von Schatten, das die Falten um ihre Augen noch zu vermehren schien.

»Du musst für jemanden eine große Bedeutung haben«, flüsterte sie.

»Was meinst du damit?«, fragte Viggo, ließ sie los und trat einen Schritt zurück.

»Dieses Gebäude«, erklärte Helen. »Das ganze Personal unten. Deine ganze Kampagne. Wie viel hat das alles gekostet? Sogar das hier.« Sie tippte fest gegen die Champagnerflasche, als wollte sie, dass sie umkippt. »Wie bist du an echten französischen Champagner gekommen? Das ist doch so gut wie unmöglich. Wer liefert das alles? Wo kommt das ganze Geld her, Chris?«

Viggo kehrte ihr den Rücken zu und starrte aus dem Fenster.

»Es spielt keine Rolle, wie oft du mich fragst«, murrte er. »Ich halte mein Versprechen. Natürlich verrate ich es dir – aber erst, wenn ich die Wahl gewonnen habe.«

»Warum?« Helen erhob die Stimme. »Du machst alle noch ganz verrückt! Du musst uns vertrauen!«

»Ich vertraue dir.« Viggos Stimme war so leise, dass Jimmy die Worte kaum verstand. »Aber es ist …«

»Was? Was ist es? *Gefährlich*?« Helen seufzte und fuhr sich mit den Händen durchs Haar. »Oder schämst du dich dafür? Geld, für das du dich schämst, solltest du nicht annehmen, Chris.«

»Selbst, wenn es ermöglicht, dass ich die Reformen durchführen kann, die wir uns alle erhoffen? Wenn ich diese Wahl morgen nicht gewinne, wird der *NJ7* mächtiger denn je. Die Regierung wird nie wieder zur Wahl aufrufen. Sie werden jeden einsperren oder töten, der sich gegen sie ausspricht, ganz Großbritannien wird wie ein riesiges Gefängnis sein! Morgen steht alles auf dem Spiel, Helen.« Er ballte die Fäuste und seine Augen wurden schmal, um die Dringlichkeit seiner Botschaft zu vermitteln. »Wir haben vielleicht nie wieder die Chance, diese Regierung friedlich zu stürzen. Und wenn das jede Menge Geld kostet, dann ist es mir egal, woher es stammt. Ich werde es benutzen.«

Jimmy presste sein Gesicht an den Spalt in der Tür. Felix kniete und tat dasselbe. In den letzten Monaten hatten sie oft darüber gesprochen, wie Viggo seine Kampagne wohl finanzierte. Jimmy hatte sogar versucht, Viggo danach zu fragen, aber der hatte immer genau in dem Moment etwas Wichtiges zu tun. Jimmy und Viggo hatten seit Monaten kein richtiges Gespräch mehr geführt. Anscheinend ging es seiner Mutter ähnlich.

»Ich bin nicht gekommen, um zu streiten«, sagte Viggo leise. Er ging zur Tür, Jimmy sprang sofort zur Seite und zog Felix mit sich.

»Wir sind jetzt fertig, Jimmy«, rief Helen. »Du kannst reinkommen. Du auch, Felix.«

Jimmy und Felix sahen sich verdutzt an. In diesem Moment stürmte Viggo in den Korridor. Er wandte sich zu den Aufzügen, ohne Jimmy und Felix nur eines Blickes zu würdigen.

»Sie wartet auf dich«, knurrte er, bevor er im Fahrstuhl verschwand.

Jimmy und Felix schlichen ins Wohnzimmer. »Wie hast du …?«, keuchte Jimmy.

»Wundert dich das?«, antwortete seine Mutter. »Der *NJ7* hat mich trainiert. Und obwohl du da draußen so unauffällig warst …«

Jimmy senkte verlegen den Kopf.

»Sorry, Mum, wir …«, sagte Jimmy kleinlaut.

»Wir reden morgen früh darüber«, erwiderte seine Mutter.

Jimmy fühlte sich so dumm, er wünschte, seine Programmierung würde ihm helfen, mit der Situation umzugehen. Automatisch stopfte er die Hände tief in seine Taschen. Er hatte sich daran gewöhnt, seine Finger, das einzige offenkundige Zeichen seiner Vergiftung, zu verbergen. Diesmal aber war er sich dessen mehr bewusst als sonst. Seine Freunde wussten jetzt von seinem Geheimnis, und ein Teil von ihm fühlte sich deswegen erleichtert. War nun der richtige Moment, um seiner Mutter alles zu offenbaren? Er war unsicher. Er kannte ja selbst die genauen Fakten nicht – manchmal fühlte er sich gut, aber dann war er wieder überzeugt, dass es ihm schlechter ging denn je. Das machte ihm Angst.

»Alles in Ordnung?« Es war Saffron Walden. Sie stand an der Tür, in einen schwarzen Morgenmantel gehüllt. Jimmy drehte sich zu ihr, erstaunt, wie ausgeglichen und schön sie wirkte, obwohl sie gerade mitten in der Nacht geweckt worden war.

»Chris ist mal wieder komisch, das ist alles«, sagte Felix schnell.

»Und die beiden Jungs laufen einfach fort, wer weiß wohin«, fügte Helen hinzu.

Saffron nickte langsam.

»Dass Chris seine Launen hat, bin ich gewohnt«, sagte sie leise. Ihre Stimme schien so weich wie ihre Haut und hatte eine dunkle Färbung.

»Denkst du, wir sollten ihn überwachen?«, fragte Felix schnell.

Jimmy lächelte. Wie üblich war er beeindruckt von Felix' Fähigkeit, die Aufmerksamkeit von allem abzulenken, was ihn in Schwierigkeiten bringen konnte – denn solange sie über Viggo sprachen, würden sie nicht über Jimmy, Felix und Georgie sprechen, die sich unerlaubt davongestohlen hatten.

»Ich weiß, er hat viel um die Ohren«, schloss sich Jimmy an, »aber auch so viele Geheimnisse. Er spricht kaum noch mit uns.«

Saffron und Helen warfen sich einen Blick zu, aber Jimmy konnte ihre Mienen nicht deuten.

»Es ist das Geld, das mir Sorgen macht«, gab Saffron zu. »Du könntest recht haben, Felix. Wir müssen ihn vielleicht im Auge behalten, zu seiner eigenen Sicherheit. Ich weiß nicht, wie sehr wir seinem Wahlkampfpersonal oder seinen Sicherheitskräften vertrauen können. Alle wurden so plötzlich eingestellt.«

»Bisher lief alles problemlos«, sagte Helen, wobei sie Jimmy und Felix ansah, als wollte sie ihnen sagen, sie habe nicht vergessen, dass die beiden in Schwierigkeiten steckten. *Aber bisher*, dachte Jimmy, *funktio-*

*niert Felix' Ablenkungstechnik.* Sie waren noch nicht ins Bett geschickt worden.

»Aber jetzt, so kurz vor der Wahl –«, sagte Saffron leise. »Er muss sich im Moment allein darauf konzentrieren. Wenn er verliert …«

»Er verliert nicht«, sagte Felix. »Unmöglich. Jeder weiß, diese Regierung ist böse. Sie wollten gegen Frankreich Krieg führen, außerdem haben sie bisher allen verboten, wählen zu gehen.«

»Aber wenn er verliert«, fuhr Saffron fort, »dann bezweifle ich, dass viele seiner sogenannten Unterstützer noch zu ihm halten. Wenn er gewinnt, könnte es sogar noch schlimmer aussehen. Wer weiß, wie viele von denen ihn für ihre eigenen Machtspiele benutzt haben.«

Sie wirkte ernsthaft besorgt. Jimmy war klar, wie sehr ihr Viggo immer noch am Herzen lag, trotz seines unberechenbaren Verhaltens seit Beginn der Kampagne. *Der Mann hat so lange heimlich gegen die Regierung gekämpft,* dachte Jimmy. *Vielleicht ist er es einfach nicht gewohnt, das in der Öffentlichkeit zu tun.*

Jimmys Finger kribbelten. Doch es war nicht seine Programmierung, auch nicht die Strahlenvergiftung.

Saffron verabschiedete sich und ging zurück ins Bett.

Jimmy warf Felix einen Blick zu. Zu Jimmys Erleichterung verstand sein Freund die Aufforderung sofort und reagierte.

»Okay, tschüss dann«, sagte Felix heiter. »Ich brauche meinen Schönheitsschlaf.« Er senkte den Kopf, strich sich durchs Haar, als wäre er eine Art Supermodel, dann eilte er aus dem Zimmer. Jimmy musste lächeln, trotz seiner Angst.

»Du auch, Jimmy«, sagte seine Mutter.

Jimmy rührte sich nicht, brachte aber auch kein Wort heraus. Es dauerte einige Sekunden, bis er seine Armmuskeln dazu brachte, seine Hände aus den Taschen zu ziehen.

»Was ist das?«, fragte seine Mutter, nahm seine Hände und wendete sie, um sie zu untersuchen.

»Mum«, stotterte Jimmy, »ich muss dir erklären, wohin ich heute Abend gegangen bin, und warum, und …« Er hielt inne, starrte zu Boden, wusste, wenn er jetzt seine Mutter anschaute, würde er anfangen zu heulen. »Ich muss dir erzählen, was gerade mit mir geschieht.«

# KAPITEL 5

Das Weiße Haus schien in der späten Nachmittagssonne zu glühen. Vor dem architektonisch perfekten Gebäude zuckten Dutzende Stars-and-Stripes-Flaggen, die wild im Wind flatterten wie rote und blaue Blitze. Im Mittelpunkt der ganzen Szenerie hatte sich Colonel Keays aufgebaut.

Seine Medaillen funkelten auf seiner Marineuniform. Er war ein stämmiger Mann von etwa sechzig, aber heute, mit gehobenem Kinn und triumphierendem Blick, wirkte er jünger. Vor ihm, am Rednerpult, prangte das Siegel des U.S.-Präsidenten. Es hätte sich ebenso gut auf der Brust des Mannes befinden können.

»... demütig übernehme ich die ehrenvolle Aufgabe, die mir diese große Nation übertragen hat.« Seine Worte dröhnten über die Lautsprecheranlage. Die versammelte Menge lauschte gehorsam, mit starrem Lächeln. Das Ereignis war perfekt inszeniert. Sogar die schütteren Haare auf Colonel Keays' Kopf waren mit Gel fest angeklatscht, damit sie sich keine Freiheiten erlaubten.

»... und ich verspreche Ihnen allen, dass unser geliebtes Land durch meine Bemühungen noch größer werden wird, innerhalb und außerhalb seiner Grenzen. So verpflichte ich mich etwa, unseren Cousins im Vereinigten Königreich, die gerade für offene Wahlen kämpfen, auf den Weg in eine echte Demokratie zu helfen, unabhängig vom Ergebnis der Wahl.«

Er reckte seine Brust und dehnte die Schultern, wodurch er noch breiter wirkte. Hinter ihm erhielt die Marschkapelle ihren Einsatz. Sie hoben die Instrumente, in den Blasinstrumenten spiegelte sich die Sonne, Lichtreflexe huschten über das Publikum.

»Ich habe den Briten unsere Freundschaft angeboten«, fuhr Keays fort, »und das werde ich bei allen Ländern tun. Wir dürfen niemals in der Entschlossenheit nachlassen, unseren Einfluss auf die ganze Welt zu erweitern. Wir sind die größte Nation auf Erden.« Aus der Menge ertönte ein leises »Hurra«. »Und ich schwöre Ihnen, als Ihr Präsident, dass diese größte aller Nationen einer noch strahlenderen Zukunft entgegengeht.« Mehr Jubel, diesmal lauter, aber ebenso inszeniert. »Gott segne Amerika!«

Endlich durfte die Menge kräftig applaudieren. Geheimdienstmitarbeiter sorgten dafür, dass der Beifall genau die richtige Zeit dauerte, temperamentvoll war, dabei aber zivilisiert blieb.

Die Blaskapelle spielte fröhlich »Hail to the Chief« und Dutzende von Regierungsmitarbeitern standen Schlange, um Keays Hand zu schütteln und dabei in die Fernsehkameras zu grinsen.

Als das beendet war, wurden die Kameras weggebracht und ein Team von Helfern wuselte um Keays herum.

»Glückwunsch, Colonel«, flüsterte einer, als sie durch die Schatten liefen, abseits der Menge.

»Ich bin kein Colonel mehr«, fauchte Keays. »Ich bin jetzt der Oberbefehlshaber. Und Sie sprechen mich ab sofort mit *Mr President* an.«

»Ja, Mr President.« Der Adjutant war so verlegen, dass er sich beinahe verbeugte.

»Irgendwelche Neuigkeiten aus Großbritannien?«

»Noch nicht, Mr President. Bis dahin sind es noch ein paar Stunden. Aber Operation *Blackout* ist im vollen Gange.«

Präsident Keays stieß ein hartes Lachen aus, das von den Kolonnaden widerhallte, dann rauschte er an der Spitze seines Führungsstabes durch die Türen des Weißen Hauses.

Evas Augenmuskeln zuckten nervös. Sie hatte die ganze Nacht durchgearbeitet, ebenso wie die meisten *NJ7*-Mitarbeiter. Außerhalb des NJ7-Labyrinths ging jetzt wahrscheinlich die Sonne auf, aber hier unten, in den Tunneln des Hauptquartiers, gab es keinen Unterschied zwischen Tag und Nacht.

Sie starrte auf ihren Notizblock, der Bleistift huschte automatisch über die Seite, sie war kaum in der Lage, sich auf das zu konzentrieren, was Miss Bennett sagte. Stattdessen dachte Eva an die Gesichter auf einem alten Foto. Sie war nicht nur erschöpft, sie stellte sich auch jedes Mal, wenn Miss Bennett sie ansah, vor, die Frau könne mit Röntgenblick bis direkt in ihre Gesäßtasche schauen, wo der Scan eines zerfledderten Fotos von einem Dutzend alter Wissenschaftler steckte.

Drei von ihnen hatten bereits schwarze Kreuze über dem Gesicht. Diese drei waren Jimmy jetzt keine Hilfe mehr. Dokumente über ihren Tod waren relativ einfach zu finden, obwohl Eva schockiert darüber war, wie problemlos der *NJ7* eigene Mitarbeiter liquidierte. Sie musste sich zusammenreißen, um das Bild in ihrem Kopf zu verdrängen.

»Eva, langweilst du dich?« Miss Bennetts Stimme klang kühl und gelassen. Sie wechselte so mühelos vom Diktieren zu ironischen Spitzen, dass Eva beinahe *langweilst du dich* gekritzelt hätte, ehe sie merkte, was Miss Bennett meinte.

»Gelangweilt? Nein, natürlich nicht«, erwiderte Eva eilig. »Entschuldigung.« Sie blickte von ihrem Notizblock auf, sah das Lächeln auf Miss Bennetts Lippen – ein leuchtend roter Balken inmitten ihres blassen Gesichts. Die Direktorin des *NJ7* lehnte an ihrem Schreibtisch, die langen Beine lässig gekreuzt. Ihr braunes Haar war wie immer makellos frisiert, mit einem Glanz, der es fast unwirklich aussehen ließ. Sie trug ein enges schwarzes Business-Kostüm, dazu eine schwarze Bluse. *Wie kann sie so perfekt aussehen,* fragte sich Eva, *obwohl sie auch schon fast sechsunddreißig Stunden auf den Beinen ist?*

»Gut. Dann sind wir vorläufig fertig«, sagte Miss

Bennett und schwebte quer durchs Büro zur Tür. »Du brauchst nach der Abschrift keine Rücksprache mehr mit mir halten. Du kannst das alles im Auto auf dem Weg zum Flughafen erledigen.«

»Flughafen?« Eva fühlte sich vor Müdigkeit wie benebelt.

»Hast du den Eindruck, dass du das letzte Wort von allem, was ich sage, ins Kauderwelsch übersetzen musst?«

Eva erstarrte unter Miss Bennetts Blick. »Äh, nein, Miss Bennett.«

»Dann lass uns an die Arbeit gehen, ja?«

Eva eilte ihrem Boss hinterher, trat sich dabei innerlich selbst in den Hintern. Sie hatte völlig vergessen, dass der erste Tagesordnungspunkt die Begleitung von Miss Bennett nach Heathrow war. Sie wünschte sich so weit weg vom *NJ7* wie nur möglich. Es fühlte sich so an, als würde mit jeder Stunde ihre Hinrichtung näher rücken.

»Das wird sehr heikel«, erklärte Miss Bennett, während sie zügig durch den NJ7-Komplex schritten. »Das Inspektionsteam der Vereinten Nationen hat sich bisher nicht öffentlich geäußert.«

»Ist das nicht gut?«, fragte Eva, besorgt, dass ihre Müdigkeit und ihre Angst sie dazu bringen könnten, sich zu verraten. »Bedeutet das nicht, dass sie bisher keine Unregelmäßigkeiten im Wahlkampf entdeckt haben?«

»Natürlich, aber was bringt es, wenn ich die UNO einlade und sie sich nicht lautstark darüber auslassen, wie fair wir sind? Hast du eigentlich vor, den ganzen Tag dumme Fragen zu stellen?«

»Gerne, wenn Sie das so möchten«, platzte Eva heraus. Miss Bennett starrte sie an, ebenso verblüfft wie Eva selbst. Dann, zu Evas großer Erleichterung, hob Miss Bennett eine Augenbraue und lächelte. Sie war beeindruckt.

»Und deshalb …«, fuhr Eva fort, begierig zu zeigen, dass sie immer noch am Ball war. Schnell durchblätterte sie ihre Notizen. »… deshalb haben Sie den Leiter des Inspektionsteams herbestellt. Der Premierminister trifft ihn nach der Landung seines Flugzeugs, um gemeinsam vor die Presse zu treten …« Sie blätterte noch ein paar Seiten weiter, hielt dabei mit Miss Bennetts Eilmarsch Schritt, während sie ihre eigenen Kritzeleien studierte.

Sie stürmten durch eine kleine Metalltür und die Umgebung änderte sich schlagartig. Kein nackter Beton mehr. Plötzlich gab es einen roten Plüschteppich. Die Wände waren mit goldenen Tapeten verziert, es herrschte natürliches Tageslicht. Eva war das gewohnt. Sie hatte nicht einmal das Schritttempo gewechselt, als sie durch den geheimen Eingang Downing Street 10 betraten, den Sitz der Regierung.

»Jeder im Land«, sagte Miss Bennett und nahm eine Tasse Kaffee von einem wartenden Mitarbeiter, »ja, die ganze Welt soll erfahren, dass die heutige Wahl absolut fair verläuft. Wenn wir also gewinnen, haben unsere Feinde keinen Grund, sie anzufechten.«

Sie rannten durch das Gebäude, ihr Weg gesäumt von Beamten und Regierungsbeamten. Alle drückten Miss Bennett Dokumente in die Hände, die sie brauchte, oder nahmen ihr etwas Erledigtes ab. Eva bemerkte, dass einige von ihnen nicht anders konnten, als sich leicht zu verbeugen.

»Wenn diese Wahl vorüber ist, haben wir endgültig gewonnen«, verkündete Miss Bennett. »Der letzte Rest der altmodischen Demokratie stirbt *heute.*«

Eva war erstaunt über Miss Bennetts Selbstsicherheit. Nachdem sie das Gebäude durchquert hatten, hielt man die berühmte Haustür in Downing Street 10 für sie offen. Die Helligkeit des Morgenlichts ließ Eva blinzeln, aber schon hielt ein weiterer Helfer den Schlag eines wartenden Autos auf, und sie schlüpften auf die schwarzen Ledersitze.

»Ich warte hier seit zehn Minuten.« Ian Coates saß bereits auf dem Rücksitz, aber der Jaguar war geräumig genug, um alle drei unterzubringen.

»Ich hoffe, Sie haben die Zeit genutzt, um sich die Rede zu merken, die ich für Sie geschrieben habe«, antwortete Miss Bennett und nickte dem Fahrer zu.

»Achten Sie darauf, wie Sie mit mir reden, Miss Bennett«, stotterte Ian Coates. »Ich bin immer noch Premierminister. Technisch gesehen führe ich das Land.«

»Ja,« schnurrte Miss Bennett, »aber wer führt Sie?«

Der Premierminister blieb ihr die Antwort schuldig. Eva hatte diese Rivalitäten in den letzten Monaten hundertmal miterlebt, das Ergebnis war immer das gleiche. Ian Coates war vielleicht Premierminister, aber im Grunde war er nichts weiter als Miss Bennetts Marionette.

»Richten Sie Ihre Krawatte«, befahl Miss Bennett, als würde sie mit einem Teenager reden. Ian Coates tat wie geheißen. »Und wenn Sie aus dem Auto steigen, vergessen Sie nicht, ein wenig zu lächeln.«

Coates verzog nervös seine Lippen zu einem scheußlichen Grinsen. »Weniger«, seufzte Miss Bennett. »Sie sind ein Brite, vergessen Sie das nicht.«

»Also weiß niemand, wie Viggo es sich leisten kann, dieses Gebäude hier zu mieten«, fragte Felix und machte sich auf dem Sofa breit.

»Runter von mir«, knurrte Jimmy, während er Felix' Kopf von seinem Bein schob.

»Nehmt euch ein eigenes Zimmer, ihr Turteltauben«, scherzte Georgie. »Und haltet die Klappe.« Sie deutete auf den Fernsehschirm, um ihnen klarzumachen, dass sie zuzuhören versuchte. Das Sofa war der einzige Ort, von dem aus man fernsehen konnte, also saßen die drei eng gequetscht darauf. »Chris wird bald eine Rede halten. Wenn wir schon nicht selbst dabei sein dürfen, wollen wir es wenigstens ansehen.«

Felix und Jimmy waren ein paar Sekunden lang still, bevor Felix absichtlich seinen Kopf in Jimmys Oberschenkel rammte.

»Jetzt reicht's!«, rief Jimmy lachend. Er sprang hoch und ließ sich direkt auf Felix' Gesicht plumpsen. Felix machte eine Riesenshow, zappelte und wand sich, um sich zu befreien.

»*Aagh!*«, schrie er, als er sich endlich befreit hatte. Er umklammerte sein Gesicht, taumelte durch den Raum. »Das war ein hochgiftiger, von Superkraft getriebener, genetisch veränderter Furz … Neiiiin!«

Alle lachten und Jimmy sagte: »Ich wette, das ist die erste besondere Fähigkeit, die du jemandem einprogrammieren würdest, wärst du sein Entwickler.«

»Nein«, antwortete Felix. »Die Erste wäre … niemals schlafen gehen zu müssen!«

»Niemals schlafen?« Jimmy kicherte. »Dann wärst du noch hyperaktiver als jetzt schon!«

Bald wurden sie durch eine Nachrichtensendung abgelenkt: Bilder von einem Flugzeug, das in Heathrow landete, ein großer, drahtiger Mann in hellgrauem Anzug kam die Treppe herunter, um dem Premierminister die Hand zu schütteln, der auf der Startbahn wartete.

Niemand sagte ein Wort, aber Jimmy spürte, wie alle Fröhlichkeit aus dem Raum wich. Er starrte auf Ian Coates, jenen Mann, den er für die ersten zwölf Jahre seines Lebens als Vater betrachtet hatte. Auf dem Bildschirm ergriff Coates die Hand des Besuchers, sein Gesicht verzog sich zu einem schrecklichen, falschen Grinsen. Für eine Sekunde erinnerte sich Jimmy daran, wie er mit ihm gelacht hatte, mit ihm herumgealbert hatte – ihn geliebt hatte. Er unterdrückte seine Gefühle. Stattdessen drehte er sich zu seiner Schwester. Anders als für ihn war der Mann auf der Leinwand ihr leiblicher Vater – soweit sie das wussten. Jimmy ahnte, dass ihre Gefühle ebenso schmerzhaft und kompliziert waren wie seine, und er wollte etwas sagen. Er öffnete den Mund, aber nichts kam über seine Lippen, seine Zunge fühlte sich ausgetrocknet an.

Der Bericht schnitt vom Premierminister zurück auf den drahtigen Mann, zeigte Ausschnitte seiner Rede. Laut Bildunterschrift handelte es sich um *Dr. Newton Longville – UN-Wahlinspekteur*. Darunter lief die Nachricht: *UN-Hauptinspekteur vom Premierminister empfangen, um morgige Wahl zu überwachen.*

»Mein Team wird sicherstellen, dass es bei den Wahlen keine Einschüchterung gibt«, erklärte Dr. Longville in einem melodiösen amerikanischen Akzent. In der Nahaufnahme wirkte er viel älter. Seine Nase war knochig und schief. »Die Wahl wird unter strenger Beobachtung durchgeführt«, fuhr er fort, »unter Verwendung modernster Technologie, bekannt als *HERMES* – das Higher Echelon Remote Monitoring Election System«.

»HERMES?« sagte Felix. »Klingt wie eine Art Krankheit.«

Die grauen Augen des UNO-Mannes starrten in die Fernsehkamera, ohne zu blinzeln. »Die Entwicklung, Herstellung und Prüfung aller Komponenten wurde von UN-Ingenieuren überwacht. Ich bin sicher, dass jeder Wähler die sicheren Touchscreen-Stationen nutzen wird, die derzeit in Wahllokalen im ganzen Land installiert werden. Die Stimmen werden digital, aber sicher an einen Ort in der Nähe von Milton Keynes geschickt, wo sie vom HERMES-Großrechner ausgezählt werden.«

»Der Typ sieht selbst aus wie ein Roboter«, bemerkte Georgie.

»Glaubst du, er sagt die Wahrheit?«, fragte Jimmy, beugte sich näher zum Fernseher, als ob er die Lügen riechen könnte. In seinem Inneren vibrierte die Konditionierung, unterdrückte eine weitere Schmerzwelle und ließ ihn gleichzeitig vor Misstrauen beben. »Glaubt ihr, dass der *NJ7* sein Team kontrolliert? Oder ihn selbst? Haben sie die Abstimmung schon manipuliert?«

Bevor jemand antworten konnte, brachten die Nachrichten den nächsten Beitrag – und da war Christopher Viggo. Er trug den Kopf erhoben, seine Präsenz schien den ganzen Bildschirm zu füllen.

»Schau!«, rief Felix und zeigte auf den Rand des Bildes. »Da ist deine Mum!« Helen Coates und Saffron Walden standen zwischen Viggos Unterstützern und lauschten seiner Rede.

»Ich bin Tausende von Kilometern durch Großbritannien gereist«, sagte der Mann. »Ich habe Millionen von Stimmen gehört: persönlich, in Briefen und in Botschaften im Internet. Jede einzelne dieser Stimmen – Ihre Stimme – sagt mir, dass es eine Veränderung geben muss.«

»Er sollte nicht öffentlich zugeben, dass er Stimmen hört«, sagte Felix.

»Pst«, sagte Georgie. »Ich will das hören!«

»Diese Stimmen«, fuhr Viggo fort, »sagen mir, dass

Sie alle nicht länger auf Ihre Zweifel und Ängste hören wollen, sondern auf Ihre größten Hoffnungen und Wünsche setzen!«

Die Rede strebte ihrem Höhepunkt entgegen, ebenso wie die Begeisterung der Menge, doch da schnitt der Bericht zurück ins Studio, wo drei Frauen plapperten.

»Was ist mit dem Rest seiner Rede?!«, beschwerte sich Georgie. »Wie fair ist das denn? Er kann keine Wahl gewinnen, wenn sie nicht mal seine Reden in den Nachrichten bringen.«

»Sie zeigen überhaupt etwas«, antwortete Jimmy. »Das ist besser als früher. Und sie geben immerhin zu, dass er eine Rede gehalten hat – sie haben ihn sogar als *Oppositionsführer* statt wie früher als *Staatsfeind* oder *Verräter* bezeichnet.«

Georgie nahm die Fernbedienung von Jimmys Knie und schaltete frustriert den Fernseher aus.

»Wir haben so gut wie nichts gesehen«, sagte sie.

»Er trug eine neue Krawatte«, murmelte Felix.

»Das ist doch total unwichtig«, seufzte Georgie genervt.

»Das ist nicht unwichtig«, antwortete Felix. »Ich dachte …«

»Was?«

»Jemand muss für die Krawatte bezahlt haben.« Er stieß sich vom Sofa ab. »Und wir wissen immer noch nicht, wer.«

# KAPITEL 6

Die Wahl wurde nicht mit lauten Fanfaren eröffnet. Felix war enttäuscht. Er war nie vorher bei einer Wahl dabei gewesen. Als in Großbritannien die letzte Wahl stattgefunden hatte, war er noch nicht geboren. Aber er wusste, Wahlen waren früher ganz normal gewesen. *Die müssen echt viel Zeit gehabt haben*, dachte er. *Was für ein Riesenaufwand.*

Er schlug den Kragen seiner Jacke hoch, lehnte sich gegen den Wind.

»Wählt Viggo«, sagte er automatisch. Er drückte einer Frau, die in die Schul-Aula wollte, ein Flugblatt in die Hand. Überall im Land waren Aulen in Wahllokale umgewandelt worden.

»*Effizienz. Stabilität. Sicherheit!*« Mit spöttischer Stimme las Felix eines der Regierungsplakate vor. Dann wackelte er mit dem Zeigefinger und fuhr fort: »Ignoranz. Inhumanität. Primitivität und Tätärätä!«

»Pst!«, sagte Georgie lächelnd.

Felix fragte sich, ob die Aula seiner eigenen Schule auch für die Wahl genutzt wurde, dann überlegte er, ob er jemals wieder dorthin zurückkehren würde. Obwohl er es nie laut zugegeben hätte, vermisste er einiges am Schulleben – die Sicherheit, die Freunde, den Fußball … und seine Eltern, die ihn aufforderten, seine Hausaufgaben zu machen.

Viggo und Saffron hatten die Verantwortung für dieses Wahllokal Felix und Georgie überlassen. Viggo wollte zu so vielen anderen Orten wie möglich fahren, um dort in letzter Minute Unterstützung einzuwerben. »Jede Stimme zählt«, wiederholte er immer und immer wieder.

Felix spähte um die Ecke in den Flur. Ein paar bewaffnete Polizisten unterhielten sich mit einer jungen Frau, die einen Ausweis umhängen hatte, offensichtlich die Leiterin dieses Wahllokals.

»Hey, du darfst da nicht rein!«, flüsterte Georgie.

Felix winkte ab. »Ich schaue nur.«

Hinter den Polizisten war der Eingang zur Aula mit dem von Dokumenten überhäuften Registrierungsstand. Im Inneren standen in langen Reihen Dutzende Wahlautomaten. Es waren Touchscreen-Stationen, die aussahen, als könnte man dort Zugtickets oder Lotterielose rauslassen.

*Merkwürdige Art, eine Regierung zu wählen*, dachte Felix. Er malte sich aus, wie großartig es wäre, wenn man nicht den Vorgaben der Maschinen folgen müsste, sondern stattdessen einfach ins Internet gehen könnte, um jeden beliebigen Menschen der Welt zum Premierminister zu wählen.

Felix beobachtete die Frau, der er das Flugblatt gegeben hatte. Im Moment war sie die einzige Wählerin in der Aula. Sie beugte sich so dicht zu dem Bildschirm, dass ihre Stirn beinahe den Firmennamen oben an dem Gerät berührte. Dort stand in schlanken silbernen Buchstaben: HERMES.

Nach ein paar Sekunden tippte die Frau mit dem Finger gegen den Bildschirm, nickte entschlossen, als ob das Gerät sie sehen könnte, und marschierte dann aus der Aula. Felix behielt sie im Auge, suchte nach einem Hinweis, für wen sie gestimmt hatte. Die Miene der Frau blieb ausdruckslos, bis sie an Felix vorbeikam und ihm ein kurzes Lächeln schenkte. Felix sog scharf die Luft ein. *Bedeutete das …?*

»Hey, Felix!«, flüsterte Georgie. Felix drehte sich um und sah eine Reihe von Leuten auf sie zukommen. Georgie ging ihnen entgegen und drückte ihnen entschlossen Flugblätter in die Hände. »Wählt Viggo!«, sagte sie. »Schluss mit der neo-demokratischen Unterdrückung! Wählt die Freiheit! Die Kontrolle des Landes gehört wieder in die Hände des Volkes!«

Ab diesem Moment riss der Menschenstrom nicht mehr ab. Die beiden waren den ganzen Tag beschäftigt. Einige Wähler lächelten Georgie und Felix zu, andere ignorierten sie, manche wollten sie wegscheuchen.

»Wählt Viggo!«, forderte Felix alle auf, die Georgie durch die Lappen gingen.

»Sei fröhlicher«, flüsterte Georgie. »Jede Stimme zählt!«

»Wie oft muss ich das noch hören …?« Felix unterbrach sich, und anstatt sich weiter zu beschweren, empfing er seinen nächsten *Kunden* überschwänglich. »Guten Morgen, bester Herr!« rief er mit heller Stimme. »Einen schönen guten Morgen!«

»Felix!« Georgie stöhnte. »Lass das.«

Felix wedelte mit einem Flugblatt über seinem Kopf, vollführte ein merkwürdiges Tänzchen, bei dem er mit den Handgelenken wackelte und den Absätzen klackte.

»Fröhliche Wahl!«, rief er dem verdutzten Mann zu, der an ihm vorbeieilte. »Legen Sie Ihren Finger auf den Wählknopf für Signor Viggo, den feinsten Gentleman im ganzen alten Eng-er-Land!«

Der Mann zog die Schultern ein und huschte zum Anmeldetisch, während Felix und Georgie in Lachen ausbrachen.

»Das kannst du nicht machen!«, protestierte Georgie, obwohl sie weiterkicherte.

»Mit Stimmen kann man eine Wahl gewinnen«, erklärte Felix großspurig, »aber bring die Leute zum Lachen, dann regierst du die Welt.«

Georgie schüttelte verzweifelt den Kopf.

»Könnte ich in jedem Wahllokal im Land auftreten«, sagte Felix, »würden wir die Wahl gewinnen, kein Problem.«

»Oder wir würden alle in der Klapsmühle landen.«

»Das, meine Freundin«, antwortete Felix pompös, »läge durchaus im Bereich des Möglichen.«

Ganz oben in Viggos Hauptquartier marschierte Jimmy vor dem Panoramafenster auf und ab. Die Blechlamellen der Jalousie kamen ihm langsam vor wie Eisengitter. Als der Nachmittag in den Abend übergegangen war, waren draußen die Lichter angegangen, jetzt herrschte tiefe Dunkelheit, sie schien auf London zu lasten und die Stadt zu ersticken.

Zwei Exemplare der *Times* lagen auf dem Sofa hinter ihm, die Rätselseiten aufgeschlagen. Bisher keine Nachricht von Eva. Es war zu früh, das wusste er, trotzdem hatte er mithilfe der Rätsel die Message-Board-Seite gefunden und dort jede Stunde nach Nachrichten gesucht. Sein Körper schien die neue Routine zu genießen.

Irgendwann würde eine Nachricht eintreffen. Die Frage war nur, ob sie noch rechtzeitig kam. Trotz seiner verzweifelten Versuche, einen Arzt zu finden, und trotz seiner beständigen Bemühungen, mehr über die Auswirkungen der Strahlung zu erfahren, war er kein bisschen weitergekommen.

Doch er konnte die Auswirkungen sehen und fühlen. Sein Kopf hämmerte, er fühlte sich schwächer als je zuvor. Er streckte seine Finger, schloss erst instinktiv die Augen, zwang sich dann aber, sie noch einmal zu betrachten. Die blauen Stellen gaben ihm das Gefühl, als hätte er seine Hände in etwas Entsetzliches getaucht, das er nicht abwaschen konnte.

Die Strahlung schien in sein Gehirn gekrochen, als läge alles hinter einem tödlichen Schleier. Die Dunkelheit war kein Trost. Jimmy hatte den ganzen Tag allein in Dunkeln gehockt, bis spät in die Nacht. Er war der Einzige, der noch aktiv vom *NJ7* verfolgt wurde. Selbst am Fenster zu stehen, bedeutete ein Risiko – mit ziemlicher Sicherheit ließ die Regierung das Gebäude beschatten, und die modernen Überwachungstechniken würden seine Silhouette erkennen und identifizieren.

*Sollen sie nur kommen*, dachte er. Ein Adrenalinschub ging durch seinen Körper. Aber war es Adrenalin oder eher seine Konditionierung, die ihn zu Taten aufpeitschte? Jimmy stellte sich Millionen winziger Tiger vor, die durch seine Adern hetzten, wobei sein Körper nichts als ein riesiger Käfig war.

Draußen blitzte etwas und Jimmy öffnete die Augen. Im Fenster hatte sich ein vorbeifahrendes Fahrzeug gespiegelt, selbst mit geschlossenen Augen war seine Netzhaut so empfindlich, dass sie so etwas wahrnahm. Von der hintersten Ecke des Raumes aus spähte Jimmy aus dem Fenster, hinunter auf die Straße.

Scheinwerfer. An der Vorderseite des Gebäudes, direkt neben dem Haupttor, stand ein TV-Übertragungswagen. Was immer sie filmten, es wurde von den Bäumen und dem hohen Zaun verdeckt.

Jimmy drehte sich um, sah zum Fernseher. Das Gerät lief ständig im Hintergrund, ohne Ton. Zwar wurden alle Kanäle von der Regierung kontrolliert, trotzdem wollte Jimmy auf dem Laufenden bleiben. Er merkte, dass er so tief in Gedanken versunken gewesen war, dass ihm die neuesten Umfragen entgangen waren.

Er sah Christopher Viggo auf dem Bildschirm, einen

Wald von Mikrofonen vor seinem Gesicht. Der Mann stand offenkundig direkt vor seinem Hauptquartier. Jimmy beeilte sich, den Ton einzuschalten. Hatte Viggo die Wahl schon gewonnen? Sicherlich war es noch zu früh für ein Ergebnis.

Viggo sprach über den Wahlkampf und den Zustand des Landes. Jimmy wünschte, er hätte selbst nach unten gehen und zusehen können. Wenn das Viggos Dankesrede war, wollte Jimmy bei ihm sein. Wenn Viggo schon Premierminister war, könnte Jimmy sich vielleicht schon frei bewegen. Er könnte ohne die unsichtbaren Augen des Geheimdienstes leben, der ihn finden und auslöschen wollte. Jimmy fühlte Erleichterung, aber er zwang sich, sie zu dämpfen. *Noch nicht*, sagte er sich. *Geh lieber auf Nummer sicher.*

Dann begannen Viggos Worte in sein Bewusstsein zu sickern: »… verlief glücklicherweise fast ohne Zwischenfälle, und es sieht im Moment nach einer fairen und legitimen Wahl aus …«

Jimmy fiel auf, dass die Stimme des Mannes ungewöhnlich hohl schien – nicht der sonore Ton, mit dem er sonst sprach. Er las von einem Blatt ab, was ungewöhnlich war, und seine Augen zuckten ängstlich umher.

*Er ist müde*, dachte Jimmy. Doch er erkannte rasch, dass noch mehr im Spiel war.

»Dank der erstaunlichen Technologie«, fuhr Viggo fort, »wurden uns die Ergebnisse viel früher als erwartet zur Verfügung gestellt.« Zitterte seine Hand?

Jimmy konnte es nicht genau sagen. Dutzende von Kamerablitzen explodierten.

»Natürlich gibt es noch viele Formalitäten, die Zahlen werden überprüft und abgeglichen … dennoch ist es an der Zeit einzugestehen, dass ich diese Wahl nicht mehr gewinnen kann.«

Die Journalisten feuerten ihre Fragen auf ihn ab. Viggo ignorierte sie, beugte sich näher zu den Mikrofonen.

»Ich hatte gehofft, der heutige Tag würde den Beginn einer neuen Ära markieren. Eine neue Hoffnung für Großbritannien, für die Demokratie … für den Wandel.« Seine Stimme drohte zu versagen. »Sie, das britische Volk, haben entschieden, dass die Zeit noch nicht reif ist für diesen Wandel. Also gestehe ich meine Niederlage ein. Aber ich komme ein andermal wieder.«

Viggos Gesicht schien sich für eine Sekunde zu entspannen, bevor er sich von der Kamera abwandte und durch das Tor zurück ins Hauptquartier eilte.

Jimmy fand sich am Fenster wieder, beobachtete Viggos winzige Gestalt, die zurück zum Gebäude eilte.

»Nein«, keuchte Jimmy laut. Hatte Viggo wirklich gerade die Wahl verloren? Wie war das möglich? Auch wenn die Stimmen tatsächlich schon ausgezählt worden waren, konnte er sich das Ergebnis nicht erklären. Warum hatte sich die Bevölkerung gegen Viggo gewandt? Wie konnten die Leute für Ian Coates stimmen? Für diese Regierung?

»Die Leute haben keine Ahnung …«, sagte Jimmy leise, unfähig, seine Gedanken für sich zu behalten. »Sie wissen nichts vom *NJ7*.« Er war völlig geschockt. Für einen Moment glaubte er, sich übergeben zu müssen. Er fühlte ein unangenehmes Kribbeln in den Nasenlöchern. *Schon wieder Nasenbluten*, dachte er und kniff den Nasenrücken zusammen, um die Blutung zu stoppen. Dann, mit der Kraft eines Hurrikans, begehrten Jimmys Agenteninstinkte auf. Er sprang vom Sofa, schaltete den Fernseher und das Licht aus und rannte zum Fenster.

Mit pochendem Schädel spähte Jimmy durch die Lamellen der Jalousie. *Jetzt ist es gleich so weit.* Während sich ein Teil von ihm immer noch weigerte zu glauben, dass Viggo die Wahl verloren haben könnte, beschäftigte sich der Rest von ihm bereits mit den Folgen. Wenn die Regierung gewonnen hatte, würde der *NJ7* jeden Moment angreifen. Jimmy meinte bereits das Zischen der Kugeln hören zu können. In seinem Kopf splitterte Glas. Er plante bereits seine Strategie – Flüchten, Überleben. Wie sollte er aus dem Gebäude entkommen?

»Stop!«, schrie Jimmy. Seine Stimme hallte durch den Raum. Das war Wahnsinn. Nichts deutete darauf hin, dass die Regierung im Begriff war, ihn anzugreifen. Aber Jimmy war voller Zweifel. Er hatte keine Ahnung, ob das Paranoia oder die sinnvolle Reaktion auf eine echte Bedrohung war. Hatte er etwas bemerkt, das auf einen bevorstehenden Angriff hindeutete?

Jimmy umklammerte seinen Kopf, grub die Finger in

die Kopfhaut, als ob er nach der Antwort wühlen würde. Dann musste er ein Taschentuch suchen, um das Blut, das aus seiner Nase tropfte, abzuwischen.

Plötzlich Geräusche. Im Korridor. Stimmen. Schritte. Jimmy fühlte, wie seine Muskeln vor Kraft pulsierten. Die Tür flog auf und das Licht ging an.

»Jimmy?« Es war seine Mutter. »Bist du in Ordnung? Warum stehst du hier im Dunkeln?«

Jimmy rührte sich nicht. Es kostete ihn all seine Kraft. Er nutzte das Taschentuch in seiner Hand, um den Schweiß von seinem Gesicht zu wischen, zerknüllte es dann, um die Blutflecken zu verbergen. Aber bevor er etwas sagen konnte, stürmte Viggo an Jimmys Mutter vorbei.

»Nein!«, brüllte er, ohne Jimmy auch nur anzuschauen. Er rannte zum Sofa und trat immer wieder wütend dagegen.

»Chris, beruhige dich!«, rief Helen Coates. Von hinten kam Saffron Walden und gab beruhigende Geräusche von sich. Sie versuchte, Viggo bei den Schultern zu nehmen, aber er drehte sich um und landete einen harten Tritt gegen den Fernsehbildschirm. Das Glas sprang und das Gerät kippte um.

Jimmy hörte ein Keuchen und bemerkte, dass Felix und Georgie im Flur standen, sich nicht hereintrauten.

»Chris, lass das!«, rief Helen. Viggo hörte auf, irgendwo dagegenzutreten, aber vermutlich nur, weil er bereits alles im Raum demoliert hatte. »Was hast du erwartet?«, fragte Helen. »Dass du unbesiegbar bist?«

Viggo wandte sich ab, stemmte die Händen gegen das Fenster und atmete schwer.

»Du hast etwas Großartiges geleistet«, sagte Saffron leise. »Du solltest stolz sein. Du hast eine Opposition gegründet … Du hast ihnen Wahlen aufgezwungen … Du –«

»Ich habe verloren!« Erneut explodierte Viggo beinahe vor Wut. Jimmy hatte ihn noch nie so erlebt. Die ganze Kraft und Ausstrahlung des Mannes hatte sich in brennenden Zorn verwandelt.

»Du wirst weiterkämpfen«, schlug Helen vor. »Du musst. Wir finden einen Weg – irgendwie. Wir werden beweisen, dass die Wahl manipuliert wurde.«

Alle drehten sich zu ihr um.

»Ach, kommt schon«, sagte Helen. »Ihr wisst alle, dass es so gewesen sein muss.«

»Diese Geräte …«, bestätigte Saffron, nickend. »Es ist offensichtlich. Der *NJ7* muss sie gehackt haben, oder den Zentralcomputer …«

»Haben sie nicht«, stöhnte Viggo kaum hörbar. »Haltet ihr mich für so naiv, dass ich nicht mit so was gerechnet habe? Ich hatte Mitarbeiter, die daran arbeiteten, das zu verhindern. Die Beweise für mögliche Manipulationen sammeln sollten.«

»*Deine* Mitarbeiter?«, fragte Helen bitter. »Wo sind deine treuen Mitarbeiter denn jetzt? Wenn sie so gut in ihrem Job waren und so loyal, wo stecken sie jetzt?«

Keine Antwort.

Helen marschierte zum Fenster und zog die Jalousien hoch.

»Schau!«, befahl sie.

Gestalten huschten übers Gelände zum Tor. Es wurden immer mehr.

Viggos Wahlkampfmitarbeiter ließen ihn im Stich.

»Es ist wie eine Massenpanik«, sagte Helen, während die flüchtende Gruppe immer größer wurde. Bald wären sie alle weg. »Das Gebäude ist leer, Chris«, fuhr Helen fort. »Alle haben das Weite gesucht, so schnell sie konnten! Außer uns ist niemand mehr hier!«

»Das stimmt nicht ganz.« Die Stimme kam aus dem Schatten des Korridors, hinter Georgie und Felix. Beide schnappten erschrocken nach Luft. Es war eine Frauenstimme, sanft, aber eindringlich. »Sie sind nicht allein, Mr Viggo.«

# KAPITEL 7

»Wer sind Sie? Wie sind Sie hier reingekommen?«, wollte Saffron Walden wissen. Gleichzeitig sprang sie zur Seite und versperrte der neuen Frau den Blick auf Viggo, trat so direkt in die Schusslinie.

Saffron zog ihr Handy aus der Tasche und tippte zwei Tasten.

»Stopp«, sagte Viggo leise.

»Ich rufe den Sicherheitsdienst«, antwortete Saffron und hielt ihr Telefon ans Ohr.

»Zu spät«, sagte Viggo und nahm Saffron beiseite. »Wenn diese Frau da ist, dann heißt das, dass wir uns nicht mehr auf unsere Sicherheitskräfte verlassen können.«

Schließlich trat die Frau durch die Tür ins Licht. Jimmy bemerkte überrascht, dass sie nicht viel größer war als er selbst. Ihr kleines, rundes Gesicht war von Haaren umrahmt, so schwarz, dass sie das ganze Licht im Raum zu schlucken schienen. Ihre Haut hatte einen tiefen olivbraunen Teint, der in Kontrast zum hellen Weiß ihres langen Wollmantels stand.

»Er hat recht, Miss Walden«, verkündete die Frau und neigte den Kopf zur Seite. »Ihre Sicherheit ist …

gefährdet.« Das Funkeln in ihren Augen jagte Jimmy Schauder über den Rücken. Es erinnerte ihn an Miss Bennett, die ebenfalls grausam sein und dabei lächeln konnte. Aber es gab Unterschiede – die Stimme dieser Frau klang viel schroffer, sie konnte ihre Wut kaum verbergen, oder sie wollte es nicht. Ihre Gefühle spiegelten sich in den heruntergezogenen Mundwinkeln und den angespannten Muskeln um ihre Augen.

»Was wollen Sie?«, fragte Viggo. Jimmy musterte ihn. Der Mann hatte Angst, versuchte aber, es zu verbergen.

»Haben Sie ihn?«, fragte die Frau mit ruhiger Intensität. Sie starrte Viggo direkt ins Gesicht, ignorierte dabei alle anderen im Raum, Jimmy bemerkte allerding, dass sie sich so positioniert hatte, dass niemand hinter sie gelangen oder den Raum verlassen konnte.

»Was?« Ein Ausdruck des Entsetzens flackerte über Viggos Gesicht.

Die Frau schnaubte. »Haben Sie ihn?«

»Lassen Sie uns unter vier Augen reden.« Viggos Stimme klang jetzt fast flehend.

»Wir müssen nicht reden, Mr Viggo. Ich will nur die Antwort: Haben Sie ihn?«

Viggos Blick huschte nervös über die Gesichter der anderen. Warum war diese Frau so gefährlich? Sie wirkte feindselig, das schon, aber Jimmy hatte vollstes Vertrauen in seine besonderen Fähigkeiten. Er spürte bereits diese vibrierende Energie in sich, jede Faser seines Körpers war in Alarmbereitschaft. *Die Seite ihres Schädels*, flüsterte es in ihm. *Zwei Finger. Ein harter Stoß*. Er sah die Stelle genau, direkt über ihrem Ohr. Ebenso gut hätte eine Zielscheibe darauf gemalt sein können. *Mach sie unschädlich, aber sorge dafür, dass sie bei Bewusstsein bleibt.*

Seine Konditionierung wollte zuschlagen. Mit jeder Sekunde des Zögerns nahm die potenzielle Gefahr zu. Trotzdem zwang sich Jimmy, ruhig zu bleiben. *Warte*, ermahnte er sich. Er war neugierig – wegen Viggo. Seitdem diese Frau aufgetaucht war, hatte Viggo mehr über seine Gemütsverfassung preisgegeben als in den vergangenen letzten sechs Monaten. Jimmy wollte unbedingt noch mehr erfahren.

»Sie wissen, dass ich es nicht habe«, zischte Viggo zwischen zusammengebissenen Zähnen.

*Er versucht, stark zu wirken*, dachte Jimmy, aber selbst aus ein paar Metern Entfernung konnte er Viggos unruhig zuckende Pupillen und seine flache, unregelmäßige Atmung wahrnehmen.

»Was geht hier vor?«, schaltete sich Jimmys Mutter ein. Sie richtete die Frage an Viggo, behielt dabei aber die Frau im Auge. »Wer ist das?«

Erneut schnaubte die Frau, diesmal klang es noch wütender.

»Sie haben ein Problem, nicht wahr?«, fragte sie.

Erst jetzt bemerkte Jimmy ihren leichten Akzent. Jimmys Verstand analysierte nun jeden einzelnen Vokal, der aus ihrem Mund gekommen war. War es irisch oder eine Spur von etwas Mediterranem?

»Wer ist das?« Saffron wiederholte Helens Frage, dringlicher diesmal. »Chris?«

Viggo ignorierte sie, trat näher an die Frau heran, als könnte er so ungestört mit ihr reden.

»Ich sagte doch, ich gebe es Ihnen, wenn ich gewinne ...« Viggo verstummte.

»Und haben Sie es?«, fragte die Frau.

»Ich habe nicht gewonnen«, stammelte Viggo.

»Sie haben verloren.« Zum ersten Mal lächelte die Frau, obwohl ihre Augen immer noch ernst blickten und ihr Kopf weiter zur Seite geneigt war. Jimmy fühlte eine gewaltige Hitze in seiner Brust aufsteigen. Der Drang zuzuschlagen war jetzt überwältigend. Er konnte ihn kaum mehr bekämpfen.

»Chris!«, rief Helen. »Wer ist das? Was ist passiert?« Sie packte Viggo am Kragen, zog ihn zurück und nahm seinen Platz vor der Unbekannten ein. »Wer sind Sie?«

»Ich arbeite für eine große Firma«, antwortete sie wie aus der Pistole geschossen. »Ihr Freund Mr Viggo hat viel von unserem Geld für seinen Wahlkampf ausgegeben. Und er hat bestimmte Versprechungen gemacht, wie er diese Schulden zurückzahlen will. Ich bin gekommen, um dafür zu sorgen, dass er dieses Versprechen auch hält.«

»Ich habe es Ihnen versprochen, für den Fall, dass ich gewinne!«, rief Viggo. Jimmy war erstaunt, wie dieser starke Mann immer mehr in sich zusammenschrumpfte. Sein Gesicht war zerknittert und er klammerte sich an die Sofalehne. »Ich sagte, ich könnte es

Ihnen nur geben, wenn ich gewinne. Mehr habe ich nie versprochen!«

»So wie es aussieht«, höhnte die Frau, »werden Sie Ihr Versprechen wohl anders einlösen müssen.«

»Das können Sie nicht machen!«, kam eine Stimme aus der Ecke des Raums. Es war Felix. »Wer auch immer Sie sind. Man kann ein Versprechen nicht nachträglich ändern …« Er verschluckte das Ende seines Protestes, als sich ihm die Frau zuwandte. »… das ist nicht fair,« murmelte er, während er sich wieder in seine Ecke verkroch.

»Idiot!«, flüsterte Helen Viggo zu. »Wolltest du uns deshalb nicht sagen, woher du das Geld hast? Du hast es dir von Betrügern geliehen?«

»Wir sind keine Betrüger«, sagte die Frau. »Man nennt uns die Capita.«

Schlagartig wurde Jimmy alles klar. Er hatte die Capita nie vergessen. Eine riesige Organisation, die zunächst Europa unterwandert hatte und sich jetzt überall in der Welt ausbreitete. Soweit Jimmy es verstand, war die Capita eine moderne, stromlinienförmige Version alter krimineller Netzwerke wie der Mafia. Zahlreiche dieser Netzwerke hatten sich zusammengeschlossen, waren dadurch nun effizienter, rücksichtsloser … und machten Geschäfte in großem Stil.

»Die Capita ist viel schlimmer als Betrüger«, verkündete Jimmy leise.

Die Frau wandte sich ihm zu. Er sah ihr nicht ins

Gesicht, bemerkte aber die Geschwindigkeit und Sicherheit ihrer Bewegungen. Diese Frau war stark.

»Hallo, Mr Coates«, verkündete sie. »Ich habe schon viel von Ihnen gehört.«

*Und ich weiß mehr über die* Capita, *als Ihnen recht ist*, dachte Jimmy. Seine erste Begegnung mit der Capita hatte als Kooperation begonnen. Sie hatten ihm geholfen, dem französischen Geheimdienst in Westafrika zu entkommen, ihn durch Europa geschmuggelt, dabei vor den Franzosen und Briten geschützt. Jimmy war beeindruckt gewesen von ihren reibungslosen Operationen, doch die Art und Weise, wie sie ihre Macht sicherten und nutzten, war erschreckend. Für die Capita gehörten Folter, Betrug und Mord zum ganz normalen Geschäft. Die Organisation bestand aus Kriminellen, ehemaligen Geheimdienstagenten und Soldaten, die alle von Geld besessen waren. Und so hatte Jimmy auch herausfinden müssen, wie leicht sie einen verrieten, weil Geld die einzige Grundlage für ihre Vereinbarungen war.

»Wir besorgen Ihnen Ihr Geld«, sagte Jimmy fest. »Sagen Sie uns einfach, wie viel es ist, und geben Sie uns entsprechend Zeit.«

Zu seiner Überraschung stieß die Frau ein weiteres Schnauben aus.

»Danke für das Angebot«, sagte sie. »Aber wenn wir nur Geld wollten, wäre er die letzte Person, der wir es leihen würden.« Sie schnippte in Viggos Richtung. »Tu nicht so, als wüsstest du nicht, was wir außerdem wollen.« Sie machte einen Schritt vorwärts, bis sie direkt vor Jimmy stand. Er konnte den seifigen Geschmack ihres Make-ups riechen. »Ich denke, du weißt genau, was wir wollen«, flüsterte sie.

Jimmy schauderte. Er starrte unverwandt zu Viggo, der völlig verzweifelt wirkte.

»Haben Sie ihn?«, fauchte die Frau und fuhr abrupt zu Viggo herum.

In Jimmys Kopf drehte sich alles. Was meinte sie nur? Was wollte die Capita? Was hatte Christopher Viggo ihnen versprochen?

Viggo schüttelte stumm den Kopf.

»Gut«, sagte die Frau. Plötzlich fuhr ihre Hand in die Tasche ihres Mantels. *Ein Messer.* Der Gedanke erfasste Jimmy, noch bevor er wusste, was geschah, und sofort explodierte er. Er stürzte sich auf sie. Genau in dem Moment, als ihre Hand aus der Tasche kam, packte Jimmy ihr Gelenk, hämmerte es gegen die Wand und nagelte die Frau dort fest. Aber sie hatte kein Messer. Stattdessen drückten sie den Knopf einer Fernbedienung.

In Jimmys Schädel ertönte ein grelles Kreischen. Er ließ die Frau los, presste die Hände auf die Ohren, doch der Lärm war immer noch unerträglich. Um ihn herum stürzten die anderen zu Boden, umklammerten ihre Köpfe. Dann zersplitterte ein Fenster. Die Frequenz des Schalls war sorgfältig kalibriert worden. Schließlich explodierten die Lampen.

In diesem Moment schalteten Jimmys Instinkte von *Angriff* auf *Überleben* um. Er wusste, die Frau war nur der Vorbote einer bevorstehenden Attacke, und durch das zerstörte Fenster waren sie ihr alle ausgesetzt. Jimmy zwang sich, dem Schmerz des Lärms zu widerstehen, und rollte sich zu seinen Freunden. Rasch zog er Felix und Georgie hinter das Sofa. Dann schob er das Möbelstück an die Wand, um einen sicheren Unterschlupf zu schaffen. Es dauerte weniger als eine Sekunde.

Endlich hörte das Kreischen auf. In der Dunkelheit spürte Jimmy ein intensives Kribbeln hinter seiner Netzhaut. Sein ganzer Kopf schien zu brummen. Seine Nachtsichtfähigkeit schaltete ein, seine Augen verstärkten das vorhandene Restlicht und der Raum wurde in ein blaues Licht getaucht. Er konnte Wände, Boden und Körper als sich bewegende Schatten wahrnehmen. Es war eine von Jimmys besonderen Kräften, und sie hatte ihm schon viele Male das Leben gerettet.

Etwas im Raum stach deutlich heraus – der weiße Mantel der Capita-Frau. Sie war in einen brutalen Kampf mit Viggo verwickelt. Er hatte es geschafft, die Fernbedienung aus ihrer Hand zu schlagen, und jetzt sprangen Helen und Saffron hinzu, um ihm zu helfen. Die Capita-Frau duckte sich und trat nach ihnen, und in der Dunkelheit waren ihre Bewegungen schnell genug, um jeden Zugriff abzuwehren. *Ich kümmre mich darum*, dachte Jimmy. Er machte einen Schritt in Richtung des Kampfes, doch da fielen von oben drei vertikale schwarze Linien durch das Loch, wo sich vorher das Fenster befunden hatte.

»Seile!«, schrie Jimmy. Niemand konnte ihn hören

wegen des nachhallenden Kreischens in ihren Ohren und eines lauten Schreis. *War das Georgie oder Felix?*, fragte sich Jimmy.

Während Jimmy zu den Seilen krabbelte, schwangen sich drei maskierte Soldaten in den Raum, die sich vom Dach her abgeseilt haben mussten. Sie trugen gleißend helle Lampen an ihren Helmen. Das Rauschen der Nylonschnüre durchschnitt Jimmys Herz.

»Vorsicht!«, rief er. Es gelang ihm, den ersten Soldaten zu stoppen. Er grub die Fersen in den Teppich und rammte seinen Ellenbogen in den Bauch des Mannes. Das überraschte Grunzen des Soldaten noch in den Ohren, ging Jimmy zum zweiten Eindringling über. Er brachte ihn mit einem tiefen, sensenartigen Kick zu Fall – eine weitere *La Savate*-Kampftechnik. Da bemerkte Jimmy aus den Augenwinkeln die Capita-Frau. Sie versuchte nicht, den Kampf zu gewinnen. Sie näherte sich einfach dem Fenster, um ihre ahnungslosen Gegner in die Nähe der anrückenden Verstärkungen zu locken.

»Passt auf!«, brüllte Jimmy und flitzte durch den Raum. Doch der dritte Soldat hielt bereits Viggos Oberkörper umklammert. Jimmy schrie erneut, wollte seinen Freund packen, doch der Soldat ließ sich nach hinten durchs Fenster fallen und riss Viggo mit hinaus in die Dunkelheit.

Jimmy wollte ihnen folgen, doch die ersten beiden Soldaten waren wieder auf den Beinen und griffen nach ihren Maschinenpistolen.

»Runter!«, brüllte Jimmy und warf sich auf den Teppich.

Die beiden Angreifer drehten sich eine halbe Sekunde lang und sprühten Maschinenpistolenfeuer durch den Raum. Jimmy hörte, wie die Kugeln in den Wänden einschlugen. Betonsplitter regneten herab, trotzdem bewegte er sich weiter. Er robbte auf die Soldaten zu. Sie waren auf dem Weg zum Fenster, um auf dem gleichen Weg wie ihr Partner zu verschwinden.

Jimmy fühlte, wie sein ganzer Körper pumpte, seine sämtlichen Muskeln agierten perfekt synchron. Er rollte über den Boden in Richtung eines Seils, als er plötzlich in die Mündung einer Maschinenpistole blickte, die jetzt auf seinen Kopf gerichtet war. Bevor der Soldat abdrücken konnte, schnappte sich Jimmy das Seilende und schleuderte es so geschickt, dass es sich wie ein Lasso um den Lauf der Waffe wickelte. Sofort zog er heftig an dem Seil und riss dem Soldaten die Maschinenpistole aus den Händen. Doch damit war Jimmy noch nicht am Ende. Er rollte herum und wirbelte das Seil durchs Zimmer, als würde er eine komplizierte Choreografie aufführen.

In weniger als einer Sekunde waren die Beine des Soldaten fest umwickelt. Der Mann ruderte mit den Armen, um das Gleichgewicht zu halten, aber mit einem letzten heftigen Ruck ließ Jimmy ihn zu Boden krachen. Dann schleifte er ihn in die Mitte des Raums, damit Saffron und Helen ihn vollständig fesseln konnten.

Der andere Soldat war in der Nacht verschwunden, doch Jimmy machte sich an die Verfolgung. Er hechtete zum Fenster und schnappte das Seil des Mannes, der nun daran nach unten glitt. Jimmy stemmte die Füße gegen das Fensterbrett und warf sich mit aller Kraft zurück in den Raum, wobei er das Seil hinter sich herzog. Er zerrte den Soldaten durch das Fenster zurück und warf sich auf ihn, als er in den Raum plumpste.

Dann ließ Jimmy von dem bewusstlosen Mann ab und rief: »Wo ist sie?«

Felix und Georgie hockten wie erstarrt an der Wand und glotzten in die Dunkelheit.

Saffron und Helen waren in der Mitte des Raumes und fesselten die beiden unschädlich gemachten Soldaten.

Doch die kleine Frau mit dem weißen Mantel war verschwunden.

# KAPITEL 8

Jimmy atmete schwer, aber er handelte jetzt ganz automatisch, sein innerer Agent entwickelte jede Sekunde neue Strategien. Während sich die anderen um die beiden gefesselten Angreifer scharten, eilte Jimmy zurück zum Fenster. Auf dem Teppich lagen zwei zylinderförmige Schwämmchen – die Ohrstöpsel der Capita-Frau. Verärgert kickte Jimmy sie aus dem Fenster.

»Wo ist sie hin …?«, begann er, obwohl er wusste, dass es aussichtslos war.

»Tut mir leid, Jimmy«, sagte Saffron. »Ich habe versucht, sie festzuhalten, aber ich hatte keine Chance. Sie hat es zu einem der Seile geschafft.« In diesem Moment wurde ihr auch der Zweck des Angriffs klar. »Sie haben Chris«, keuchte sie.

Jimmy lehnte sich aus dem Loch im Fenster und spähte nach unten in die Schatten. War Viggo noch auf dem Gelände? Wie viele andere Capita-Kämpfer warteten dort unten?

Helen zog die Lampen von den Helmen der Soldaten und ließ sie den Raum erleuchten. Jimmy drehte sich um und betrachtete die Wände. Die Einschusslöcher bildeten rundum eine Linie, aber ziemlich weit oben. Wenn die Männer sie wirklich hätten töten wollen, wäre es ihnen ein Leichtes gewesen. Offenkundig waren es gut ausgebildete Kämpfer gewesen. Sie hatten sie offenbar bewusst verschont.

»Sie haben uns am Leben gelassen«, sagte Jimmy. »Warum? Warum brauchen Sie uns lebendig?« Er marschierte auf die beiden Männer zu. Sie knieten, die Arme an den Seiten gefesselt.

»In Ordnung, Jimmy«, sagte Saffron entschlossen. »Lass uns herausfinden, was hier läuft.« Sie drehte sich um und schlug einem der Soldaten ins Gesicht.

Jimmy war überrascht, wie viel Wut in Saffron steckte. Viggo hatte sie über mehrere Jahre hinweg trainiert, Jimmy selbst hatte ihre beeindruckenden Kampffähigkeiten miterlebt. Dennoch hatte er sich nicht vorstellen können, dass Saffron irgendwie brutal vorgehen würde, um Informationen aus ihren Feinden zu pressen – sie war der sanfteste Mensch, dem Jimmy je begegnet war.

Sie trat hinter die beiden Angreifer, packte ihre Helme, um sie herunterzureißen. Genau in dem Moment fühlte Jimmy, wie etwas an seinem Ohr vorbeisirrte. Dann ertönten zwei dumpfe Geräusche. Etwa zehn Zentimeter lange Metallstäbchen durchbohrten die Kampfwesten der beiden Soldaten. Sie sackten zusammen und kippten nach vorne. Eine Blutlache breitete sich auf dem Teppich unter ihnen aus.

Jimmys erstarrte. Niemand im Raum wagte, sich zu rühren. Sie waren zu geschockt, um zu schreien. Georgie und Felix taumelten rückwärts.

»Oh Gott!«, keuchte Georgie, ihre Stimme zitterte. »Was machen die …?«

Jimmy drehte sich um, wollte sehen, woher die Schüsse gekommen waren. *Armbrustpfeile*, schoss es ihm durch den Kopf. Er fühlte nichts. Seine Emotionen waren in seiner Brust zu einem winzigen Ball zusammengepresst. Er hörte Felix in die Ecke kotzen. *Soll ich mich auch übergeben?*, fragte er sich. Aber die Frage wurde sofort von einer neuen Überlegung beiseitegewischt – waren er und seine Freunde noch im Visier des Schützen? Wie verlief die Schusslinie? Wie viele von ihnen würden es in den Korridor schaffen, bevor weitere Pfeile sie trafen?

»Tut mir leid …«, stöhnte Felix, der immer noch würgte. »Ich … »

Plötzlich klingelte es schrill. Alle zuckten zusammen.

»Was ist das?«, schrie Felix, obwohl es ganz offensichtlich ein Handy war. »Ich meine, wo ist es …«

Jimmys Herz pochte laut. In seinem Inneren konnte er schreckliche Panik aufsteigen spüren, doch sie wurde sofort von einer Welle kühler Gelassenheit weggespült. Seine Gliedmaßen bewegten sich kontrolliert, als wären es nicht seine eigenen, unberührt von den Morden, die soeben kaum einen Meter von ihm entfernt stattgefunden hatten. Automatisch bewegte er sich auf einen der Männer zu. Er griff nach unten und zog das klingelnde Handy unter der Splitterschutzweste hervor.

Warmes Blut verschmierte das Display, doch das hielt Jimmy nicht davon ab, den Anruf zu beantworten.

»Du hättest die beiden gehen lassen sollen«, sagte die Person am anderen Ende. Es war die Capita-Frau, ein wenig keuchend, aber selbstbewusst.

»Sie können nicht …« Jimmy brachte kaum einen Ton heraus. Er hielt das Telefon kurz von sich weg, kniff das Gesicht zusammen, um die Tränen zu unterdrücken. »Was haben Sie vor?«

»Schulden eintreiben«, kam die Antwort. »Mr Viggo wird uns verraten, was wir wissen müssen.«

»Wovon reden Sie?!«, protestierte Jimmy, überrascht von der plötzlichen Kraft in seiner Stimme.

»Mr Viggo hätte es dir erklären sollen, solange er noch die Gelegenheit dazu hatte.«

»Das ist nicht lustig.«

»Ich bin auch keine Komikerin.« Die Frau seufzte. »In vierundzwanzig Stunden kannst du ihn wiederhaben. Vielleicht sogar lebendig, wenn er kooperiert. In der Zwischenzeit gebe ich dir die Chance, ihm zu helfen. Und da du das Geld vermutlich nicht hast, bringst du uns stattdessen den Code H.«

»Den *was*?«, rief Jimmy aus.

»Den Code H. Viggo hat ihn irgendwo versteckt, oder er weiß, wie man ihn bekommt.«

»Wie viel Geld verlangen Sie? Und was ist der Code H? Ich habe noch nie davon gehört!« Jimmy blickte zu den anderen, aber ihre Gesichter waren leer. »Was hat Chris, das Sie wollen?« Er stellte die Frage halb ins

Telefon, halb in Richtung Saffron und seiner Mutter. Verbargen sie etwas vor ihm? Wussten sie von Viggos Geheimnissen? Doch sie wirkten ebenso verblüfft wie er.

»Der Code H!«, insistierte die Capita-Frau. »Entweder sagt uns Chris, wo er ist, oder du bringst ihn uns. Wenn du Chris wiederhaben willst, treffen wir uns in vierundzwanzig Stunden. Bring den Code H mit. Auf Wiedersehen.«

»Warten Sie!« Doch Jimmy kam zu spät. Sie hatte aufgelegt. »Wir wissen nicht mal, wo …« Verzweifelt versuchte Jimmy, die Nummer der Frau auf dem Display aufzurufen – oder überhaupt irgendwelche Informationen –, aber ohne Erfolg. Er ließ das Telefon zu Boden fallen. »Sie spielt Spielchen!«, schrie er. »Sie sagt, sie behalten Chris als Geisel, bis sie bekommen, was sie wollen.«

Er starrte die anderen an, Wut flammte in seinem Inneren auf.

Seine Mutter und Saffron begannen langsam, die Leichen wegzuziehen, während Georgie ihre Augen nicht von dem Blut am Boden wenden konnte. Felix hockte in einer Ecke und schüttelte ungläubig den Kopf.

»Könnt ihr nicht irgendetwas sagen?«, schrie Jimmy die anderen an.

»Warte, Jimmy«, erwiderte seine Mutter. »Wir brauchen eine Sekunde. Wir sind nur Menschen.«

Einen Moment lang sah Jimmy seine Freunde verächtlich an. *Ich bin stärker als sie*, tönte es in seinem Kopf. *Mehr als menschlich.*

»Nein!«, rief er laut und bezwang diesen Gedanken mit einer Eruption reiner Willenskraft. Schließlich holte er tief Luft und erklärte leise: »Sie sagte, um Chris wiederzubekommen, müssen wir ihr den Code H in vierundzwanzig Stunden liefern.«

»Was ist der Code H?«, fragte Saffron. »Und wo sollen wir ihn hinbringen?«

Bevor Jimmy auch nur mit den Achseln zucken konnte, traf die Antwort ein. Sie kam mit einem Armbrustpfeil, der in der Rückwand des Zimmers einschlug. Am Schaft war eine Postkarte befestigt, mit einer Adresse und einem einzigen Wort darauf: *LOCO*

»Die wissen nichts!«, stöhnte Christopher Viggo. »Lassen Sie sie in Ruhe! Die haben keine Ahnung!«

Seine Arme und Beine waren an einen Stuhl gefesselt, über seinen Kopf war ein am Hals zugeschnürter schwarzer Sack gestülpt. Etwas Warmes lief an seiner Stirn herab, vermutlich sein eigenes Blut. Er hatte kaum noch Gefühl im Gesicht, aber trotzdem spürte er immer noch den bohrenden Schmerz. Offenbar hatte die Capita Experten auf diesem Gebiet. Sie hatten es sogar geschafft, dass er noch sprechen konnte – und das war wohl auch der Sinn der Übung.

»Wenn die es nicht wissen«, drang ein heißes Flüstern an sein Ohr, »dann wäre das sehr praktisch für Sie, nicht wahr?« Es war die einzige Stimme, die er seit mehreren Stunden hörte. Die Stimme der Frau, die gekommen war, um seine Schulden bei der Capita einzutreiben. »Denn wenn Sie der Einzige sind, der es weiß, dann bedeutet das, wir müssen Sie am Leben erhalten. Andererseits, wenn Ihre Freunde wirklich nichts wissen, dann könnten wir die ebenso gut töten, oder? Also, was jetzt?«

»Sie wissen es«, erklärte Viggo mutig. »Natürlich wissen sie es. Jeder weiß es.«

»Hören Sie auf, Spielchen zu spielen, Mr Viggo. Sie schulden uns den Code H.«

»Sie wissen es. Sie wissen es nicht. Sie wissen es. Sie wissen es nicht.« Viggo spulte die Worte ab, bis sie keine Bedeutung mehr hatten. Die Capita hatte vielleicht Folter-Experten, aber es war nicht das erste Mal, dass Viggo verhört wurde, und er war von den Besten ausgebildet worden. Ein Ex-*NJ7*-Agent zu sein, hatte auch einige Vorteile. »Sie wissen es. Sie wissen es nicht. Sie wissen es. Sie wissen es nicht.«

Sein Kopf wurde von Sekunde zu Sekunde schwerer. Seine Gliedmaßen fühlten sich weit weg an, als wären sie nicht mehr mit ihm verbunden.

Er wusste, die Ursache dafür war der Drogen-Cocktail, den sie ihm in die Wirbelsäule gespritzt hatten. *Bleib konzentriert*, befahl er sich selbst. »Sie wissen es. Sie wissen es nicht.« Er betete es herunter wie ein Mantra, lenkte sich ab, indem er nachzuspüren versuchte, welche Chemikalien in seinem System zirkulierten und wann die nächste Dosis kommen würde.

»Sie wissen es ... sie wissen es nicht ... sie wissen es nicht ...«

Viggo hielt inne, als er das schwache Surren eines kleinen Elektromotors hörte. Wollten sie ihn einer neuen Prozedur unterziehen?

Dann ertönte die dünne Stimme eines alten Mannes mit einem starken italienischen Akzent.

»Gibt es nicht einen effizienteren Weg, Miranda?«

Jimmy drehte die Postkarte zwischen den Fingern, während das Wort in seinem Kopf kreiste. Die Schrift war verschnörkelt. Darüber befand sich eine einfache Schwarz-Weiß-Zeichnung: zwei Schlangen, die sich um einen Mikrofonständer wanden. Auf der Rückseite der Karte stand eine Adresse in Nord-London: 5-17 Highgate Road. Es war keine Gegend, dic Jimmy kannte, aber das Ganze war offensichtlich ein Flyer für eine der illegalen Musikveranstaltungen, die überall in der Stadt stattfanden.

Öffentliche Veranstaltungen wurden von der Regierung strengstens überwacht, sodass die Clubs gezwungen waren, sich jede Nacht einen anderen Ort zu suchen, da Bands, Veranstalter und sogar das Publikum Gefahr liefen, verhaftet zu werden, wenn sie erwischt wurden. Jimmy hatte noch nie wirklich darüber nachgedacht, aber es schien wahrscheinlich, dass die meisten dieser Veranstaltungen von der Capita durchgeführt wurden. Nach allem, was er gehört hatte, mischten sie in fast jeder illegalen Aktivität Europas mit.

»Ihr solltet alle ins Bett gehen«, sagte Jimmys Mutter und riss ihn aus seinen Gedanken.

»Wo denn?«, fragte Georgie. »Nach oben will ich auf keinen Fall mehr.«

Sie hatten die Wohnung im obersten Stockwerk verlassen und befanden sich jetzt in den Büros im Keller. Saffron und Helen hatten dort Reaktionen auf den Angriff der Capita geplant und sich um Felix, Georgie und Jimmy gekümmert.

»Bist du denn kein bisschen geschockt, Mum?«, fragte Georgie. »Hast du nicht gesehen, was sie ...?« Sie verstummte. Ihre Mutter sah sie liebevoll an.

»Ich weiß, Georgie«, erklärte sie. »Komm her.« Helen zog ihre Tochter an sich. »Es wird alles gut. Wir haben ein paar schreckliche Dinge durchgemacht. Dinge, von denen ich nie gedacht hätte, dass ich sie je wieder erleben müsste.« Ihr Ton war sanft. »Aber vergiss nicht, dass ich einmal für all das trainiert wurde. Du musst nicht wieder nach oben gehen, aber wir sollten ruhig bleiben und uns ausruhen, bis wir wissen, was zu tun ist.«

Jimmy blickte zu seiner Mutter und seiner Schwester. Beide hatten sich Extremsituationen als besser gewachsen erwiesen, als er es sich je hätte vorstellen können – und das ohne jede genetische Programmierung. Sie bei der Bewältigung dieser Krise zu beobachten, hatte ihn stolz gemacht, aber es verstärkte auch das Gefühl, dass er inzwischen ganz anders war als sie. In Jimmy war jede Angst, jedes Entsetzen über den

Angriff durch die wirbelnde Energie in seinem Inneren ausgelöscht worden.

»Ich schlafe heute Nacht nicht«, kündigte Felix an. Jimmy spürte, dass sein Freund versuchte, fröhlicher zu klingen, als er war. Seine Stimme zitterte. »Ich werde mir einen Plan ausdenken. Jimmy, hol mir einen Block Papier, ein paar Stifte, Büroklammern, viele Gummibänder und etwas zu essen.«

»Gummibänder?«, fragte Jimmy.

»Egal.« Die Energie wich aus Felix' Gesicht. »Vielleicht nur was zu essen. Allerdings ist mir immer noch ziemlich übel.«

»Ich bekomme keinen Bissen runter, nach allem«, Georgie verzog entsetzt das Gesicht, »nach allem, was wir erlebt haben.«

»Ich denke, Felix hat ausnahmsweise recht«, sagte Saffron sanft. »Wir stehen alle unter Schock. Etwas zu essen, wird uns helfen.« Rasch durchsuchte sie die Schubladen eines Schreibtischs und machte den anderen ein Zeichen, dasselbe zu tun. Innerhalb weniger Minuten saßen sie um den größten Schreibtisch, in ihrer Mitte einen Haufen Knabbereien und Süßigkeiten.

»Wir sollten auch die Schreibtische und Computer nach Informationen durchsuchen«, sagte Jimmys Mutter. »In diesem Gebäude muss es etwas über Chris' Vereinbarung mit der Capita geben. Etwas über den Code H. Was ist mit in seinem Büro?«

»Ich sehe mal nach«, sagte Saffron. »Aber Viggo war so vorsichtig. Er weigert sich, seinen eigenen Computer zu haben, falls er gehackt wird. Und ich wäre nicht überrascht, wenn er das mit der Capita vor seinen Beratern verheimlicht hätte. Sogar vor mir hielt er es verborgen.«

Sie wandte sich ab, begann an einem der Computer zu arbeiten, aber Jimmy sah die Traurigkeit in ihren Augen. Sie und Viggo waren einmal ein Liebespaar gewesen. Wie viel davon war nach all den Monaten der Geheimnisse und Täuschungen noch übrig?

»Was, wenn es nicht das Kapital war?«, fragte Felix.

»Capita«, korrigierte ihn Jimmy. »Es bedeutet sowas ähnliches wie das Haupt …« Er verstummte, versank in Gedanken an seine Begegnung mit dem Chef der Capita, der sich selbst *Caput*, das *Haupt*, nannte. Die Dunkelheit hatte das Gesicht des Mannes verborgen, aber er erinnerte sich an dessen heiseres italienisches Flüstern und das Zischen seines Rollstuhls. Der Mann besaß eine immense Macht, hatte aber die Kontrolle über seinen Körper fast vollständig verloren. Nach allem, was Jimmy gesehen hatte, war der Capita-Boss nur noch ein Kopf, der auf einem fast toten Körper am Leben erhalten wurde. Daher auch die Bezeichnung *das Haupt*.

»Wie auch immer«, fuhr Felix fort. »Es sind vielleicht gar nicht diese *Kopfmenschen*. Ich meine, die Frau könnte gelogen haben. Sie könnte sogar vom *NJ7* sein!«

»Sie war nicht vom *NJ7*«, gab Jimmy zurück. Die Stimme drang aus seinem Unterbewusstsein herauf, bevor er überhaupt merkte, dass er sprach.

»Ich stimme Jimmy zu«, bestätigte Saffron über die Schulter, während sie weiter auf dem Computer tippte. »Der *NJ7* hätte Chris sofort getötet. Jetzt, nach der Wahl, ist Chris wieder Freiwild. Aber die Capita hat gute Gründe, ihn am Leben zu erhalten.«

»Vielleicht haben sie ihn nicht zuletzt deshalb mitgenommen, um ihn vor dem *NJ7* zu schützen«, dachte Helen laut nach. »Die Regierung hat versucht, allen zu zeigen, wie fair und ehrlich sie ist. Aber jetzt haben sie gewonnen, und für sie ist die Zeit gekommen, ihre Feinde zu bestrafen. Das schließt Chris ein und jeden, der ihn bei seiner Kampagne unterstützt hat.«

Jimmy schaute sich zwischen den endlosen Reihen leerer Schreibtische um. Man hatte das Büro offensichtlich in großer Eile verlassen. Stühle waren umgeworfen worden. Jimmy wusste, dass keiner es wagen würde, morgen wieder hier zur Arbeit zu erscheinen – selbst wenn es nur darum ginge, persönliche Habseligkeiten abzuholen, die auf den Schreibtischen und am Boden verstreut lagen.

»Die Capita will diesen Code H von ihm«, murmelte Jimmy, »und wir haben vierundzwanzig Stunden, um ihn zu übergeben, wenn wir Chris lebend zurückhaben wollen.«

Es herrschte tödliche Stille und Saffron hörte auf zu tippen.

Jimmy bedauerte sofort, was er gesagt hatte. Seine emotionale Seite schien wie betäubt, während seine berechnende Agentenseite herauszufinden versuchte, was ihr nächster Schritt sein könnte.

»Warum zahlen wir ihnen nicht einfach das Geld zurück?«, schlug Felix vor.

Jimmy war seinem Freund dankbar, dass er das Schweigen gebrochen hatte, war aber nicht sonderlich beeindruckt von der Idee.

»Ja, der war gut, Felix«, sagte er. »Lasst uns alles zusammenwerfen und sehen, wie viel wir haben.«

»Ist dir denn nicht klar, was du zu tun hast?«, fragte Felix und raufte sich die Haare. »Du sitzt da nur rum, mit diesen erstaunlichen … Fähigkeiten, und weißt nicht, was wir machen sollen. Du hast Superkräfte! Raub eine Bank aus!«

Jimmys Mutter sprang auf.

»Felix!«, rief sie laut. »Ist das dein Ernst?«

»Warum nicht?«, erwiderte Felix.

»Bist du plötzlich ein Verbrecher?«

»Wenn es sein muss«, beharrte Felix. »Wenn wir Chris retten können, indem wir der Capita viel Geld zahlen, dann sollten wir einfach, du weißt schon, eine Bank ausrauben oder was in der Art. Es ist ja nicht so, dass sie uns erwischen könnten, oder? Du und Saffron, ihr mit eurem Training könntet es wahrscheinlich auch so, selbst wenn ihr Jimmy nicht dabei hättet.«

Helen Coates wartete, bis Felix fertig war, dann senkte sie den Kopf und sprach leise.

»Ich dachte nicht, dass ich das sagen müsste, aber …«, sie stieß einen tiefen Seufzer aus, »… solange deine Eltern nicht hier sind, bin ich für dich verantwortlich, richtig?«

Felix' Ausdruck änderte sich schlagartig. Jimmy wusste, dass sein Freund jeden Tag an seine Eltern dachte. Das taten sie alle. Jimmy war wütend auf seine Mutter. Es schien eine grausame Art, einen Streit mit Felix zu gewinnen. Aber dann begriff er, dass sie recht hatte.

»Was würden deine Eltern sagen?«, fragte Helen.

Felix antwortete nicht. Er zuckte einfach mit den Schultern, lümmelte sich in seinen Stuhl und griff nach einer Chipstüte.

»Jedenfalls wäre es nicht genug, nur *eine* Bank auszurauben«, schaltete Saffron sich ein, indem sie sich zu den anderen drehte. »Kennt ihr eine Bank mit 20 Millionen Pfund im Tresorraum?«

*»20 Millionen Pfund?«,* japste Jimmy.

»Nach einem ersten Blick in Chris' Wahlkampfunterlagen ist das eine grobe Schätzung dessen, was er ausgegeben hat«, erklärte Saffron.

»Und das ganze Geld stammt von der Capita?« Helen war entsetzt.

»Das ist durchaus möglich«, sagte Saffron. »Der Geldfluss auf diesen Konten ist ziemlich gut getarnt. Es sieht so aus, als käme es von vielen unabhängigen Spendern, aber …«

»… aber genau so würde die Capita arbeiten.« Jimmy beendete Saffrons Satz. »Ich kann nicht glauben, dass Chris so dumm war.«

»Er ist nicht dumm«, protestierte Georgie. »Er ist mutig. Er brauchte Geld, um diese Regierung loszuwerden, und das war wahrscheinlich der einzige Weg, genug zu bekommen.«

Die ganzen Informationen schwirrten durch Jimmys Kopf. Er kapierte es einfach nicht.

»Zwanzig Millionen Pfund?«, flüsterte er halb zu sich selbst. »Was könnte der Capita so viel wert sein?« Niemand wusste eine Antwort. »Gibt es noch mehr Informationen aus dem Computernetzwerk?«

»Es gibt jede Menge«, antwortete Saffron. »Und wir können alles anschauen, wenn wir wollen. Chris mag vorsichtig gewesen sein, trotzdem habe ich seine Passwörter immer alle erraten.«

Jimmy sprang auf. »Also, was steht da über …?«

»Nichts«, unterbrach ihn Saffron. »Ich habe bereits jede erdenkliche Art von Suche durchgeführt. Im Netzwerk wird nirgendwo irgendein Code oder irgendetwas mit dem Buchstaben *H* erwähnt. Schon gar kein Code H. Auch nichts im Internet. Jedenfalls nichts, was relevant wirkt. Aber du weißt ja, wie nutzlos das Internet ist, weil es so stark zensiert ist.«

»Also, was können wir tun?«, fragte Georgie.

Jimmy war beeindruckt, dass sie und Felix so schnell wieder auf dem Damm waren. Ihn ihm begann das Bild der beiden toten Angreifer, die über den Boden geschleift wurden, erst jetzt zu wirken. Seine besonderen Fähigkeiten ließen nach, wodurch seine menschlichen Ängste durchsickerten.

»Was, wenn wir genug Geld bekommen könnten?«, fragte Felix plötzlich.

»Wir rauben keine Bank aus!« Helen lachte.

»Nein, du verstehst nicht. Wir müssten keine Bank ausrauben, wenn wir das ganze Geld der Regierung hätten. Sie haben Milliarden.«

»Jetzt willst du also das Finanzministerium ausrauben? Felix, die Regierung bewahrt nicht einfach all ihr Geld in einem Tresor auf und wartet darauf, dass du es stiehlst ...«

»Aber wenn wir die Regierung *wären* ...«

»Chris ist nicht Premierminister«, sagte Georgie. »Ist dir das noch nicht aufgefallen? Er hat die Wahl verloren.«

»Aber hat er das wirklich?« Felix fischte die letzten Krümel aus seiner Chipstüte und leckte sich die Finger ab. »Glaubst du wirklich, er hat verloren? Ich dachte, wir seien uns alle einig, dass die Regierung die Wahl manipuliert hat.«

»Das zählt nicht für die Capita«, sagte Jimmy. »Also zählt es für uns auch nicht.«

»Nein, ich glaube, Felix hat recht«, sagte Saffron, die sich langsam erhob und um den Tisch kam. »Was wäre, wenn wir das Wahlergebnis tatsächlich umkehren könnten? Oder zumindest zeigen, dass es ungültig ist, um ein anderes zu erzwingen? Dann hätte Chris eine weitere Chance, der Capita das zu geben, was sie wollen, oder ... was immer er sonst tun muss.«

»Genau!« Felix' Gesicht strahlte plötzlich. Jimmy

hatte fast vergessen, wie schnell sich sein Freund verrückte Pläne ausdachte. Allerdings sah es ganz so aus, als würde dieser hier ernst genommen. »Die Capita hat ihn nur entführt, weil er verloren hat und ihnen diesen Code nicht geben konnte«, fuhr Felix fort. »Oder weil er ihnen ihr Geld nicht zurückzahlen kann. Aber wenn es eine Chance gibt, dass er die Wahl in Wahrheit gewonnen hat, helfen sie ihm vielleicht weiter, bis er das beweisen kann. Und dann gibt er ihnen, was sie wollen.«

Sie sahen sich alle an. Jimmy konnte spüren, wie jeder versuchte, den Fehler in Felix' Logik zu entdecken. Aber es gab keinen.

»Ich glaube, er hat recht«, sagte Jimmy endlich. »Die Frage ist nur: Wie fechten wir die Wahl an?«

»Warte«, sagte seine Mutter. »Lass uns darüber nachdenken ...«

»Dieser UN-Inspekteur«, rief Georgie aus. »Wir müssen es ihm sagen.«

»Es ihm sagen?« Helen runzelte die Stirn. »Er hat seit Monaten ein Inspektionsteam im Land, das alle Vorgänge überwacht, und sie haben *nichts* gefunden. Glaubst du, wenn wir einfach auftauchen und ihm sagen, das Ergebnis wurde manipuliert, hört er auf uns?«

»Wir sagen es ihm nicht.« Diesmal war es Jimmy, der weiterwusste. »Er braucht Beweise. Also lasst uns welche finden.« Adrenalin pulsierte durch seine Adern. Der Plan reifte in seiner Fantasie schneller, als er ihn in Worte fassen konnte.

»Was meinst du damit?« fragte Georgie. Alle lehnten sich näher heran, und er konnte in ihren Gesichtern sehen, dass sie bereits etwas Ähnliches dachten.

»Das UN-Team kann nicht alles inspiziert haben«, erklärte er.

»Das stimmt«, bestätigte Saffron. »Sie werden nur das gesehen haben, was Miss Bennett wollte. Es war eine Show. Um der Welt zu zeigen, wie *fair* die Wahl war.«

»Also müssen wir nur herausfinden, wie der *NJ7* die Wahl manipuliert hat, die Beweise beschaffen und den UN-Inspekteur finden, damit wir sie ihm zeigen können«, erklärte Jimmy.

»Und wir müssen sicherstellen, dass die Capita weiß, was wir tun«, fügte Georgie hinzu.

Alle blickten zu Jimmys Mutter, als bäten sie Helen um Erlaubnis. Sie blies die Wangen auf, bekam große Augen und verkündete schließlich: »Sieht ganz so aus, als würde es ein sehr arbeitsreicher Tag werden.«

# KAPITEL 9

Die Reise von den schottischen Highlands nach London war lang und unbequem. Für die beiden Passagiere, die 4.30 Uhr in Kings Cross ankamen, verlief sie außerdem schweigsam. Weder der Mann noch die Frau hatten ein Wort gesagt. Nun stiegen sie aus dem Zug, und nachdem sie ihre Overalls in einer Mülltonne entsorgt hatten, mischten sie sich unter die Menge. In ihren langen, grauen Wollmänteln wirkten sie wie die anderen müden Pendler. Der einzige Unterschied war, dass sie keine Aktentasche oder anderes Gepäck mit sich führten. Und sie waren die einzigen Fahrgäste, die gekochte Eier schälten, während sie den Bahnsteig entlangliefen.

Der Geruch der Eier wehte im kalten Wind, aber das war die einzige Spur, die sie hinterließen. Sie sammelten jedes Stückchen Schale sorgsam in ihren Taschen, bevor sie in die Eier bissen.

Das strähnig schwarze Haar des Mannes war jetzt zu einem Pferdeschwanz zusammengebunden und enthüllte einen silbernen Stecker in seinem linken Ohrläppchen. Seine Hände bewegten sich sanft, aber äußerst exakt. Es gab keine unnötigen Aktionen. Alles war auf Effizienz ausgerichtet, nur in seinem Blick lag eine leichte Irritation, als würde er nicht seine eigenen Gliedmaßen, sondern die eines Fremden betrachten.

Die Frau neben ihm hatte den gleichen Ausdruck, als würde ihr Bewusstsein völlig davon beherrscht, dass sie Eier schälte und aß.

Die anderen Passagiere zerstreuten sich in der Halle, nur die beiden blieben stehen, sahen einander an. Mit einem kräftigen Druck ihrer Fäuste zerbrachen sie die Schale ihrer Eier und begannen, sie zu pellen. Diesmal war das Innere nicht weiß. Das hart gekochte Ei des Mannes war schwarz gefärbt, das der Frau tiefrot. Die beiden blickten sich an, aber keiner schien überrascht. Vielleicht standen sie nur etwas gerader, als hätten sie sich plötzlich daran erinnert, dass sie etwas zu erledigen hatten.

Innerhalb weniger Sekunden hatten sie ihre Eier verschlungen. Dann griff der Mann zum linken Ohr, an den silbernen Stecker. Die Frau schob ihre Haare zurück, sie trug einen identischen Ohrring. Gleichzeitig drückten sie ihre Ohrstecker zwischen Daumen und Zeigefinger. Dann wandten sie sich wortlos voneinander ab, marschierten in entgegengesetzte Richtungen. Wenn alles glattging, würden sie sich bald wieder sehen. Sobald zwei Männer ausgeschaltet worden waren.

Das Dröhnen des Staubsaugers hallte in Ian Coates' Schädel wieder.

»Warum müssen die ausgerechnet jetzt sauber machen?«, stöhnte er. »Es ist mitten in der Nacht!« Er erhöhte das Tempo seines Laufbandes und seine Beine pumpten härter.

»Es ist bereits Morgen, Sir«, sagte William Lee leise. »Die Leute werden jede Minute zur Arbeit erscheinen.«

Der Premierminister wischte sich den Schweiß vom Gesicht und blickte sich um, als suche er nach Tageslicht. Natürlich völlig umsonst, denn sie befanden sich in einem der Büros des *NJ7*, unter der Downing Street 10. Es war ein Betonbunker mit ein paar Büromöbeln. Das Laufband stand hier nur, weil Ian Coates es verlangt hatte. Am Rand des Schreibtisches stand eine leere Flasche Champagner.

»Und beim *NJ7* müssten sie auch irgendwann mal aufräumen«, fügte Lee hinzu.

Coates grunzte nur und lief weiter, bis eine durchdringende Stimme die beiden zusammenzucken ließ.

»Die Leute werden nicht zur Arbeit *erscheinen.*« Es war Miss Bennett, die in der offenen Tür lehnte. »Weil niemand nach Hause gegangen ist.«

»Was meinen Sie damit?« Beim Anblick von Miss Bennett hämmerte Ian Coates auf einen Knopf und das Laufband kam langsam zum Stillstand. Erneut fuhr er sich übers Gesicht, als könnte er damit die Müdigkeit wegwischen. Offenbar war er sich plötzlich bewusst, was für ein Kontrast er und Miss Bennett bildeten. Ihr Haar war glänzend und gepflegt, ihre Haut strahlte. Coates war zerknittert und blass, nachdem er versucht hatte, den Champagner am Laufband auszuschwitzen.

Miss Bennett dagegen wirkte selbst nach einer langen Nacht, als käme sie frisch von einem Wellnesswochenende. *Sie braucht keinen Schlaf*, dachte Coates. *Nur Macht.*

»Ich meine genau das, was ich gesagt habe, Ian«, erklärte Miss Bennett. »Das tue ich immer. Niemand ist nach der Party nach Hause gegangen. Sie erinnern sich an die Party, oder? Auf der Ihr Wahlsieg gefeiert wurde? Die, bei der Sie nicht aufgetaucht sind?«

Coates hasste den sarkastischen Ton in Miss Bennetts Stimme.

»Es war *Ihr* Sieg, nicht meiner«, murmelte er.

»Aber da waren am Ende noch Hunderte von Beamten und Politikern, die sich nicht trauten, nach Hause zu gehen, bevor sie Ihnen nicht persönlich gratuliert hatten.«

Coates zuckte mit den Achseln und stieg vom Laufband, um sich abzutrocknen.

»Wir hätten alle nach Hause gehen sollen«, sagte William Lee und nahm sein Jackett von der Lehne eines Stuhls.

»Ich bin zu Hause!«, brüllte der Premierminister zur Überraschung der beiden anderen. »Das hier ist mein Zuhause!« Er holte mit den Armen aus und fegte die Champagnerflasche vom Tisch, die auf den Boden knallte, aber nicht zerbrach. »Ich bin der Premierminister! Jeder weiß, dass ich in der Downing Street 10 wohne. Aber was sie nicht wissen, ist, dass die Chefin des *NJ7* …« Er hielt inne, um sich vor Miss Bennett zu verbeugen. »… mein Leben aus dem Keller heraus dirigiert.«

»Setzen Sie sich, bevor Sie sich lächerlich machen«, sagte Miss Bennett. »Leider kann ich gar kein Mitleid mit Ihnen empfinden.« Als sie eintrat, versuchte William Lee, an ihr vorbei aus dem Raum zu huschen, aber sie legte eine feste Hand auf seine Schulter. Mit einer einzigen Berührung und einem Blick drängte sie ihn zurück auf seinen Platz. »Ihre Geschichte bricht mir das Herz, Premierminister«, fuhr sie fort, »aber Sie wissen, dass es eine Lüge ist. Wenn Sie nicht damit zufrieden wären, dass der *NJ7* das Land in Ihrem Namen führt und Sie an der Macht hält, könnten Sie den ganzen Bunker innerhalb von zwei Minuten unter Wasser setzen.«

Coates wedelte abwehrend mit der Hand.

»Warum tun Sie es nicht?«, spottete sie. »Sie müssen nur den richtigen Hebel drehen, dann sind in hundertzwanzig Sekunden alle Korridore hier mit Themse-Wasser überflutet. Aber das werden Sie nicht tun. Stattdessen hocken Sie hier unten, schmollen und sorgen sich darum, was die Welt von Ihnen denkt. Nun, ich kann Ihnen sagen, was die Welt von Ihnen denkt. Die Welt denkt, Sie führen Großbritannien. Ist das so schlimm? Ist das so ein schreckliches Leben?«

Coates konnte sie nicht ansehen. Er wusste, dass sie recht hatte. Aber er wusste auch, dass sie seine Ängste und Sorgen niemals verstehen würde. Soweit er wusste, hatte sie keine eigene Familie.

»Warum darf ich nicht gehen?«, fragte Lee und riss Coates aus seinen Gedanken.

»Unser Satellitenüberwachungssystem funktioniert immer noch nicht richtig.« Miss Bennett drehte sich auf ihren hochhackigen Schuhen zu Lee. Er war weit größer als sie, aber er schrumpfte in seinem Stuhl zusammen, als Miss Bennett sich ihm plötzlich näherte.

»Ich weiß«, sagte er mit leicht bebender Stimme. »Ich habe versucht, es zu reparieren. Das Technik-Team hat eine Zeitverzögerung bei der Übertragung und gelegentliche Stromausfälle diagnostiziert.«

»Die Stromausfälle werden immer häufiger. Ihre Reparaturversuche machen es offenbar noch schlimmer.« Miss Bennett beugte sich nach unten, bis sie in Lees Ohr flüstern konnte, eine Haarsträhne streifte über die Wange des Mannes. »Vielleicht sollten Sie Ihr Geschick eher darauf verwenden, das Problem zu beheben, als es zu verschlimmern?«

Ärger flammte in Lees Augen auf, aber er biss die Zähne zusammen und erwiderte gepresst: »Ja, Miss Bennett.«

»Unsere Überwachung funktioniert nicht richtig?«, keuchte Coates. »Das ist eine Katastrophe. Werden wir angegriffen?«

»Nein, nein«, sagte Lee schnell. »Es ist nur eine Störung. Ich bringe es in Ordnung.«

»Das möchte ich Ihnen auch raten.« Coates gewann sein Selbstvertrauen zurück, möglicherweise ließen auch die Auswirkungen des Alkohols etwas nach.

»Ohne Überwachung, wie sollen wir da das Land regieren?«

»Es läuft alles zu ineffizient!«, fügte Miss Bennett hinzu. »Ich habe überall Attentäter postiert, die darauf warten, den Aufenthaltsort ihrer Ziele zu erfahren.«

»Ihrer Ziele?«, fragte Lee.

»Bringen Sie die Satelliten wieder ans Netz«, zischte Miss Bennett. »Wir haben eine lächerliche Wahl hinter uns und Gott sei Dank haben wir gewonnen. Aber keiner von uns will noch eine. Sobald wir wieder volle Überwachungskapazität haben, werden meine Agenten jeden aufspüren, der unsere Feinde unterstützt hat. Wir eliminieren innerhalb einer Stunde jeden Oppositionellen.«

»Was ist mit Viggo?«, fragte Coates.

»Der Mann ist erledigt«, antwortete Miss Bennett. »Er hat verloren. Er wird nie wieder eine Bedrohung für die Neo-Demokratie darstellen.« Sie fuhr mit dem Finger über den Schreibtisch und überprüfte ihn auf Staub. »Trotzdem werden wir ihn töten.«

Jimmy machte sich daran, eine Nachricht für Eva online zu stellen. Er hatte die Rätsel auf der Rückseite der Zeitung überprüft, die Sudoku-Quadrate über die Kreuzworträtsel-Lösungsworte gehalten. Nur zwei Worte waren durch leere Kästchen umrissen worden: *Maltesisch* und *Illusion*. Jimmy hatte online danach gesucht, jede Stunde seit Erscheinen der Tageszeitung, und war auf eine Internetseite gestoßen.

Er hoffte nur, dass Eva nicht schon auf eine andere Seite weitergezogen war – die nächste Auflage der Zeitungen wurde sicher gerade ausgeliefert.

»Wir sollten eine codierte Nachricht hinterlassen«, schlug Felix vor und die anderen murmelten zustimmend.

»Keine Zeit«, beharrte Jimmy, der bereits eine Nachricht tippte. Seine blauen Fingerspitzen huschten über die Tastatur. »Evas System ist sicher genug. Es muss so sein. Wir dürfen es ihr nicht unnötig schwermachen, da wir ihre Antwort dringend brauchen. Aber ich werde die Nachricht nicht unterschreiben, und wir können sie löschen, sobald Eva sie gelesen hat.«

Sie beschlossen gemeinsam, Eva drei Dinge zu fragen. Zunächst brauchten sie den genauen Standort des Zentralrechners, der angeblich die Stimmen ausgezählt hatte. Zweitens mussten sie wissen, wo sich der UN-Chefinspekteur gerade aufhielt. Und schließlich, was am wichtigsten war, baten sie Eva im *NJ7*-Hauptquartier nach Beweisen dafür zu forschen, dass die Wahl manipuliert worden war.

»Sie wird sicher etwas entdecken«, dachte Georgie laut, während Jimmy tippte. »Ich meine, sie arbeitet direkt für Miss Bennett.«

»Das bedeutet nicht, dass sie überzeugende Beweise findet«, betonte Saffron. »Wir wissen, wie clever Miss Bennett ist.«

*Clever?*, dachte Jimmy. *Wie wäre es mit grausam, gewalttätig, machthungrig und böse?* Er hielt seinen

Kopf gesenkt und konzentrierte sich wieder auf den Computerbildschirm.

»Und selbst wenn sie etwas findet«, betonte Helen, »könnte sie dafür länger brauchen als wir. Sie muss diskret vorgehen. Sobald wir wissen, wo das zentrale Stimmenauszählungssystem untergebracht ist, können wir direkt da reingehen und uns holen, was wir brauchen.«

Jimmy war begeistert, wie entschlossen seine Mutter argumentierte, obwohl sie natürlich alle wussten, dass es nicht ganz so einfach würde.

»In Ordnung«, verkündete er und klickte auf *Nachricht senden.* »Jetzt warten wir.«

»Nein«, erklärte Saffron. »Wir machen uns auf den Weg.«

»Was?«

»Sie hat recht«, stimmte Helen zu. »Wir wissen, dass die Stimmen an eine Einrichtung in der Nähe von Milton Keynes geschickt wurden. Der UN-Inspekteur hat das im Fernsehen angekündigt. Also lasst uns in diese Richtung aufbrechen. Wir können unterwegs die Nachrichten von Eva checken.« Sie ging zu einem Laptop auf einem der Schreibtische, löste das Kabel und verstaute ihn unter ihrem Arm. »Lasst uns gehen. Aber ihr beiden bleibt hier.« Sie deutete auf Georgie und Felix.

»Was?« Felix stöhnte.

»Mama«, protestierte Georgie. »Das ist nicht fair. Wie oft müssen wir dir noch beweisen, dass wir nützlich sein können?«

Helen wollte gerade etwas erklären, da nahm Saffron ihren Arm. »Ich denke, du solltest hier bei ihnen bleiben«, sagte sie sanft. Die beiden Frauen sahen sich einige Sekunden in die Augen, aber Jimmy konnte nicht entschlüsseln, was sie dachten.

»Drei von uns sind trainiert«, erklärte Saffron und blickte zu Jimmy. Ihm war klar, wie merkwürdig es für sie sein musste, ihn als *trainiert* zu bezeichnen, da alle seine Fähigkeiten sich von selbst ausbildeten. Sein *Training* fand statt, während er schlief, ausgelöst von elektrischen Impulsen, die durch seine Muskeln schossen.

»Also sollten wir drei gehen«, sagte Helen. »Ich traue Georgie und Felix zu, dass sie auf sich selbst aufpassen können.«

»Aber wir brauchen unbedingt jemanden gut trainierten, der hier in London die Bewegungen des UN-Inspekteurs verfolgt. Andernfalls werden uns die besten Beweise nichts nützen.«

»Sie hat recht«, mischte Jimmy sich ein. »Zwei Teams. Das ist viel effizienter.« Er verspürte den Drang, die anderen anzuführen. *Übernimm die Kontrolle*, schien es in ihm zu flüstern. *Benutze sie*. Jimmy unterdrückte die Stimme.

»Soll ich nicht besser mit Jimmy gehen?«, fragte Helen. »Und du verfolgst gemeinsam mit Georgie und Felix den UN-Inspekteur?«

»Das kann ich nicht zulassen«, sagte Saffron.

»Warum nicht?«

»Du bist seine Mutter.«

Es herrschte einen Moment Stille, aber Jimmy wusste genau, was Saffron als Nächstes sagen würde.

»Dein erster Instinkt wird immer sein, Jimmy zu beschützen«, erklärte sie schließlich.

Helen protestierte nicht.

»Auf einer Mission wie dieser«, fuhr Saffron fort, »werde ich natürlich versuchen, meinen Partner zu schützen, aber ich habe auch keine Sorge, wenn er auf eigene Faust agiert.«

Jimmys Mutter wollte etwas sagen, aber sie stoppte sich selbst. Es war offensichtlich, dass die ehemalige Agentin in ihr sah, dass Saffron recht hatte, trotz ihrer mütterlichen Instinkte.

»Es ist okay, Mum«, sagte Jimmy. »Saffron wird für meine Sicherheit sorgen.«

»Aber ich werde die Mission nicht gefährden, indem ich mir unnötige Sorgen um meinen Partner mache«, fügte Saffron hinzu. »Und wenn nötig …«

»Und wenn nötig, *was?*«, fragte Helen.

Saffron zögerte, also antwortete Jimmy für sie.

»Wenn es für die Mission erforderlich ist«, sagte er, »wird sie mich verlassen und sich selbst retten.«

# KAPITEL 10

Jimmy fiel auf, dass Saffron ähnlich fuhr wie Viggo: schnell und nie mehr als eine Minute geradeaus. Sie saßen sogar in Viggos Auto – dem indigofarbenen Bentley, den er sich bei seiner ersten Flucht vor dem NJ7 unter den Nagel gerissen hatte.

Jimmy und Saffron bahnten sich ihren Weg durch den morgendlichen Verkehr Nordwest-Londons in Richtung Milton Keynes. Es hatte fast etwas Aggressives, wie Saffron das Lenkrad umklammerte, während Jimmy auf dem Beifahrersitz in den Laptop schaute.

Sie waren kaum vierzig Kilometer von London entfernt, als Eva eine Antwort auf die Internetseite stellte.

»Alles klar«, verkündete Jimmy. »Chisley Hall. Eva sagt, dort ist der HERMES-Zentralcomputer.« Er brauchte weniger als eine Minute, um online eine Wegbeschreibung zu finden. Sobald sie sicher waren, dass sie den richtigen Weg eingeschlagen hatten, wandte Jimmy sich wieder Evas Botschaft zu.

»Sie weiß nichts davon, dass die Wahl manipuliert wurde«, sagte er zwischen zusammengebissenen Zähnen. »Aber sie will versuchen, Hinweise zu finden.«

»Genau, wie wir vermutet haben«, sagte Saffron. »Sie wird Zeit brauchen.«

*Wir haben keine Zeit*, wollte Jimmy erwidern, aber Saffrons Stimme war sanft und beruhigend, und er konnte ihre innere Kraft spüren. Er wusste, niemand war entschlossener als sie, die Wahrheit über die Wahl zu enthüllen. Das könnte nicht nur das Land von der Diktatur befreien, es würde auch das Leben ihres Freundes retten.

»Hat sie den Zeitplan des UN-Inspekteurs?«, fragte Saffron.

»Offenbar wohnt er im *Langley Georgian Hotel* am Flughafen Heathrow und fliegt heute um 17.15 Uhr ab.«

»Wir müssen ihn unbedingt vorher treffen.« Saffron schien noch stärker aufs Gas zu drücken. »Schick alle Informationen an deine Mutter. Sie muss ihn dort aufhalten, bis wir die Informationen haben.«

Jimmy nahm Saffrons Handy aus seiner Tasche. Es war ein billiges Prepaid-Teil, aber immerhin konnte man sich darüber mit dem Internet verbinden. Bevor sie aufgebrochen waren, hatten sie zwei davon gekauft, und Helen Coates hatte das andere. Der *Secret Service* konnte die Nummern nicht mit ihnen in Verbindung bringen, und solange Jimmy keine auffälligen Schlüsselwörter benutzte, wurden seine Textnachrichten nicht von Regierungscomputern registriert.

Jimmy schickte die Nachricht ab, dann studierte er wieder den Laptop.

»Sie hat einen Link geschickt.« Er klickte ihn an und fand sich auf der Website einer Firma namens *Janua Systems* wieder. Zuerst kapierte er nicht, warum er auf diese Seite sollte, aber schließlich wurde es ihm klar. »Das ist perfekt«, sagte er.

»Was?«

»Eva hat die Website der Firma entdeckt, die das HERMES-Wahlsystem für UNO gemacht hat.«

»Es *gemacht* hat?«, fragte Saffron. »Was meinst du damit?«

»Es entwickelt hat … gebaut hat … was auch immer.« Jimmy klickte sich hektisch durch die Seite. »Es ist alles da. Eva – danke!« Er ballte triumphierend die Fäuste. Dankbarkeit durchströmte ihn. Schon lange bewunderte er Evas Mut. Jetzt erkannte er auch, wie clever sie war. Es wäre ihm nie in den Sinn gekommen, zusätzlich online Hintergrundinformationen über HERMES zu suchen.

Außerdem hätte er angenommen, die UNO würde ein neues Wahlsystem in der Schweiz oder in Deutschland oder anderswo entwickeln lassen und dessen Geheimnisse wären im Ausland oder bestenfalls auf einer zensierten ausländischen Website verborgen. Aber hier war alles, und Jimmy begann zu verstehen, warum: Die Regierung förderte britische Unternehmen und schloss alles Ausländische aus. Sie mussten die UNO zu einer Art Kompromiss gezwungen haben: Wenn es in Großbritannien ein neues Wahlsystem geben sollte, dann sollte es die UNO überwachen oder sogar entwerfen, aber es musste in Großbritannien gebaut werden.

»Das ist genau das, was wir brauchen«, sagte Jimmy zuversichtlich und ging auf die Seiten über HERMES. Das Unternehmen war offensichtlich stolz genug auf seine Leistung, um sie auf der Website zu veröffentlichen, und vermutlich wollte die Regierung einem britischen Unternehmen die Möglichkeit geben, sich zu präsentieren.

»Hier steht«, erklärt Jimmy, während sein Blick über den Bildschirm huschte, »dass die Ergebnisse von den Wahlstationen an den Zentralcomputer übertragen werden, der alles überwacht, die Stimmen auszählt und speichert. Für zusätzliche Sicherheit und Genauigkeit werden außerdem alle Stationen selbst zum zentralen Rechner gebracht und die Daten direkt von den Stations-Festplatten in den HERMES-Mainframe geladen.«

»Also überprüft das System alles doppelt?«

»So was in der Art.« Jimmy speicherte so viele Informationen gleichzeitig, dass sein Gehirn vibrierte.

»Dann müssen wir genau das tun«, verkündete Saffron. »Wir vergleichen die beiden Datensätze.« Sie holte alles aus dem Auto heraus, preschte durch die Nebenstraßen, abseits der Autobahn. »Du suchst einen der Wahlautomaten, ziehst die Rohdaten heraus. Ich logge mich direkt in den Zentralcomputer ein und suche die Ergebnisse für genau diese Station.«

»Genial«, sagte Jimmy. »Wenn jemand das System

manipuliert hat, dann stimmen die Ergebnisse der Station nicht mit denen des Zentralcomputers überein.«

Jimmy hatte den Plan erfasst und überlegte bereits, wie er die Sicherheitsmaßnahmen vor Ort überwinden könnte. Zweifel beschlichen ihn. Aber er musste darauf vertrauen, dass sie hineingelangen, das richtige Gerät finden und in das System eindringen konnten.

Schließlich bremste Saffron den Bentley ab und hielt hinter einer Hecke am Straßenrand.

»Da ist es«, sagte sie leise und wies mit dem Kinn die Richtung. Jimmys Zweifel verdoppelten sich noch. Auf der anderen Seite eines großen Feldes sah er die Spitze von Chisley Hall, der Fahnenmast ragte über einer hohen Ziegelsteinmauer empor. Selbst aus dieser Entfernung wirkte die Anlage riesig. Ursprünglich war es ein Herrenhaus gewesen, inzwischen war es die perfekte Festung. Die Mauer war mindestens zwölf Meter hoch und an der Krone mit Stacheldrahtrollen bewehrt.

Sie umrundeten das Anwesen auf Nebenstraßen, mussten aber feststellen, dass man sich nirgendwo unbemerkt nähern konnte. Die Umfassungsmauer war überall von offenem Feld umgeben, abgesehen von einer Ecke, die an eine lockere Baumgruppe grenzte, die jedoch kaum Deckung bot. Sogar das schmiedeeiserne Haupttor lag am Ende einer fünfzig Meter langen Auffahrt, und auf der anderen Seite der Mauer war es noch einmal dieselbe Strecke, bevor man das Haus selbst erreichte.

»Die haben sicher Überwachungskameras«, murmelte Jimmy, halb zu sich selbst.

»Natürlich«, antwortete Saffron. Sie studierte das Gebäude ebenso aufmerksam wie Jimmy. »Und es gibt Wachen und Waffen und Hunde und …« Sie drehte sich mit einem Lächeln zu ihm. »… alle erdenklichen Arten von Spaß.«

Jimmy lächelte zurück, dann blickte er hinauf in den Himmel. Zum ersten Mal seit langer Zeit war er völlig wolkenlos – ein klarer, frischer Herbstmorgen.

»Es ist nicht gerade dunkel«, sagte er. Seine Konditionierung arbeitete auf Hochtouren und spuckte eine Million Gründe aus, warum diese ganze Mission eine schlechte Idee war.

»Aber wenn wir bis zum Abend warten, ist es zu spät«, sagte Saffron.

»Dann müssen wir wohl etwas Schatten suchen«, antwortete Jimmy und nickte langsam. »Oder ihn selbst erzeugen.«

Jimmy hockte in den Büschen, er scannte die Felder um Chisley Hall. Er war in einen langen wasserdichten Mantel gehüllt, dessen Kragen gegen den Wind aufgestellt war. Saffron war losgezogen, ein paar Sachen zu besorgen. Jimmy hatte ihr eine Einkaufsliste mitgegeben, darauf standen unter anderem zehn weitere Prepaid-Handys, eine große Säge, Gummibänder, Büroklammern, drei Cornettos und so viele Feuerwerkskörper, wie sie finden konnte. *Das dürfte nicht schwer sein*, dachte Jimmy. In wenigen Wochen war die traditionelle Feuerwerksnacht am 5. November und sämtliche Läden waren vorbereitet.

Saffron hatte bereits einiges von dem umgesetzt, was Jimmy geplant hatte, und ließ ihn jetzt weiter alleine die Gegend um Chisley Hall erkunden. Tatsächlich hatte er schon mehr als das getan. Er war dort entlanggejoggt, hatte bei nahe gelegenen Häusern die Mülltonnen umgeworfen und deren Inhalt über die Straßen verstreut. Dann hatte er von einer öffentlichen Telefonzelle aus die Gemeindeverwaltung angerufen.

»Hier in der Nachbarschaft hat ein Fuchs gewütet«, sagte er schnell, seine verstellte Stimme klang wie die eines ausgewachsenen Mannes. »Oder randalierende Teenager. Sie müssen sofort einen Müllwagen schicken, um das aufzuräumen!«

»Das ist leider nicht möglich, Sir«, kam die Antwort. »Wir –«

»Wissen Sie denn nicht, welche Einrichtung in der Nähe liegt?«, wütete Jimmy. »Chisley Hall ist ein hochsensibles Regierungsgebäude. Dieser ganze Müll blockiert die Zufahrtswege! Er stellt ein Sicherheitsrisiko dar!«

Er legte auf und rannte los, sein Schädel dröhnte, seine Muskeln schmerzten. Er hoffte, Saffron würde rechtzeitig zurückkehren, bevor der Müllwagen auftauchte. Das war nur die erste Phase seines Plans, und es gab noch einige weitere Stufen. Endlich hörte er das beruhigende Knurren des Bentley-V8-Motors.

»Irgendwelche Probleme?«, fragte Jimmy, als Saffron ausstieg.

Sie schüttelte den Kopf und warf ihm zwei schwarze Plastiksäcke zu. »Hier, was du wolltest«, sagte sie. »Ich habe alles aus verschiedenen Läden in verschiedenen Städten. Nichts Verdächtiges.«

»Gut.« Jimmy riss einen Sack auf, als würde er an seinem Geburtstag Geschenke öffnen. Er packte die Mobiltelefone aus, stopfte die Schachteln wieder zurück in den Plastiksack und reihte die Telefone am Straßenrand im Gras auf.

»Beeil dich lieber«, drängte Saffron. »Wir sind nicht gerade unauffällig. Wir hätten nicht im Bentley kommen sollen.«

»Ist schon okay«, beruhigte Jimmy sie und beugte sich über die Auswahl an Feuerwerkskörpern. »Ein alternatives Transportmittel ist bereits unterwegs hierher.«

»Das dachte ich mir.« Ohne ihn zu fragen, holte sie die Werkzeugtasche aus dem Heck des Wagens. Jimmy nahm sie leicht nervös in Empfang. Seine Nerven kribbelten, aber seine Programmierung wandelte jeden Hauch von Angst in Energie, Stärke und Selbstvertrauen um. Er programmierte die Nummern der zehn neuen Handys in sein eigenes ein, wobei er feststellte, dass er die Nummern bereits automatisch im Kopf abgespeichert hatte. Als er fertig war, schob er sein Handy zurück in eine der tiefen Manteltaschen und warf einen Blick auf die anderen Mobiltelefone, aufgereiht neben einem Haufen Feuerwerkskörpern und einer Schachtel mit Gummibändern. *Zeit für Phase zwei*, dachte er.

Es war ziemlich einfach, die Gehäuse der Handys zu entfernen und die Büroklammern so zu verdrehen, dass sie neue Verbindungen zwischen den Akkus herstellten. Jimmy verstand nicht wirklich, was seine Finger taten. Seine Hände hantierten rasch und effizient mit dem Schraubenzieher und den winzigen Telefonteilen. Dann entfernte er die Papphüllen mehrerer Raketen und baute sie zu neun neuen Röhren zusammen, die er vorsichtig mit dem Inhalt sämtlicher Feuerwerkskörper füllte. Jimmys Herz schlug schneller. Normalerweise wäre er nie so dumm gewesen, mit Feuerwerkskörpern so zu hantieren. Aber der Agent in ihm führte den Plan voller Konzentration und Entschlossenheit aus.

In seinem Kopf hörte er die Namen der Chemikalien, während seine geschärften Instinkte den Geruch jeder einzelnen wahrnahm. Für Jimmy war es eine Fremdsprache, aber irgendwo in ihm steckte ein Experte, der sich an den Namen der explosiven Stoffe freute: *Bariumchlorid, Natriumnitrat, Lithiumcarbonat …*

In kürzester Zeit hatte Jimmy neun hochexplosive Raketen. Mit erstaunlicher Präzision befestigte er die Zündschnüre an der Verkabelung der Mobiltelefone und fixierte alles mit den Gummibändern. Nun konnte jede Rakete durch einen einfachen Telefonanruf gezündet werden.

»Sieht aus, als wäre deine Mitfahrgelegenheit da«, sagte Saffron und blickte die Straße hinauf.

Ein Müllwagen rollte in ihre Richtung, dann drehte er in Richtung der Wohngegend ab, in der Jimmy das Chaos verursacht hatte.

Ohne ein weiteres Wort zu verlieren, luden Jimmy und Saffron ihre Werkzeuge und die selbst gebastelten Vorrichtungen in einen der Plastiksäcke und sprangen in den Bentley. Sie holten den Müllwagen ein, als er in die erste Wohnstraße bog. Angesichts der mit Müll übersäten Fahrbahn verlangsamte er sein Tempo. Saffron fuhr neben den Truck, und sobald sich seine Beifahrertür öffnete, trat Jimmy in Aktion.

Er sprang aus dem noch fahrenden Bentley und rannte zum Müllwagen. Der Müllmann hatte gerade die Beifahrertür geöffnet. Jimmy sprang hoch, umklammerte den oberen Rand der Kabine, schwang sich hoch und donnerte seine Füße gegen die Brust des Mannes.

Zusammen stürzten sie auf den Beifahrersitz und erwischten auch den Fahrer. Beide Müllmänner schrien, aber Jimmy setzte sie mit zwei gezielten Handkantenschlägen außer Gefecht. Jimmy wusste, es war nur vorübergehend. Er hatte mit der Präzision eines Chirurgen zugeschlagen. Nach etwa einer Minute würden sie wieder erwachen. Mehr Zeit brauchte er nicht.

Saffron erschien an der Fahrertür und zerrte die beiden Müllmänner aus der Kabine. Sie nickte Jimmy zu, würdigte sein Können und seine Effizienz. Und Jimmy war bereits auf der Straße und rannte zum ersten Haus, während Saffron die Müllmänner zum Bentley schleppte und mit Klebeband fesselte.

Als Jimmy die Fuchsattacke vorgetäuscht hatte, hatte er nur jede zweite Mülltonne umgekippt. Jetzt ging er zu denen, die er hatte stehen lassen. Er schleppte die erste zum Heck des Müllwagens. Der Gestank war heftig, störte ihn aber nicht. Ohne Emotionen bemerkte er das dritte Mitglied des Müllteams – ein dicker Mann, um den Saffron sich bereits gekümmert hatte. Er schmiegte sich bewusstlos in den Müll im Inneren des Wagens, wie ein Nilpferdbaby, das in einem Morastloch schlief.

»Vergiss den hier nicht«, rief Jimmy. Sein Herz pumpte heftig, aber seine Atmung blieb ruhig und wehte in weißen Fahnen aus seinem Mund. In Sekundenschnelle war Saffron mit dem Sack voller Sprengsätze zurück. Sie fesselte den letzten Mann mit seinen Kollegen zusammen, während Jimmy die erste Rakete aus dem Sack nahm und tief in die erste Mülltonne steckte. Dann verkeilte er den Mülleimer aufrecht im Heck des Wagens.

Das Gleiche wiederholte er bei sieben weiteren vollen Mülleimern, bis sie alle im Heck übereinandergestapelt waren.

Unterdessen parkte Saffron den Bentley hinter einer Reihe von Garagen, dann kam sie mit der Handsäge und den Cornettos zu ihm gerannt. Jimmy nahm Saffron die Handsäge und zwei der Eiscremes ab, bevor sie in die Kabine des Müllwagens sprang. Der Motor lief noch.

»Südecke, in zwanzig Minuten«, rief sie und nahm den ersten großen Bissen von ihrem Cornetto.

Jimmy winkte ihr entschlossen mit der Säge zu, riss die Verpackung von seinem eigenen Eis herunter und joggte davon, zurück in Richtung Chisley Hall. Genau neunzehn Minuten später begann ihr Angriff.

# KAPITEL 11

Jimmy sprintete zur südlichen Ecke von Chisley Hall, während Saffron sich im Müllwagen aus der anderen Richtung näherte. Sie entdeckte ihn und lächelte. Sofort signalisierte ihr Jimmy, nicht langsamer zu werden. Sie nickte und Jimmy sprang hinten auf den Truck. Mehr Kommunikation war nicht nötig. Beide kannten ihre Aufgabe. Jimmy konnte sehen, dass sie ihren Job bisher perfekt erledigt hatte – es war nur noch ein Mülleimer übrig. Die übrigen hatte Saffron rund um die Mauern von Chisley Hall verteilt.

Jimmy warf seine Handsäge in den Müll, bürstete die Blätter von seinem riesigen Mantel, dann wischte er Reste von Eiscreme von seinen Lippen. Mit dem anderen Arm umschlang er einen Kolben der hydraulischen Ladeklappe. Der Müllgestank drang ihm stechend in Mund und Nase.

Hatte er ihre Flucht ausreichend vorbereitet? Er wünschte, er hätte mehr Zeit gehabt, doch gerade die war jetzt knapp bemessen. *Ich habe alles getan, was in meiner Macht stand*, sagte er sich. Es musste reichen. Der Hauptteil der Operation lief gerade erst an, die Flucht lag noch in scheinbar weiter Ferne.

Der Lastwagen bog in die Einfahrt von Chisley Hall. Sie waren jetzt nur noch fünfzig Meter vom Tor entfernt. Jimmy versuchte, seine Nerven zu beruhigen. Diese Agenten-besondere Energie zirkulierte in ihm, nahm gleichzeitig mit dem Lastwagen Tempo auf. Kraft strömte durch seine Muskeln, beseitigte die Angst und Schwäche in seinem Herzen. Dann hörte er die erste Warnung. Eine Stimme brüllte durch einen Lautsprecher, wurde vom wirbelnden Wind herangeweht. Die Worte waren unverständlich, aber Jimmy war klar, dass sie den Fahrer des Trucks aufforderte, sofort anzuhalten und umzukehren.

Sie rasten immer schneller auf das Haupttor zu. Jimmy widerstand der Versuchung, um die Seite des Müllwagens zu spähen. Dann erfolgte die zweite Warnung, kürzer als die erste – und dringlicher. Jimmy machte sich bereit, ging innerlich noch einmal seinen Plan durch. *Bleib ruhig*, ermahnte er sich selbst. *Geh Schritt für Schritt vor.*

Ein Gewehrschuss krachte. *Nur eine weitere Warnung*, beruhigte sich Jimmy. Dann fegte eine Salve von Schüssen über die Landstraße. Jimmy hoffte, dass Saffron sich unter das Armaturenbrett geduckt hatte.

Das Gewehrfeuer ließ nicht nach, aber der Truck war bereits zu schnell, um gestoppt zu werden. Es gab kein Zurück mehr. Jetzt galt es. Jimmy zückte sein Handy, scrollte zur ersten Nummer und hielt den Daumen über die Ruftaste.

*WHOMM!*

Der Lastwagen brach durch die Torflügel wie ein angreifendes Spitzmaulnashorn. Die riesige schmiedeeiserne Struktur wurde verbogen und verdreht, riss an den Scharnieren. Steinbrocken flogen aus der Mauer, während die Tore durch die Luft wirbelten.

Sie waren durch.

Jimmy drückte die Ruftaste seines Telefons. Im selben Moment sprang er vom Lastwagen und rollte über das Gras ab. Für den Bruchteil einer Sekunde war er ohne Deckung. Die Schüsse kamen aus allen Richtungen.

*BOOM!*

Jimmys Anruf aktivierte die Rakete im Heck des Müllwagens. Der Akku des Telefons brachte einen Funken an die Zündschnur, der Sprengstoff detonierte. Es war perfekt. Die Explosion wurde noch verstärkt durch den im Eimer komprimierten Müll, und als ob das nicht genug wäre, war ein Teil des Mülls brennbar. Darauf hatte Jimmy gebaut. Er fühlte den Nervenkitzel, weil sein Plan mit maximaler Wirkung aufging.

Der Lastwagen wurde in einem Gewitter heller Blitze und Flammen durchgerüttelt. Das Hinterteil hüpfte vom Boden, und Jimmy war sicher, dass die Kiste gleich umkippen würde. Dann verdeckte dichter schwarzer Rauch seine Sicht – ebenso wie die der Wachleute auf dem Gelände. Als das Heck des Trucks wieder auf den Boden krachte, war Jimmy bereits völlig von dunklem Qualm verhüllt.

Er robbte über den Rasen. Nach ein paar Sekunden

konnte er Saffron erkennen, die einige Meter vor ihm das Gleiche tat. Die Wachen umringten den brennenden Lastwagen, aber die Sicht war so schlecht, dass sie völlig planlos waren. Einige schrien Befehle, andere ballerten wild in das Metall, wieder andere versuchten, die Kontrolle zu übernehmen und die anderen zu warnen – denn natürlich könnten sich weitere Sprengsätze im Fahrzeug befinden.

Jimmy hustete und spuckte, bewegte sich im Schutz der Dämpfe aber entschlossen weiter. Dann vernahm er unter den Schreien und Schüssen deutlich ein Grunzen. Saffron hatte zugeschlagen. Eine der Wachen war zu nah an sie herangestolpert, und sie hatte den Mann mit einem einzigen Schlag unschädlich gemacht. Als Jimmy sie erreichte, war sie gerade dabei, der Wache die Uniform auszuziehen. *Schnell*, drängte Jimmy innerlich. *Sobald der Rauch nachlässt, sind wir ungeschützt.*

Saffron zog die Uniform über und sprang auf. Jimmy folgte ihr, blieb aber weit genug zurück, damit ihn niemand hinter ihr entdecken konnte.

»Mann am Boden!«, schrie Saffron, stolperte und hustete dabei absichtlich. Sie schwang das Walkie-Talkie der Wache über ihrem Kopf und ging auf einen zweiten Sicherheitsmann zu. »Sie brauchen zwei Mann Verstärkung, um das Kontrollzentrum zu sichern! Wir müssen dorthin!«

»Was?« Die zweite Wache war verwirrt. Zuerst schwang er seine Pistole in Richtung Saffron, senkte sie aber, als er durch den Qualm die Uniform erkannte.

»Das Kontrollzentrum!« Saffron wiederholte. »Du und ich. Lass uns gehen.«

»Der Angriff findet hier statt!«, rief der Mann zurück. »Das Kontrollzentrum ist ...« Er zog sein Walkie-Talkie heraus, um nachzufragen. Bevor er sprechen konnte, startete Jimmy einen zweiten Anruf. Die Explosion kam von weit her, jenseits des Chisley Hall-Geländes, war aber stark genug, um Jimmys Ohren klingeln zu lassen.

Die Wache drehte sich in Richtung der Explosion.

»Los!«, rief er, rannte zum Haupthaus und bedeutete Saffron, ihm zu folgen. Jimmy preschte ihnen hinterher, immer noch in Rauch eingehüllt. Nach ein paar Metern lösten sich die Schwaden jedoch auf, Chisley Hall lag jetzt direkt vor Jimmy. Der Anblick ließ ihn kurz Luft schnappen, trotz aller Gefahr. Der rote Ziegelstein schien zu glühen, während die Herbstsonne durch den Rauch drang und die cremefarbene Stuckatur hervorhob. Die Fassade war dreigeteilt, in jedem Teil gab es drei Reihen von je drei Fenstern. Der elegante Bau weckte in Jimmy den Wunsch, mehr über Architektur zu wissen – auch wenn ihm keine Zeit blieb, sie ausgiebig zu bewundern.

Über die grünen Rasenflächen und durch die Ziergärten schwärmten jetzt überall Wachen. Jimmy löste eine weitere Explosion aus. Die Sicherheitskräfte wirbelten herum, sahen am Rande des Anwesens einen Turm aus Flammen und Rauch aufsteigen, zusammen mit ein paar bunten Funken. Die Ablenkung reichte aus, damit Jimmy für ein paar Sekunden ungeschützt weiterlaufen konnte. Er und Saffron erreichten die Eingangstür, folgten dabei dem Wachmann, der ohne sein Wissen als ihr Führer fungierte.

Im Innern des Hauses herrschte ein ebenso großes Durcheinander wie draußen. Die Sicherheitskräfte stürmten in alle Richtungen, wirkten in dem Interieur aus Holztäfelungen und Marmorböden völlig fehl am Platz. Ausgestopfte Tiere säumten die Wände, glotzten verärgert auf das Chaos herab. Jimmy merkte, dass er sich nicht einmal verstecken musste. Die Wachen hatten offensichtlich nicht mit einem Angriff gerechnet – nicht am Tag *nach* der Wahl.

Jimmy hielt den Kopf gesenkt und bahnte sich seinen Weg durch das Chaos. Zwei weibliche Wachen starrten ihn misstrauisch an, aber im gleichen Moment drückte sein Daumen erneut die Anruftaste. Eine weitere Explosion zog schnell die Aufmerksamkeit von ihm ab, und kurz darauf waren er und Saffron aus der Eingangshalle heraus. Die Wache führte sie jetzt eine dunkle Holztreppe hinunter.

Vor ihnen rannten jetzt noch mehr Wachen. Der Wachmann an der Spitze hatte vier weitere rekrutiert, um das Kontrollzentrum zu sichern, und Saffron mischte sich mühelos unter sie. Es herrschte zu große Panik, als dass irgendjemand bemerkt hätte, dass ihr Ausweis nicht zu ihrem Gesicht passte – sie war weder weiß noch männlich –, und offensichtlich hatte noch niemand die bewusstlose Wache draußen gefunden.

Zwei Stockwerke tiefer konnte Jimmy die unerwarteten Ausmaße des Ortes bestaunen. Die Küchen und alten Bedienstetenquartiere zweigten von endlosen Gängen ab, die Jimmy an das *NJ7*-Labyrinth unter London erinnerten. Während die Wachen einen langen Gang hinaufliefen, Saffron mitten unter ihnen, versteckte sich Jimmy hinter einem riesigen ausgestopften Bären, wartete, bis er ihnen unbemerkt folgen konnte. Dann glitt er lautlos weiter.

Eine neuerliche Treppe führte hinunter in die Keller. Zuerst waren es die ursprünglichen Keller des Herrenhauses, doch eine Ebene tiefer nahmen sie ein ganz anderes Aussehen an. Anstelle von abgenutzten Fliesen, ausgestopften Tieren und einer Holztreppe hatte die tiefste Ebene einen Betonboden und moderne Lichtbänder – erneut ganz ähnlich wie im *NJ7*-Hauptquartier. Diese Ebene war offenbar viel später gebaut worden als Chisley Hall, aber sie war nicht modern. Der vergilbenden Farbe nach zu urteilen, musste sie aus dem Zweiten Weltkrieg stammen.

Jimmys Körper bereitete sich auf einen Angriff vor. Diese gewalttätig pulsierende Energie in ihm schwoll ständig an. Die Wachen drängten sich durch eine große schwarze Tür. Sobald sie hinter ihnen zugefallen war, sprintete Jimmy los. Er hörte einen kurzen Schrei, dann wiederholtes Aufstöhnen, das von den Wänden widerhallte. Er stürmte durch die Tür und prallte gegen die Rücken zweier Sicherheitskräfte. Einer ging sofort zu Boden. Der andere versuchte, sich zu wehren, aber

Jimmy war zu schnell – und unerwartet klein. Die Faust des Wächters zischte über seinen Kopf hinweg, während sich Jimmys Handballen in das Zwerchfell des Mannes bohrten.

Saffron hatte bereits die anderen drei Wachen zu Fall gebracht. Sie sammelte ruhig deren Walkie-Talkies ein und stellte sicher, dass sie bewusstlos waren. Jimmy tat dasselbe bei seinen beiden, während die ganze Zeit zwei weitere Männer mit erhobenen Händen auf Drehstühlen saßen. Diese beiden waren offensichtlich technisches Personal, keine Sicherheitsleute. Ihr Körperbau wirkte viel zerbrechlicher. Beide trugen leicht zerknitterte Anzüge mit lose am Hals baumelnden Krawatten. Jimmy bemerkte einen Essensfleck auf dem Hemd des jüngeren Mannes.

»Was immer Sie wollen, wir kooperieren«, sagte der ältere der beiden ruhig. »Wir wollen nicht die Helden spielen. Aber Sie können jetzt nichts mehr ändern. Die Wahl ist vorbei. Die Stimmen wurden gezählt und das Ergebnis ist …«

»Wir zählen erneut aus«, unterbrach ihn Saffron. »Wie kommen wir zu den Maschinen?«

»Welche Maschinen?«

Saffron schlug ihm auf die Wange. »Ich dachte, Sie kooperieren?« Jimmy war schockiert von ihrem plötzlichen Ausbruch. »Die Wahlstationen. Wo sind sie?«

Die beiden Techniker saßen mit den Rückenlehnen gegen ihren Arbeitsplatz gedrückt – ein Schreibtisch mit diversen Monitoren und vier Tastaturen, alle mit grünen Streifen versehen. An beiden Enden stapelten sich Computer-Festplatten, aus denen mehrfarbige Drähte ragten. Das beständige Brummen mischte sich mit dem ängstlichen Keuchen der beiden Angestellten.

Saffron seufzte und holte aus, bereit für einen weiteren Schlag.

»OK«, sagte der ältere Mann schnell. »Ich sagte doch, ich kooperiere!«

»Also …?« Saffrons Hand schwebte noch immer in der Luft.

»Die Stationen werden dekommissioniert.«

»Tut mir leid, ich spreche kein Fachchinesisch«, antwortete Saffron, die Hand weiter gehoben.

»Das heißt *stillgelegt*«, schaltete sich der jüngere Techniker ein. »Er meint, sie werden automatisch und sicher auseinandergenommen. Da oben.« Er nickte zur Ecke des Raumes, wo sechs Metallsprossen zu einer Luke in der Decke führten. »Um die Komponenten zu recyceln oder zu zerstören, ohne die sensiblen Daten preiszugeben.«

»Ohne preiszugeben, wie die Leute wirklich gewählt haben, meinen Sie.« Saffron nickte Jimmy zu. Er war schon auf halbem Weg.

»Sie dürfen da nicht hoch!«, rief der ältere Techniker. Saffron schlug ihn, aber Jimmy bemerkte, dass es diesmal nicht so fest war. »Es spielt keine Rolle, wie oft Sie mich schlagen«, protestierte der Mann leicht geduckt und rieb sich die Wange. »Es ist gefährlich, da raufzugehen. Es ist ein vollautomatisches Fließband und es läuft. Das könnte Sie in Stücke reißen.«

Am oberen Ende der Sprossen zögerte Jimmy, seine Finger lagen auf dem Messingriegel. Das grellorangefarbene Warnschild war seiner Aufmerksamkeit nicht entgangen.

Die Schweigeminute wurde von dem anderen Techniker unterbrochen. »Wir können es abstellen«, sagte er leise. Ohne auf Saffrons Erlaubnis zu warten, drehte er sich zu einer Computertastatur und tippte ein paar Tasten.

»Das ist wirklich kooperativ«, strahlte Saffron. »Um so schwerer fällt es mir, das zu tun.«

»Was?« Bevor das Wort den Mund des Technikers verlassen hatte, schossen Saffrons Hände nach vorn. Mit zwei gezielten Schlägen traf sie beide Männer gleichzeitig an den Schläfen. Sie fing sie ab, als sie nach vorne stürzten, und setzte sie bewusstlos zurück auf ihre Stühle.

»Geh da hoch, Jimmy«, befahl Saffron. »Mit etwas Glück haben wir etwa zwei Minuten, bevor jemand …« Sie drehte sich um, starrte auf die leere Leiter und eine offene Luke.

Jimmy war bereits nach oben geklettert.

# KAPITEL 12

Jimmy kletterte bis zu einer kleinen wackeligen Metallplattform. Von dort überblickte er eine schwach beleuchtete, höhlenartige Halle sechs Meter tiefer, die sich unter dem gesamten Gebäude erstrecken musste. Eine Reihe von Wahlstationen wand sich rund um die Halle wie die Chinesische Mauer. Sie waren auf einer Art Förderband befestigt, das immer wieder in riesigen grauen Maschinenblöcken verschwand. *Der ganze Aufwand nur, damit die Leute wählen können*, dachte Jimmy.

Während das Förderband weiterlief, wurden die Stationen mehr und mehr abgebaut, als würde Fleisch von Körpern gelöst, sodass nur noch die Skelette übrig blieben. Tatsächlich waren nur noch wenige Stationen vollständig intakt. *Enthält eines von ihnen noch die Daten, die ich brauche?*, fragte sich Jimmy.

Er schwang sich über das Geländer der Plattform und kletterte an der Wand hinunter in die Halle. Er lief zum Anfang des Förderbandes, wo sich die wenigen noch kompletten Stationen befanden. Er suchte an einer der Maschinen nach einer Identifikations- oder Seriennummer. Sobald er die Nummer am unteren Rand des

Geräts gefunden hatte, zog Jimmy sein Handy heraus. Saffron ging sofort dran.

»Ich war mir nicht sicher, ob wir hier unten Netz haben«, sagte sie.

»Ich auch nicht«, antwortete Jimmy. »Aber ich bin froh, dass es so ist.« Er überlegte, ob er eine weitere Explosion im Außengelände auslösen sollte, um ihnen noch mehr Zeit zu verschaffen. »Du musst die Daten für die Wahlstation MA-C*080-5 finden.«

»Kein Problem.«

Jimmy hatte noch den Schraubenzieher bei sich, mit dem er die Sprengsätze gebaut hatte. Er kniete sich hinter die Maschine, klemmte das Handy zwischen Schulter und Wange ein und schraubte die Verkleidung ab. Währenddessen konnte er leises Tippen hören – am anderen Ende der Leitung erledigte Saffron ihre Aufgabe. Aber während Saffron die Daten einfach auf einen USB-Stick herunterladen konnte, konnte man die Station nicht einfach einschalten und die Software hacken. Jimmy würde bis in die Eingeweide des Geräts vordringen müssen, um die Festplatte zu finden. Dort waren die Rohdaten gespeichert – die bei der Wahl tatsächlich abgegebenen Stimmen. Die würde der UN-Inspekteur brauchen, um sie mit den Daten zu vergleichen, die Saffron gefunden hatte.

»Wie läuft's bei dir?«, fragte Jimmy, während er mit seinem Schraubenzieher Kabel herauspuhlte.

»Ich habe es fast geschafft«, antwortete Saffron. »Nur noch ein paar Codes, dann bin ich drin …«

Jimmy lächelte, trotz der Anspannung in seiner Brust. Seine Hände waren ruhig, der Schraubenzieher war wie eine direkte Verlängerung seiner Finger. Er griff tief in die Station und zog die Komponenten einzeln heraus. Er konnte fast ein Flüstern in sich hören, das die Bestandteile auflistete, während er sie entfernte: Motherboard, Soundkarte, Lüfter …

Dann wurde das Flüstern jäh von einem Geräusch am anderen Ende der Leitung unterbrochen. Es war ein dumpfer Schlag. Jimmys Muskeln erstarrten.

»Saffron?«, fragte er und packte das Telefon fester. Weitere Geräusche – ein Sturz, dann Schreie. War das Saffrons Stimme?

Jimmy sprang auf. Hatten sie Saffron so schnell gefunden? In diesem Augenblick kletterten zwei riesige Sicherheitsleute aus der Luke, bauten sich auf der Plattform auf und spähten in die dunkle Halle, ihre Gewehre im Anschlag. Jimmy wirbelte herum, um in die andere Richtung davonzulaufen, aber zu spät.

»Da!«, rief eine der Wachen. Ein Schuss übertönte seinen Schrei.

Jimmy hechtete sich zwischen die Stationen. Kugeln prallten von dem Metall ab. Jimmy krümmte sich instinktiv zusammen und bedeckte den Kopf mit den Händen, während seine Konditionierung auf Hochtouren lief. Er konnte bereits die Wachen von der Plattform herabsteigen hören. Das Echo der Schüsse verhallte, wurde übertönt von einem gewaltigen Quietschen und einem Rumpeln. Das Förderband, auf dem Jimmy hockte, begann sich zu bewegen.

Jimmy linste um die Station und bereute es sofort. Das Mündungsfeuer einer Pistole erhellte den Flur. Jimmy wich gerade noch rechtzeitig zurück. Die Kugel traf die Station so nah bei seinem Gesicht, dass ein Funke seine Wange verbrannte. Jimmy blickte das Förderband entlang, wo eine Station nach der anderen in der ersten Maschine verschwand. Ein Vorhang aus Gummistreifen verhinderte, dass Jimmy ins Innere sehen konnte, aber er spürte eine intensive Hitze, die immer stärker wurde, als das Förderband sich näherte.

Die Station, deren Verkleidung er abgenommen hatte, stand ein paar Meter weiter in Richtung Verschrottungsmaschine. *Die Festplatte*, dachte Jimmy. Durch den gewaltigen Lärm des Förderbandes hörte er, wie sich die Wachen aus der anderen Richtung näherten.

Weitere Blitze erhellten die Dunkelheit und die Stationen wurden von Schüssen durchsiebt. Die Wachen ballerten blindlings auf jeden sich bewegenden Schatten. Jimmy fühlte den Drang, sich zu bewegen. Er konnte nicht mehr lange hinter dieser Station Schutz finden, und die Festplatte, die er so dringend benötigte, war nur noch wenige Sekunden von der Verschrottungseinheit entfernt. Ihm blieb keine andere Wahl.

Jimmy atmete tief durch, spannte seine Muskeln und legte einen explosiven Sprint über das Förderband hin. Mündungsfeuer flackerte um ihn herum, aber hinter jeder Station hielt Jimmy für den Bruchteil einer

Sekunde inne, bevor er weiterrollte oder sprang, um möglichst unberechenbar zu sein. Die Wachen hatten keine Chance, ihn zu treffen. Aber vielleicht mussten sie das auch gar nicht. Die letzten Stationen rumpelten jetzt in die Maschine. Auf beiden Seiten leuchteten grellorangefarbene Warnschilder.

»Saffron!«, rief er in sein Handy, das er immer noch mit der Faust umklammerte. »Saffron, was ist los? Bist du da?!« Für den Bruchteil einer Sekunde glaubte Jimmy, eine Antwort zu hören, aber die Stimme, wenn es denn eine Stimme war, verstummte sofort wieder. Und dann war Jimmy am Ende seiner Reise. Er fühlte, wie die Gummistreifen an seine Schultern drückten. Gleichzeitig wurden Lärm und Hitze fast unerträglich. Jimmy suchte verzweifelt nach einem Weg, das Förderband anzuhalten oder abzuspringen, ohne erschossen zu werden. Aber es war zu spät. Plötzlich war er in der Maschine und die Hölle brach los.

Ein Hochdruckdampfstrahl schoss auf Jimmys Kopf zu. Er wich so schnell aus, dass er kaum erfasste, auf was er da reagierte, ehe der Dampf direkt vor seiner Nase vorbeidonnerte. Der Schweiß in seinem Gesicht schien jetzt kochend heiß. Gleichzeitig fuhren zwei Metallgreifer seitlich auf die Station zu, genau auf Höhe von Jimmys Knien. Er sprang darüber und zog gleichzeitig seinen Kopf ein, damit er nicht an die niedrige Decke prallte.

Die Greifer packten den Boden der Station, rissen das Gehäuse ab, drehten es um und hämmerten es flach auf das Förderband. Dann verfolgte Jimmy verzweifelt, wie ein weiterer Metallarm die Festplatte herausriss und nach oben in einen Schlitz schleuderte. *Wohin führt der Schlitz nur?* Jimmy fluchte innerlich. Ihm blieb keine Zeit, es herauszufinden. Das Förderband bewegte sich weiter, wobei aus allen Richtungen Metallarme heranschwenkten, um die Demontage fortzusetzen.

Jimmy drehte und wand sich, um den mechanischen Schlägen und den Sprühstößen eines Kühlmittels auszuweichen. Er spürte nur noch Hitze und die wirbelnde Bewegung seiner eigenen Glieder, die so schnell agierten, dass sich sein Kopf drehte. Sein Mantel flatterte um ihn wie die Flügel einer Fledermaus. Zuerst schützte der ihn vor der Hitze, doch bald wäre Jimmy ihn am liebsten losgeworden. Aber das war unmöglich. In den Taschen spürte er die Gegenstände, die sein Leben retten konnten.

Irgendwann ließ die Attacke nach, Jimmy lag flach auf dem Bauch, auf zwei demontierten Blechen. Das Klappern und Knirschen der mechanischen Arme blieb hinter ihm zurück. Jimmy blickte hoch, auf der Suche nach den Festplatten. Gab es eine Chance, dass sie nicht schon alle gelöscht oder vernichtet waren? Genau in diesem Moment donnerte ein paar Meter weiter eine riesige Eisenpresse herab, sie glich der Faust eines Riesen, der einen Käfer zerquetscht. Sie zermalmte ein Stationsgehäuse in flache Bleche, und Jimmy war als Nächster an der Reihe.

Er hechtete sich vorwärts und zog dann blitzschnell seine Beine an, als er wieder auf dem Förderband landete. Die Eisenpresse donnerte hinter ihm auf das Gummi. Doch vor ihm lag bereits ein neuer Tunnel und ein weiterer Gummivorhang. Jimmy schnappte sich eines der flachen Bleche, kurz bevor es durch den Gummivorhang transportiert wurde. Dann sprang er vom Förderband und rannte.

Es dauerte ein paar Sekunden, bis die Wachen merkten, was passierte. Sie hatten nicht damit gerechnet, dass Jimmy heil aus der Verschrottungsanlage kommen würde. Als sie ihn schließlich entdeckten, sahen sie nur einen metallischen Blitz. Jimmy preschte durch die Dunkelheit, hielt das Blech mit einer Hand vor sich, während er sich mit der anderen an der Außenseite der Maschine hochzog, die er kurz zuvor durchlaufen hatte. Trotz der Kugeln, der Hitze und der Belastung seiner Muskeln war er fest entschlossen, Chisley Hall nicht ohne eine Festplatte zu verlassen.

Oben auf der Maschine befanden sich Dutzende von Behältern, in denen die Bestandteile der Stationen sortiert und in Schächten zur nächsten Bearbeitungsstufe weitergeleitet wurden. Die Festplatten waren kleine schwarze Boxen, die so schnell von der Maschine ausgespuckt wurden, dass es ebenso gut riesige Kugeln hätten sein können. Und genau als solche verwendete Jimmy sie jetzt.

Jimmy landete einen Doppel-Kick gegen die Förderschächte auf der Maschine. Die Wucht reichte aus, um ihre Richtung zu ändern. Der Mechanismus quietschte und knirschte, aber die Stationsteile schossen weiter hervor, nun ein dichter Regen aus Metallstücken, Leiterplatten und Elektrokabeln.

Die Teile flogen quer durch Halle, bombardierten die Wachen. Die Männer rannten in Deckung, während Jimmy herabsprang und sich mit seinem Blech schützte. Bevor die Wachen wieder feuern konnten, griff Jimmy in seinen Mantel. Er zog eine Pappröhre hervor, die mit Gummibändern an einem Handy befestigt war: ein weiterer von Jimmys selbst gebastelten Sprengsätzen.

Sofort schleuderte Jimmy die Vorrichtung in hohem Bogen wie eine Granate von sich. Sein Wurfarm blieb dabei vollkommen ruhig, trotz der hohen Geschwindigkeit, mit der er lief. Der Sprengsatz segelte durch die herabfallenden Trümmer, über die Köpfe weiterer Wachen hinweg, die auf der Aussichtsplattform erschienen waren. Und wie vorgesehen landete das Päckchen direkt in der Luke, die in den Kontrollraum führte.

Jimmys Faust war um sein Handy geballt, sein Daumen drückte die Ruftaste so fest, dass das Gehäuse knackte. *Wo bleibt die Explosion?*, dachte Jimmy verzweifelt. Die Verzögerung schien ewig zu dauern. Hatte sein Telefon kein Netz mehr? Er musste in Bewegung bleiben, tauchte zwischen den Maschinen hindurch, wich den Kugeln aus, schirmte sich mit seinem Blech ab, während er sich weiter auf die Plattform zubewegte, von wo die Wachen auf ihn feuerten. Es war sein einziger Fluchtweg.

Endlich bebte der Boden. Ein gewaltiger weißer Blitz zuckte durch die Halle. Dann ein donnernder Krach, der von den Maschinen widerhallte und Jimmys Schädel vibrieren ließ. Schwarzer Rauch quoll aus der Luke in die Halle. Jimmy sprang über die Wachen hinweg, die von den Füßen gefegt worden oder von der Plattform gestürzt waren. Unterwegs schnappte Jimmy sich eine herumliegende Festplatte und steckte sie in seine Tasche.

In Sekundenschnelle war er durch die Luke. Er hustete von dem schwarzen Rauch, während er die Luke hinter sich schloss, aber er war mit neuer Energie geladen. *Hol dir, was du brauchst*, sagte er sich selbst. In Chisley Hall einzudringen, war völlig nutzlos, wenn er die benötigten Daten nicht retten konnte. Leider hatte die Explosion nicht nur dafür gesorgt, dass Jimmy sich den Sicherheitskräften entziehen konnte. Sie hatte auch das Computer-Netzwerk im Kontrollraum zerstört.

Jimmy spähte durch den Rauch, bedeckte seinen Mund und japste nach jedem zweiten Atemzug. Die Monitore waren kaputt, die Tastaturen nur noch geschmolzener Kunststoff. Wie konnte er nur so dumm sein? Er hatte damit gerechnet, dass Saffron nicht im Raum war, aber er hatte nicht an die Computer gedacht. Verzweifelt versuchte er, ruhig zu bleiben, wedelte den Rauch weg, um einen genaueren Blick auf die elektronischen Geräte zu werfen. Hatte irgendwas davon überlebt?

Ein Geräusch alarmierte seine Sinne. Stiefel donnerten durch den Flur heran. Es blieb jetzt keine Zeit mehr, das Computersystem zu analysieren. Jimmy griff in eine entfernte Ecke des Schreibtischs, schnappte sich eine Metallbox, die intakter aussah als alle anderen. Er riss sie aus dem Gewirr der halb geschmolzenen Drähte, klemmte sie unter den Arm und stürzte hinaus in den Korridor, wo ihm die Wachen entgegenkamen.

# KAPITEL 13

Jimmy rannte durch die parkartige Anlage von Chisley Hall, wobei er die Umgebung scannte, um den idealen Zeitpunkt für weitere Explosionen auszumachen. Er löste zwei in schneller Folge aus, um die Sicherheitskräfte abzulenken. Ein früherer Sprengsatz hatte ein kleines Feuer entfacht. Die Flammen drohten von außen auf den Garten überzugreifen. *Chaos*, dachte Jimmy. *Perfekt.*

Er schlängelte sich durch einen ummauerten Rosengarten, stapfte voller Zuversicht durch den knirschenden Kies. Sein Fluchtweg war geplant, nichts stellte sich ihm in den Weg. Wenn er nur sicher sein könnte, dass Saffron ebenfalls hatte fliehen können. Wo steckte sie?

Für Jimmy war es relativ einfach gewesen, aus dem Gebäude zu entkommen. Er hatte die engen Gänge zu seinem Vorteil genutzt, da ihm immer nur jeweils ein Angreifer entgegentreten konnte. So hatte er sich mit einem Minimum an Gegenwehr und einem Maximum an Effizienz nach draußen gekämpft. Chisley Hall mochte eine Festung sein, aber die Anlage war nicht dafür konstruiert, sich gegen Angreifer zu verteidigen, die bereits drinnen waren.

Er verließ den Rosengarten, ohne sein Tempo zu verlangsamen. Er rannte durch die Blumenbeete entlang der Mauer, den Blick nach vorne gerichtet, auf der Suche nach seiner Markierung. Weniger als eine Stunde zuvor hatte er die einzige Ecke des Anwesens gefunden, die an den Wald und nicht an offenes Feld grenzte, und er hatte die Äste der Bäume außerhalb der Mauer fachmännisch beschnitten. Er hatte einen Tunnel geschaffen, der den Sicherheitskameras völlig entzogen war. Wenn er diese Stelle wiederfand, bliebe er unsichtbar.

Da war er: ein weißer Streifen an der Wand. Der verriet Jimmy, wo er über die Mauer steigen musste. Zwischen dem Stacheldraht und dem oberen Rand der Mauer klemmte das dritte Cornetto, das Eis war geschmolzen und bildete so eine klare Markierungslinie an der Mauer.

In Sekundenschnelle kletterte Jimmy einhändig die Mauer hinauf, den Computer immer noch unter seinem linken Arm. Die Finger seiner rechten Hand gruben sich in die Zwischenräume der Ziegelsteine, schickten winzige Kaskaden von rotem Staub auf den Boden und waren bald mit Vanilleeis verklebt.

Oben angekommen, warf er rasch seinen Mantel über den Stacheldraht. Dann zog er sich, ohne zu zögern, über die Mauer, ließ die aufgeregten Schreie und die Sirenen hinter sich zurück. Sein einziges Hindernis bildete eine fette Taube, die sich an das Cornetto ranmachen wollte. Dagegen ließen ihn die schwenkbaren

Sicherheitskameras völlig kalt. Er hatte mit der Handsäge perfekte Vorarbeit geleistet.

Während er auf der anderen Seite der Mauer durch den dichten Farn lief, zog Jimmy seinen Mantel über. Er fischte sein Handy aus der Tasche, wobei er überprüfte, ob die Stations-Festplatte noch da war. Er trug die Verantwortung für die Stimmen dieser Menschen, was sein Gepäck noch schwerer zu machen schien.

»Wo bist du?«, knurrte er, als Saffron sich meldete. Er hatte nicht mit ihrer Antwort gerechnet. Wenn sie ans Telefon gehen konnte, war sie nicht in Gefahr, und wenn sie sich nicht in Gefahr befand, warum war sie nicht da, um ihm zu helfen?

»Ich hab's nach draußen geschafft, Jimmy«, verkündete sie. »Mir geht's gut.«

Für eine Sekunde war Jimmy wütend, weil sie offenbar davon ausging, dass es ihm ebenfalls gut ging. Doch er unterdrückte seine Gefühle, rannte weiter und fegte Äste aus seinem Gesicht.

»Du musst zurückkommen und mich abholen.« Jimmy blickte sich um. Instinktiv bestimmte er seine Position. »Ich bin einen Kilometer südlich von Chisley Hall. Ich sehe eine Straße vor mir. Was ist mit dir passiert? Hast du die Daten bekommen?«

»Es tut mir leid, Jimmy«, sagte Saffron. »Es waren zu viele Wachleute. Sie schleppten mich aus dem Kontrollraum in eine Arrestzelle. Aber ich konnte abhauen.« Jetzt konnte Jimmy das Lächeln in ihrer Stimme hören. »Im Keller gab es eine Explosion und sie gerieten in Panik.«

»Ich bin froh, dass ich helfen konnte«, murmelte Jimmy. »Ist dir in den Sinn gekommen, dass ich in Schwierigkeiten sein könnte?«

»Warum sollte irgendjemand außer dir im Keller Dinge in die Luft jagen?«, fragte Saffron mit einem leisen Lachen. Ihren nächsten Satz hörte er schon nicht mehr über Telefon. »Und wenn du Dinge in die Luft jagst, weiß ich, dass es dir gut geht«, rief sie aus dem Fenster des Bentleys, der auf der anderen Straßenseite anhielt. Jimmys strenge Miene schmolz zu einem Grinsen.

»Also hör auf zu jammern und steig ein«, sagte Saffron.

Christopher Viggo hörte auf seinen Herzschlag, versuchte ihn bewusst zu verlangsamen. Er atmete tief durch und zählte den Rhythmus seines Pulses. Er wusste nicht genau, was ihm die Capita in seine Wirbelsäule gespritzt hatte, aber was auch immer es war, er musste die Wirkung verzögern. Er musste konzentriert bleiben, durfte nichts über den Code H verraten. Sein Leben hing davon ab, ebenso wie das Leben Jimmys und all der anderen. Wenn er sein Geheimnis preisgab, würden sie getötet, sobald sie beim verabredeten Treffpunkt auftauchten.

Viggo konnte nichts sehen, da ein schwarzer Leinensack über seinen Kopf gestülpt war, also konzentrierte er sich auf seine anderen Sinne. Er wusste, seine Handgelenke waren hinter dem Rücken zusammengebunden und seine Knöchel an die Stuhlbeine. Aber was hatten die Capita-Schergen als Fesseln benutzt? Wenn er das herausfinden könnte, wüsste er, ob sich ein Befreiungsversuch lohnte.

Gerade als er anfing, seine Handgelenke aneinander zu reiben, um die Fesseln zu testen, öffnete sich die Tür.

»Bereit für mehr?« Es war die kleine Capita-Frau, die von ihren Kollegen Miranda genannt wurde. »Sie sollten jetzt keine Probleme mehr haben, sich mir anzuvertrauen. Sie können nicht bekämpfen, was durch ihren Kreislauf zirkuliert.«

Viggo reagierte nicht. Stattdessen hörte er zu. Jede Information war eine wichtige Waffe in dem Kampf, bei Bewusstsein zu bleiben, seine Geheimnisse zu bewahren und schließlich zu entkommen.

»Wo ist der Code H?«, fragte Miranda mit einem Seufzer. Als sie keine Antwort bekam, murmelte sie: »Sie sind ein Narr.«

»Da haben wir ja was gemeinsam«, keuchte Viggo. Seine Kehle schmerzte, aber er durfte sich seine Schwäche nicht anmerken lassen.

Miranda rammte Viggo die Faust in den Bauch. Viggo japste nach Luft und versuchte sich fallen zu lassen, aber die Hand- und Fußfesseln hielten ihn fest. *Schmerz ist gut*, sagte er sich. *Der Schmerz zwingt dich zur Konzentration.*

»Und wie geht es Ihnen jetzt mit Ihrer kostbaren Demokratie?«, schnaubte Miranda. »Sie hatten Ihre Chance, die Welt zu verändern. Sie haben versagt. Sie müssen hungrig sein, durstig … Sie haben sicher Schmerzen. Geben Sie auf«, forderte sie. »Geben Sie uns den Code H und Sie können nach Hause gehen.«

Viggo hörte das Klirren von Glas.

»Verraten Sie ihn mir und wir können uns eine Limonade teilen«, sagte Miranda.

Viggo hörte, wie die Flasche geöffnet wurde. Das kühle Sprudeln des Getränks schien durch Viggos Blut zu rasen und verbreitete Schmerz und Verzweiflung. *Nein*, versicherte er sich selbst. *Die anderen werden kommen. Halte durch. Nur noch ein bisschen.* Aber die Geräusche quälten ihn: die Flüssigkeit gluckerte durch Mirandas Hals, dann ihr zufriedener Seufzer.

»Einen Prosit«, kündigte Miranda an. »Auf die Demokratie!«

Ohne auf Viggos Reaktion zu warten, donnerte sie ihm die Limonadenflasche gegen die Wange, so fest, dass er nach hinten umkippte.

*Ein Seil*, dachte Viggo, als er auf den Beton prallte. *Sie haben zum Fesseln ein Seil benutzt.*

»Wie lange noch bis zum Treffen mit der Capita?«, fragte Jimmy, während Saffron wie üblich mit rasantem Tempo fuhr und die Landschaft draußen vorbeiflitzte.

»Lange genug«, sagte Saffron. »Wir müssen dieses Zeug zuerst zum UN-Inspekteur bringen.«

»Aber was, wenn wir nichts haben.« Er trommelte auf die schwarze Computerbox in seinem Schoß, während die kleinere Festplatte in seiner Manteltasche lag.

»Wir haben keine andere Wahl«, sagte Saffron unsicher. Offensichtlich ging sie im Kopf immer noch ihre Optionen durch.

»Aber was, wenn wir es dem UN-Typen geben«, sagte Jimmy leise und um Gelassenheit bemüht, »ihm alles sagen, was wir wissen, er sich dann die Daten ansieht und sich herausstellt, dass es nur Wäschereibelege oder so was sind. Dann haben wir nichts in den Händen, wenn wir der Capita entgegentreten!«

»Da muss etwas drauf sein«, murmelte Saffron, als wolle sie sich selbst überzeugen.

Jimmy strich über das Metallgehäuse und wischte den Staub und die Splitter aus Chisley Hall ab. Sie mussten das Risiko eingehen, dem UN-Inspekteur ihr Material zu präsentieren, solange er noch erreichbar war. Wenn sie keine Beweise hätten, könnten sie den Mann vielleicht wenigstens davon überzeugen, weiter zu ermitteln. *Wir werden überzeugend sein*, dachte Jimmy, und seine innere Stimme klang fremdartig, entschlossen und gewaltbereit. Aber es fühlte sich richtig an so.

»Ich schreibe Mum eine SMS«, verkündete er plötzlich, um sich von der in ihm lauernden Gewalttätigkeit abzulenken. »Ich sage ihr, wir haben es.« Er zog sein

Handy raus und fing an zu simsen. »Sie müssen den UNO-Mann im Hotel festhalten, bis wir da sind. Wie lange?«

»Fahre ich dir zu langsam?« Saffron drückte aufs Gaspedal, der Bentley schoss nach vorne. Es war wie in einer Rakete – mit Sitzheizung und Lederausstattung.

Ein weiteres Flugzeug brach durch die Wolken und Georgie folgte ihm mit dem Fernglas.

»Das da fliegt nach Spanien«, murmelte sie leise. Sie drückte das Fernglas gegens Fenster, das vom Dröhnen des Flugzeugs vibrierte, obwohl es die dickste Glasscheibe war, die sie je gesehen hatte. Helen Coates saß auf dem Bett hinter ihr und checkte ihr Handy.

»Behalte die Limousinen im Auge«, sagte sie.

Sie befanden sich im fünften Stock einer billigen Absteige gegenüber vom *Langley Georgian Hotel*, von wo sie dessen Vorplatz überblickten. Georgie schwenkte das Fernglas wieder dorthin zurück.

»Sie sind auf dem Weg«, verkündete Helen mit leicht zitternder Stimme.

»Haben sie alles bekommen?«, fragte Georgie.

Helen atmete tief durch. »Jimmy behauptet es«, seufzte sie, ganz und gar nicht überzeugt.

»Das ist fantastisch!« Georgie wandte sich vom Fenster ab und registrierte überrascht das ernste Gesicht ihrer Mutter. »Oder etwa nicht?«

»Wir werden sehen«, sagte Helen ruhig. »Damit ist

erst die Hälfte des Jobs erledigt. Es wird eine Weile dauern, bis sie hier sind. Ein oder zwei Stunden mindestens. Laut Eva wird Dr. Longville in vierzig Minuten abfliegen.« Sie ließ die Fakten für einen Moment in der Luft stehen und nickte dann Richtung Fenster. »Behalt die Fahrer gut im Auge. Sie werden uns verraten, wenn unser Ziel auf dem Weg nach unten ist.«

Georgie musste nicht mehr lange warten.

»Ich glaube, es geht los«, sagte sie kaum eine Minute später. »Sie bekamen beide innerhalb weniger Sekunden einen Anruf.«

»Was machen sie jetzt?« Helen sprang auf und stellte sich neben ihre Tochter ans Fenster.

»Der eine, der schon seit Ewigkeiten pennt, zieht seine Krawatte wieder an. Der andere überprüft sein Aussehen im Rückspiegel.«

»Gib Felix ein Zeichen«, befahl Helen. »Zeit, loszulegen.«

Felix wanderte durch die endlosen Gänge des *Langley Georgian Hotels.* Er hatte noch nie so ein großes Hotel gesehen, auch keines mit einem Springbrunnen und einem Piano in der Lobby. Aber jetzt schien die durch Teppiche gedämpfte Stille plötzlich drückend, das Atmen fiel ihm schwer. Er wusste, er wurde bei jedem Schritt von Kameras verfolgt. Wie lange musste er noch so tun, als würde er das Zimmer seiner Eltern suchen? Wenn das Hotelpersonal ihn bei seiner Überwachungstätigkeit bemerkte, würde ihm seine fröhliche Art nichts nützen. Man würde ihn zur Rede stellen. Zuerst höflich, dann würde man ihn gründlich in die Zange nehmen.

Schweiß kitzelte in seinem Nacken. Irgendwo begann ein Staubsauger zu dröhnen. Felix war bereits an zwei Reinigungskräften vorbeigekommen, von denen eine ihn misstrauisch angestarrt hatte. Hoffentlich würde Felix' Lächeln den Mann abhalten, sich nach ihm zu erkundigen. Das Staubsaugergeräusch bohrte sich in seinen Schädel. *Ist Jimmy die ganze Zeit in so einem Zustand?*, fragte er sich. Plötzlich zuckte er zusammen. Sein Handy in der Tasche hatte vibriert.

Es hatte genau einmal gebrummt. Das war ihr vereinbartes Signal. Es ging los. Felix beschleunigte sein Tempo und lief in Richtung Lobby. Er kam gerade rechtzeitig, als UN-Chefinspekteur Dr. Newton Longville aus dem Aufzug trat, flankiert von drei weiteren Männern. *Sicherheitspersonal*, dachte Felix panisch. Doch der Plan war nicht mehr zu ändern. Dr. Longville marschierte bereits am Springbrunnen vorbei zum Ausgang. Noch eine Sekunde und er wäre verschwunden, und damit jede Chance vertan, den Wahlbetrug aufzudecken.

»Dr. Longville«, keuchte Felix, während er hinter ihm herlief. Zwei der Sicherheitsbeamten drehten sich zu ihm um. Longville blickte nur über die Schulter, während der dritte Wachmann bereits am Ausgang stand. Überall um sie herum waren Hotelmitarbeiter. Das Empfangspersonal war sich offensichtlich nicht sicher, ob sie eingreifen sollten. Hätte jemand anderes versucht, einen so wichtigen amerikanischen Gast abzufangen, wären die Sicherheitskräfte und das Hotelpersonal sofort in Aktion getreten. Aber hier handelte es sich um einen Jungen. Und das ließ sie zögern. Aus genau diesem Grunde hatte Helen Felix geschickt. Er hörte noch ihre Anweisungen in seinem Kopf: *Du musst ihn aufhalten. Tu, was immer nötig ist, damit er das Hotel nicht verlässt.* Es klang so einfach, aber jetzt waren alle Blicke auf ihn gerichtet. *Zeit, eine kleine Show abzuziehen*, dachte er.

»Dr. Longville«, wiederholte er, »ich habe schon so lange auf Sie gewartet. Ich will Politiker werden, wenn ich groß bin.« Felix setzte sein albernstes Grinsen auf, doch die Sicherheitskräfte blieben im Alarmzustand. »Was glauben Sie, was ich –« Plötzlich packte er sich an die Kehle. Ein heftiger Husten drang aus seiner Brust und ließ seinen ganzen Körper zucken. Er vollführte eine halbe Drehung, brach zusammen und schnappte nach Luft. »Hilfe!«, keuchte er zwischen verzweifeltem Luftschnappen. Er krümmte sich auf dem Boden, stotterte: »Helfen Sie mir, Doktor.« Dann umklammerte er seine Brust, als wollte er sein Herz massieren.

»Ich bin kein Arzt«, erklärte Longville ruhig. »Ich habe einen Doktortitel in politischer Philosophie. Ich kann dir nicht helfen.« Er wandte sich an den Empfang. »Rufen Sie einen Krankenwagen!«

Felix hörte auf, sich zu winden. »Warten Sie«, keuchte er. »Ich glaube, es geht mir wieder gut.«

»Was für ein Wunder«, sagte der Amerikaner trocken. »Danke für die Unterhaltung, aber ich muss jetzt los, meinen Flieger erwischen.«

Felix sprang auf und sah Dr. Longville durch die Hoteltür zu einer wartenden Limousine schreiten. *Ich bin so dumm!*, schrie Felix in seinem Kopf. *Warum habe ich nicht daran gedacht, dass er kein richtiger Arzt ist?* Er rannte zur Tür und dann nach draußen, während Dr. Longville hinten in die Limousine schlüpfte. Felix' erster Instinkt war es, ihn zurückzureißen, aber einer der Wachmänner hielt die Autotür offen. Dann platzte Felix heraus: »Die Wahl war manipuliert!«

Die Limousinentür schlug zu.

# KAPITEL 14

»Was ist passiert?«, fragte Georgie und presste das Gesicht gegen das Fenster. Helen hatte das Fernglas an sich genommen, daher waren die Gestalten unten zu klein, um zu erkennen, was los war. Sie konnte Felix' Auftritt in der Lobby des *Langley Georgian* nur erahnen, die Spiegelungen auf der Glasfront ließen alles verschwimmen. Dann sah sie Dr. Longville mit seinen Sicherheitskräften zur Limousine eilen.

»Er hat es nicht geschafft«, sagte Helen besorgt. »Felix hat ihn nicht aufhalten können.«

In dem Moment stürmte Felix auf die Straße.

»Was sagt er?«, fragte Georgie.

»Warte – Longville steigt aus dem Auto.« Helen lehnte sich in ihrer Aufregung nach vorne und das Fernglas stieß gegen das Fenster.

»Das sehe ich selbst!«, schrie Georgie aufgebracht. »Warum? Was sagen sie?«

Als die Wagentür sich wieder öffnete und Dr. Longville ausstieg, holte Felix tief Luft. Der Mann schob seinen Leibwächter aus dem Weg und baute sich direkt vor Felix auf. Einen plötzlichen Anfall vorzutäuschen, war einfach im Vergleich zu dem, was jetzt kam. *Jetzt kommt die eigentliche Übung*, dachte Felix.

»Es ist wahr«, sagte er leise. »Ich kann Ihnen Beweise liefern, mein Freund hat sie und ist auf dem Weg hierher. Er wird jede Minute hier sein. Sie müssen auf ihn warten.« Seine Worte sprudelten nur so heraus, während Dr. Longvilles große, graue Augen ihn musterten. »Im Ernst«, fuhr Felix fort, »er wird gleich hier sein. Die ganze Wahl, sie war irgendwie manipuliert. Was haben Sie zu verlieren? Wenn Sie Ihren Flug verpassen, nehmen sie einfach den nächsten. Es wird sowieso alles von irgendeiner Regierung bezahlt, oder?«

Dr. Longville richtete sich zu seiner vollen Größe auf und hob die Augenbrauen. Dann sagte er langsam und ruhig: »Irgendeiner Regierung? Du meinst die Vereinten Nationen?«

»Äh, ja. Ist doch dasselbe.«

»Dasselbe?« Longville strich sich über den Kopf. »Es ist definitiv nicht dasselbe. Ich dachte, du wolltest Politiker werden.«

»Ich habe gelogen.«

»Das ist schon mal ein guter Anfang.« Ein Lächeln zerknitterte Longvilles ohnehin faltiges Gesicht.

»Aber wegen der anderen Sache lüge ich nicht«, sagte Felix nachdrücklich. »Selbst wenn ich es täte, würden Sie es in ein paar Minuten herausfinden, und was wäre dann verloren? Sie hätten den Check-in für Ihren Flug verpasst. Na und? Aber wenn ich die Wahrheit sage, dann haben Sie Beweise dafür, dass die ganze Wahl manipuliert wurde.«

Longville sah sich um und schien den Sicherheitskräften ein Zeichen zu geben.

Felix straffte sich innerlich, am liebsten hätte er jetzt die besonderen Fähigkeiten besessen, auf die Jimmy immer zurückgreifen konnte. Er schloss die Augen und wartete auf den Zugriff der Bodyguards. Nach ein paar Sekunden öffnete er sie wieder. Zwei der Männer entluden den Kofferraum der Limousine, der dritte war im Hotel und sprach mit dem Empfangspersonal. Dr. Longville ragte noch immer turmhoch über ihm auf.

»Ich muss nicht einchecken, junger Mann«, sagte der Inspekteur mit einem leichten Lächeln. »Mein Wagen bringt mich direkt zur Startbahn und das Flugzeug wartet auf mich.« Er beugte sich hinunter, um Felix direkt ins Gesicht zu sehen. »Also wird es eben noch etwas länger warten, nicht wahr?« Bevor er sich wieder aufrichtete, sah er sich um und senkte die Stimme. »Mein Assistent klärt die Sache mit dem Hotel.« Seine Worte wurden fast vom Wind verweht, aber seine Augen funkelten neugierig. »Damit wir einen Ort zum Reden haben.«

Jimmy und Saffron schwiegen lange. Die Isolierung des Bentleys dämpfte den Lärm der Straße. In der Stille wurde Jimmy von seinen diversen Sorgen und Ängsten heimgesucht. Er starrte aus dem Fenster. Alles da draußen erinnerte ihn an die Gefahr, die dem Land drohte, aber wenn er die Augen schloss, schien die Gefahr, die *in* ihm lauerte, noch viel bedrohlicher.

»Es war die richtige Entscheidung«, sagte Saffron plötzlich.

Jimmy war überrascht. Sie dachte offensichtlich, er würde immer noch schmollen, weil sie ihm bei seiner Flucht aus Chisley Hall nicht beigestanden hatte.

»Ja, ich weiß«, sagte Jimmy aufrichtig.

»Und genau deshalb wollte ich, dass deine Mutter in London bleibt.« Saffron versuchte offenbar, die Ereignisse vor sich selbst zu rechtfertigen. »Sie wäre wegen dir zurückgekehrt. Das hätte euch beide in Schwierigkeiten gebracht und die ganze Mission bedroht.«

»Vergiss es«, sagte Jimmy. »Ist mir klar.« Er suchte nach einer Möglichkeit, das Thema zu wechseln. »Wir haben unser Bestes getan, oder? Jetzt müssen wir Chris zurückholen.« Dann fügte er mit einem trockenen Lachen hinzu: »Irgendwie.«

»Du hast recht«, sagte Saffron schnell und lächelte ein wenig.

»Und dann wird er Premierminister.« Jimmy war von seinen eigenen Worten überrascht. Er wusste nicht, warum er das gesagt hatte. Vielleicht waren die Zweifel in ihm stärker, als er gedacht hatte – testete er Saffron? Und tatsächlich sah er Zweifel über ihr Gesicht huschen.

»Jimmy …«, begann sie vorsichtig. »Denkst du …« Sie verstummte mit einem Seufzer.

»Was?«, fragte Jimmy leise.

»Ach, nichts. Es ist nur, weißt du, wir tun so viel für Chris, aber in letzter Zeit ist er ein bisschen, na ja…«

»Ich weiß.« Jimmy war erleichtert, dass Saffron Viggos launisches Verhalten nicht entgangen war. Sie alle zweifelten offenbar ein wenig daran, ob er immer noch der Mann war, der Großbritannien von der Neo-Demokratie erlösen konnte. War Viggo wirklich der geeignete Anführer der Nation? Wenn er sich bei der Wahl schon so merkwürdig verhielt, wie wäre es dann erst, wenn er an die Macht käme?

»Aber wir müssen ihn trotzdem befreien. Auch wenn er das Land nicht retten kann…«, Jimmys Gedanken waren unsortiert, als versuche er sich beim Sprechen erst Klarheit zu verschaffen, »… müssen wir doch ihn retten, oder?«

»Natürlich.« Saffron schleuderte um eine scharfe Kurve. »Aber wenn er nicht gut für das Land ist, und wenn er und ich nicht…« Sie wandte sich ab und tat, als würde sie in den Rückspiegel blicken, aber Jimmy konnte den Konflikt in ihren Augen sehen.

»Es ist okay«, flüsterte Jimmy. »Wir werden ihn retten.«

Saffrons Antwort kam rasch und mit der strengen Stimme, die sie normalerweise für Kampfsituationen reservierte: »Wir *werden* ihn retten«, bestätigte sie. »Aber was machen wir dann mit ihm?«

Das Dampfbad des Hotels war der perfekte Ort zum Reden. Hier waberte so viel Dampf, dass Felix kaum seine Knie sehen konnte, geschweige denn von Kameras beobachtet werden.

Er schwitzte heftiger als je zuvor in seinem Leben, mit jedem Atemzug sog er die feuchte Hitze in seine Lungen. Mittlerweile stellte er auch seine Entscheidung, die Kleider anzubehalten, infrage. Aber natürlich war es am allerwichtigsten, dass niemand sie sehen oder belauschen konnte.

»Wie lange noch?«, fragte Dr. Longville keuchend. Er wedelte den Dampf beiseite. Kurz erblickte Felix die grau behaarte Brust des Mannes und sein kleines Bäuchlein, das sich über dem Handtuch wölbte und schweißnass schimmerte. Der Anblick machte Felix nervös, und er bemühte sich, ihn gleich wieder zu vergessen.

»Ich weiß nicht«, gab Felix zu, »aber er ist auf dem Weg.« Er zückte sein Handy, um die Nachrichten zu checken, wobei er hoffte, der Dampf würde seine Sorge verbergen. Enttäuscht stellte er fest, dass er kein Netz hatte. Er hatte Helen Coates eine SMS geschickt, kurz bevor er ins Dampfbad gegangen war, um sie über den aktuellen Stand zu informieren. Er hoffte, sie hätte die Nachricht an Jimmy und Saffron weitergeleitet.

Zwei der Bodyguards saßen mit ihnen im Dampfbad, sie flankierten Dr. Longville, während der dritte vor der Tür wartete. Ebenso wie Felix waren sie vollständig bekleidet.

Felix spähte durch den Dampf, um einen Blick auf

ihre Gesichter zu erhaschen. Vielleicht konnte ihr Unbehagen ihn ein wenig von seinem eigenen ablenken.

Plötzlich klopfte es draußen laut. Durch die mattierte Glastür sah Felix, wie der Bodyguard in die Knie ging und zu Boden sackte. Die Tür flog auf, kalte Luft strömte herein. Felix nahm einen tiefen Atemzug, froh über die erfrischende Kühle. Und während die Dampfschwaden wirbelten und tanzten, verzog sich Felix' Gesicht zu einem breiten Grinsen. In der Tür stand die vertraute Silhouette seines besten Freundes.

»Er wollte mich nicht reinlassen.« Jimmy nickte in Richtung der bewusstlosen Wache zu seinen Füßen. Er stieg über den Mann hinweg und schloss die Tür hinter sich.

»Er war nur vorsichtig, schätze ich«, antwortete Dr. Longville, sein amerikanischer Akzent ließ es wie die erste Zeile eines Songs klingen.

»Habt ihr es?«, keuchte Felix und hüpfte auf Jimmy zu. Er griff nach der schwarzen Metallbox unter Jimmys Arm. »Ist es das?«

Jimmy zögerte. Nur Felix war nah genug, um die Unsicherheit im Gesicht seines Freundes zu sehen.

»Dr. Longville«, erklärte Jimmy selbstbewusst, während er weitere Blicke mit Felix wechselte. »Ich habe etwas mitgebracht, das Sie sehen müssen.« Er hielt die Metallbox hoch und zog die Stations-Festplatte aus seiner Tasche. »Haben Sie einen Laptop?«

Innerhalb von Sekunden hockten sie in der Männerumkleide zusammen.

»Wo ist Saffron?«, flüsterte Felix.

»Die Herren- und die Damensauna sind getrennt«, antwortete Jimmy. »Sie konnte nicht mit reinkommen.«

»Wir können hier drin offen reden«, sagte Longville. »In einer Umkleide gibt es nie Überwachungskameras.« Er saß auf einer Bank, trug weiterhin nur sein Handtuch und nahm die beiden Festplatten von Jimmy in Empfang. Dann nickte er einem der Bodyguards zu. Der Mann holte eine Laptoptasche aus einem der Schränke. »Woher stammen diese Festplatten?«, fragte Longville, während er sie untersuchte. »Wie bist du an sie gekommen, und was genau soll sich darauf befinden?«

Jimmy atmete tief durch. Er war sich nicht sicher, wie viel er preisgeben sollte.

»Sie sind Teil des Wahlgerätesystems der Regierung«, erklärte er schließlich.

Longvilles Miene verdüsterte sich. Er schloss für einen Moment die Augen.

»Ich dachte wirklich, du hättest etwas für mich«, murmelte er. »Etwas, das den Sturz dieser Regierung …« Seine Stimme wurde ärgerlich, aber dann zügelte er seine Gefühle. »Du verschwendest meine Zeit«, verkündete er leise, legte die Festplatten beiseite und stand auf, um sich wieder anzuziehen. »Ich habe geholfen, das System zu entwerfen. Es ist sicher und geheim untergebracht …«

»In Chisley Hall«, unterbrach ihn Jimmy. »Ich weiß. Daher habe ich diese Festplatten.«

Longvilles Wangen, die von der Sauna gerötet waren, wurden plötzlich aschfahl. Seine Lippen zuckten, als wolle er etwas sagen, doch sein Gehirn stellte ihm offenbar keine Worte zur Verfügung.

»Das ist aus einem der Stationen«, fuhr Jimmy fort, »und das hier ist Teil des Hauptcomputersystems.« Er nahm die Festplatten und schob sie erneut in Dr. Longvilles Hände. »Nehmen Sie das unter die Lupe.« Die Hitze kroch durch Jimmys Adern, und das nicht nur, weil er sich in der Sauna befand. »Die Wahl war manipuliert!« Er fing an, Kabel aus der Laptoptasche zu ziehen.

»HERMES …«, murmelte Longville. Er senkte den Blick auf die Boxen in seinen Händen. »Du …?« Langsam ließ er sich wieder auf der Bank nieder und sah plötzlich hundert Jahre älter aus. »HERMES ist …«

»HERMES ist leider reparaturbedürftig«, sagte Jimmy kleinlaut. Er blickte zu Felix, der ihm unterstützend zunickte.

»Ich wette, du hast es in die Luft gejagt«, flüsterte Felix viel zu laut. »Hast du? Hast du es gesprengt?«

Jimmy lächelte verlegen und zuckte mit den Achseln.

»Jah!«, zischte Felix, eine Faust geballt. »Das ist sooo cool.«

In diesem Moment ging die Tür der Umkleidekabine auf und der Bodyguard, den Jimmy umgehauen hatte, taumelte herein. Sein Auftauchen riss Dr. Longville aus seiner Trance.

»Draußen bleiben«, befahl er aufgeregt. »Bewachen Sie die Tür, aber diesmal gründlicher.«

Der Mann verzog sich wieder.

Longville und Jimmy machten sich an die Arbeit. Zuerst war Jimmy verwirrt von den verschiedenen Anschlüssen und freiliegenden Drähten, vor allem bei der Festplatte der Wahlstation. Es gab offensichtliche keine Möglichkeit, sie mit den anderen Geräten zu verbinden. Doch dann bewegten sich seine Hände selbstbewusst, gesteuert von einem technischen Wissen, das tief in seinem Gehirn verborgen war.

Dr. Longville wusste ebenfalls, was zu tun war. »Wir müssen alles verbinden«, sagte er atemlos. »Wenn du das mit Gewalt an dich gebracht hast, dann bleibt nicht viel Zeit. Der *NJ7* wird herausfinden, dass ich nicht abgeflogen bin, und wenn sie gut sind, werden sie es mit deinem Überfall in Verbindung bringen.« Er sah für einen Moment auf, starrte Jimmy mit großen Augen an. »Und sie sind sehr, sehr gut.«

Jimmy spürte Dr. Longvilles Angst. Der Mann konnte nicht wissen, wie oft Jimmy schon am eigenen Leib erfahren musste, wie unbarmherzig der *NJ7* war. Sie jagten ihn. Ließen ihm keine Verschnaufpause. Sie beherrschten ständig seine Gedanken. Jeden Augenblick seines Lebens rannte er vor ihnen davon.

»Das könnte ihr Ende bedeuten«, flüsterte Jimmy mit heiserer Stimme.

»Wenn es etwas zu finden gibt, werde ich es finden.« Dr. Longville schaltete den Laptop ein, den nun sechs separate Kabel mit den beiden Festplatten aus Chisley Hall verbanden.

Jimmy und Felix rückten näher, um über Dr. Longvilles Schultern auf den Monitor zu spähen. Die Hände des Inspekteurs schwebten über der Tastatur. Seine Finger waren so lang und knochig wie seine Nase. Sie tanzten über die Tasten.

Jimmy beobachtete aufmerksam den Bildschirm. Die Software war ihm zunächst unbekannt, aber mit jeder neuen Zahlenkolonne, die aufleuchtete, erfasste er in den Tiefen seines Bewusstseins klarer, was sich da vor seinen Augen abspielte. Das Tempo war unerbittlich. Immer mehr Zahlen flogen durch sein Gehirn, tanzten im Inneren seines Schädels. *Genug*, schrie er stumm. Er zwang sich, die Augen zu schließen, taumelte zurück, um sich auf eine der Bänke zu setzen. Sein Kopf brannte plötzlich vor Schmerz und er fürchtete, er bekäme wieder Nasenbluten.

»Alles in Ordnung?«, fragte Felix.

Jimmy nickte, war aber unfähig, ihm in die Augen zu blicken.

»Ich habe die Verschlüsselung geknackt«, verkündete Dr. Longville trocken.

»Das ging schnell«, sagte Felix.

Der Arzt lächelte. »Ich habe die Codes selbst geschrieben.«

»Also, was haben Sie gefunden?«

»Das könnte ein paar Minuten dauern.« Dr. Longville drückte die Eingabetaste und lehnte sich zurück, um sein Hemd zuzuknöpfen. »Das Programm muss erst die beiden Festplatten vollständig durchsuchen und mit den Back-up-Systemen auf meinem Laptop vergleichen. Das wird uns verraten, ob sie korrekt funktionieren. Dann erst wird mein Laptop die Datensätze auf den beiden Festplatten miteinander vergleichen. Das verrät uns, ob die Anzahl der Stimmen übereinstimmt.«

»Dann werden wir es wissen.« Jimmy hätte nicht aufgeregter sein können. Seine Konditionierung forderte ihn auf, in Aktion zu treten. Es widersprach seinen Agenten-Instinkten, in diesem winzigen Raum festzusitzen, ohne kontrollieren zu können, ob sich jemand durch den Korridor näherte oder das Hotel betrat. Er fuhr sich übers Gesicht und befahl sich, ruhig zu bleiben. Saffron überwachte die Vorderseite des Hotels. Wenn irgendetwas schiefliefe, würde sie sich darum kümmern. Die drei Computer-Laufwerke surrten und klickten, die Suche ging weiter.

Longville trommelte ungeduldig mit den Fingern auf die größere Festplatte. »Ich habe auf diese Chance gewartet, um sie zu Fall zu bringen«, flüsterte er, halb zu sich selbst. »Es war unerträglich, wie sie mich in den Medien vorführten, nur um der Welt zu zeigen, wie fair ihre Wahl ist. Ich wusste, dass sie nicht fair spielten.« Er brachte sein Gesicht so nah an den Laptop, dass Jimmy die farbigen Reflexe auf seiner Haut sehen konnte.

Endlich gab der Laptop ein hohes *Ping* von sich.

Felix und Jimmy stürzten herbei, aber alles, was sie auf dem Bildschirm sehen konnten, war eine schwarze Grafik mit grünen Balken unterschiedlicher Länge. Longvilles Augen zuckten kreuz und quer über die Daten.

»Was bedeutet das?«, fragte Felix und raufte sich die Haare.

»Es bedeutet …« Longville schaukelte hin und her. Er starrte auf den Laptop, seine Wangen bebten, als wären sie direkt mit dem Computer verbunden. »Es bedeutet, dass ihr recht hattet …«

Felix stieß einen Triumphschrei aus und boxte in die Luft.

»Aber ihr liegt auch falsch.« Longvilles Stimme zitterte.

Jimmy fühlte sich, als wäre er mit voller Wucht vor den Kopf geschlagen worden. »Was?«, fragte er. »Das ergibt keinen Sinn.«

»Ihr hattet recht, aber hattet auch unrecht«, wiederholte Longville und barg seinen Kopf in den Händen.

»Wir haben recht, aber wir haben unrecht?« Jimmy blickte Felix an, der ratlos zurückstarrte.

»Was wollen Sie damit sagen?«, beharrte Felix.

»Es bedeutet, dass ihr richtig lagt«, rief Dr. Longville plötzlich aus. »Jemand hat versucht, die Wahl zu manipulieren. Aber sie haben versucht, sie *anders herum* zu fälschen.«

Es herrschte Stille. Jimmy und Felix starrten erst einander an, dann Dr. Longville.

»Moment«, sagte Felix, »ich verstehe nicht. Was meinen Sie damit, *anders herum*?«

»Ich meine, wer auch immer versucht hat, das Wahlergebnis zu manipulieren«, erklärte Dr. Newton Longville, »versuchte es so zu korrigieren, dass der Gewinner Christopher Viggo sein würde.«

# KAPITEL 15

»Aber er hat verloren!«, schrie Felix. »Wie kann jemand die Wahl zugunsten von Chris manipuliert haben, wenn er verloren hat? Jimmy?« Er wandte sich an seinen Freund und drehte den Laptop in dessen Richtung. »Es ist ein Missverständnis, nicht wahr?«

Jimmy konnte bei dem ganzen Chaos in seinem Kopf kaum klar denken. Felix' Gesicht verschwamm vor seinen Augen, der Bildschirm war nur noch ein bunter Fleck.

»Ich weiß nicht …«, fing er an. »Ich kann nicht …« Er brachte seinen Satz nicht zu Ende. Er wollte sagen, dass er genauso im Dunkeln tappte wie Felix. Natürlich könnte Dr. Longville einen Fehler gemacht haben – oder sogar absichtlich lügen. Aber Jimmy fühlte, wie etwas aus den Tiefen seines Bewusstseins nach oben stieg. Er blickte von Felix' aufgerissenen Augen zurück zum Laptop, und plötzlich schienen die Farben noch heller, die Formen noch deutlicher. Jede Ziffer hatte eine neue Bedeutung, die Zusammenhänge lagen schlagartig auf der Hand.

»Es ist wahr«, bestätigte Jimmy. Sein Kopf war wieder klar, gleichzeitig würgte ihn die Verzweiflung. »Ich verstehe das alles.« Er wedelte mit der Hand in Richtung Laptop. »Irgendwie jedenfalls.« Er rieb sich die Augen mit den Handflächen. »Die Zahlen stimmen nicht. Sie sind auf jeder Festplatte anders.« Er sah wieder auf den Monitor. »Und es gibt eine Überschreibung des Programms auf der Festplatte des Hauptcomputers, die nicht mit der ursprünglichen Version auf dem Laptop übereinstimmt.«

»Das stimmt«, keuchte Dr. Longville. »Wie kannst du …?«

»Der neue Code ist einfach«, fuhr Jimmy fort und ignorierte den UN-Inspekteur. »Er ändert die Zahlen, sobald sie aus der Wahlstation übertragen werden. Es ist ein Befehl, die Stimmen jedes Kandidaten zu verdoppeln, der eine Partei vertritt, deren Chef einen Namen hat, der in der zweiten Hälfte des Alphabets auftaucht.« Jimmy ließ seinen Kopf in die Hände sinken.

»Aber ›Chris‹ beginnt mit …« Felix unterbrach sich. »Oh. Viggo. Verstehe.« Er ließ sich gegen die Spinde plumpsen.

»Die einzigen ernsthaften Kandidaten«, erklärte Dr. Longville, »waren Ian Coates oder Christopher Viggo. Zwei Möglichkeiten. Verschiedene Hälften des Alphabets. Und das System wurde gehackt, um einem von ihnen einen Vorteil zu verschaffen.«

Jimmy konnte seine Wut nicht mehr bezähmen. Als er den Namen seines Vaters hörte, fühlte er sich wieder wie in der Sauna, seine Haut brannte vor Hitze. Er sprang auf und trat gegen einen der Spinde.

»Coates!«, grunzte er, während das Holz splitterte. »Viggo!« Er rammte den anderen Fuß durch die Tür des benachbarten Spindes. »Coates! Viggo! Coates! Viggo!« Mit wechselnden Füßen verarbeitete er eine Reihe von Spinden zu Kleinholz.

»Jimmy!«, schrie Felix, um seinen Freund zu bremsen. Jimmy erstarrte, atmete schwer und bemerkte, dass seine Nase wieder blutete. Er wischte sie mit der Rückseite seines Ärmels ab.

In dem Moment flog die Tür der Umkleidekabine auf.

»Hier ist eine Frau«, sagte die Wache draußen. »Sie behauptet …«

»Wir müssen von hier verschwinden.« Es war Saffron. Sie drängte sich an der Wache vorbei. »Sofort.« Sie bemerkte das Chaos, das Jimmy angerichtet hatte. »Was ist passiert?«

»Ich habe meinen Schließfachschlüssel verloren«, erklärte Felix. Er sprang auf, drückt ihr den Laptop Dr. Longvilles in die Hände und schnappte sich die beiden Boxen aus Chisley Hall. »Gehen wir!« Er flitzte zur Tür und zog Jimmy und Longville mit sich.

Jimmy bewegte sich automatisch, wie in Trance. Er fühlte sich jetzt ruhiger, aber sein Blickfeld schien irgendwie schwarz umrandet.

»Was ist los?«, fragte er, leise und ernst.

Sie verließen nacheinander den Umkleideraum und rannten den Flur entlang, die Bodyguards am Anfang und Ende der Gruppe.

»Ich bekam einen Anruf von Jimmys Mutter«, erklärte Saffron, die direkt vor Jimmy und Felix lief und über die Schulter redete. »Von dort, wo sie und Georgie postiert sind, beobachten sie den Verkehr vor diesem Hotel.«

»Der *NJ7* rückt an?«, sagte Jimmy. Er war sich so sicher, dass es kaum nach einer Frage klang.

»Aber nur aus einer Richtung«, bestätigte Saffron. »Wir haben eine Chance, wenn wir jetzt verschwinden. Bevor die Luftunterstützung kommt, um die andere Fluchtroute abzuriegeln.«

»Der *NJ7*?«, keuchte Dr. Longville. »Jetzt schon?« Er war Zweiter in der Gruppe, direkt hinter seinem Bodyguard, und als er sich umblickte, stolperte er.

»Weiter.« Saffron hielt den alten Mann aufrecht, bevor sie sich an ihm vorbeidrängte.

»Sie wussten, dass so etwas passieren würde«, rief Jimmy Dr. Longville zu. »Sie haben uns gewarnt.«

»Aber das war, bevor wir es herausfanden …«, stöhnte Longville.

»Was habt ihr herausgefunden?«, fragte Saffron über die Schulter.

Jimmy und Felix tauschten einen Blick aus. Bevor sie etwas sagen konnten, blieb Dr. Longville stehen, langte an Jimmy vorbei und schnappte sich von Felix die größere Computerfestplatte. Sofort fing er an, an den Schrauben zu drehen, die das Gehäuse zusammenhielten.

»Geben Sie mir einen Schraubenzieher!«, befahl er der Wache, die vorne lief. Der mächtige Mann schwang

Longvilles Laptoptasche, während er rannte. Er preschte einfach weiter den Korridor hinauf, ohne zu merken, dass die anderen hinter ihm angehalten hatten, oder aber er wollte es nicht bemerken. Jetzt drehte er sich um und griff in die Tasche. Aber anstatt eines Schraubenziehers zückte er eine Waffe.

»Was tun Sie da?«, japste Longville.

Die beiden anderen Wachen griffen nun nach ihren Waffen, aber ihre Halfter waren leer. Verblüfft starrten sie ihren Kollegen an, dessen Gesicht sich zu einem breiten Grinsen verzog. Er kam vorsichtig näher, wobei er die Waffe schwenkte, um alle im Visier zu behalten.

»Wenn Sie bewaffnet sind …«, begann er mit Saffron. Während er näherkam, wichen Jimmy und die anderen zurück.

»Stehen bleiben!«, donnerte der Mann. Seine Stimme mit dem breiten Süd-Londoner Akzent war so eindrucksvoll wie seine Schultern.

*Ich habe ihn vor dem Dampfbad zu Boden geschickt*, dachte Jimmy. *Das schaffe ich auch ein zweites Mal.*

»Er kann nicht schießen«, verkündete Jimmy kühl. »Wenn er das tut, erwischt er vielleicht einen von uns, aber der Rest kann entkommen – oder zurückschlagen.«

Der Mann reagierte nicht, sondern näherte sich weiter Schritt für Schritt. Er presste den Rücken gegen die Wand, um einen besseren Schusswinkel zu haben.

»Jimmy«, flüsterte Dr. Longville, der immer noch hektisch an den Schrauben des Festplattengehäuses fummelte. »So heißt du doch, oder?«

Jimmy nickte, während sein Blick zwischen Longville und dem Revolver der Wache hin und her zuckte.

»Das muss zerstört werden«, fuhr Longville fort. Seine Finger waren vom Metall aufgerissen. Blut verschmierte die Schrauben, trotzdem versuchte er immer noch, sie zu lösen. Es funktionierte nicht. Jimmys Konditionierung fokussierte sich auf die unmittelbare Gefahr – die Waffe. Gleichzeitig registrierte er Longvilles Verzweiflung. Was wollte er?

»Viggo ist die einzige Opposition zu dieser Regierung«, erklärte Dr. Longville mit zitternder Stimme. »Wenn diese Beweise öffentlich werden, ist er erledigt. Der *NJ7* darf das nicht in seine Hände bekommen. Niemand darf es je sehen. *Ich* habe es nie gesehen! Hast du verstanden? Hilf mir, das zu zerstören!«

»Aber …« Jimmy wollte protestieren, aber ihm war sofort klar, dass der alte Mann recht hatte. Welcher Fehler Viggos auch zu dieser Situation geführt haben mochte, was auch immer er damit zu tun hatte – es war ein Rätsel, das Jimmy aufdecken musste. Aber er wollte es selbst aufdecken, er durfte dem *NJ7* keine Chance geben, Chris einen Betrug nachzuweisen.

»Gib mir die Kiste«, grunzte die Wache und ging noch einen Schritt weiter. »Und die andere auch.« Er zeigte auf Felix.

»Wollen Sie das da?«, fragte Felix und wedelte mit

der kleineren Festplatte. Er streckte sie vor und zog sie dann sofort wieder zurück.

»Oh, tut mir leid, nur ein Zucken meiner Schulter. Versuchen Sie's noch mal.« Wieder streckte er langsam seinen Arm aus, aber der Bodyguard wusste, dass er ihn nicht packen konnte, ohne seine Position gegenüber den anderen zu verschlechtern.

Während Felix den Mann foppte, beugte sich Longville hinunter, um in Jimmys Ohr zu flüstern. »Ich weiß nicht, wer du bist«, sagte er, »aber wenn du in Chisley Hall einbrechen kannst, kannst du offensichtlich erstaunliche Dinge tun.« Er drückte die größere Festplatte in Jimmys Arme. »Vernichte das hier. Dann kämpft weiter. Kämpft, bis Großbritannien frei ist.«

Plötzlich wirbelte der drahtige Mann herum und sprang auf den Bodyguard zu, wobei er einen markerschütternden Schrei ausstieß. Ein Schuss explodierte. Dr. Longville klappte in sich zusammen, taumelte aber weiter vorwärts, um die Waffe der Wache zu packen. Im selben Moment startete Saffron ihren Angriff. Longville versuchte, die anderen abzuschirmen, aber die Wache duckte sich zur Seite und zielte unter Longvilles taumelndem Körper hindurch.

Saffron stürmte vorwärts, obwohl der Bodyguard freie Schussbahn hatte. Jimmys Gehirn stellte in Sekundenbruchteilen eine Million Berechnungen an – die Körperhaltung des Mannes, das Kaliber der Waffe, die Flugbahn der Kugel. Und bevor er es richtig merkte, hechtete er bereits in Saffrons Richtung. Er stieß sie aus dem Weg. Die Kugel jagte genau auf Jimmys Brust zu. Aber die Festplatte war der perfekte Schild.

Die Kugel prallte gegen das Metallgehäuse, ohne es zu durchschlagen. Jimmy fühlte, wie die Box gegen seine Rippen donnerte. Er stürzte auf Saffron. Sofort sprang er wieder auf, bereit zu kämpfen. Er hörte nichts, außer dem Blut, das in seinen Ohren rauschte, und seinen eigenen stoßweisen Atem. Dann bemerkte er, dass der Wachmann bäuchlings auf dem Teppich lag, Longvilles Körper über ihm ausgestreckt.

Der Doktor rang nach Luft, Blut schäumte aus Wunden in seiner Brust. Aus dem Hals des Bodyguards rann eine dunkle Flüssigkeit, die auf dem Teppich eine schwarze Pfütze bildete, als wäre es die Seele, die aus seinem Körper rann.

»Was …?«, japste Felix.

»Die Kugel«, stammelte Jimmy, immer noch unfähig, seine eigene Stimme zu hören. »Sie …«

Er hielt die Festplatte hoch. Im Gehäuse war eine große Delle, aber kein Loch. Die Kugel war abgeprallt und dahin zurückgeflogen, woher sie gekommen war. Aus dieser kurzen Distanz hatte sie noch genug Wucht, um sich in den Hals des Mannes zu bohren.

Jimmy starrte auf die beiden Körper, die am Boden des Korridors ein *X* bildeten. *Ich wollte das nicht*, dachte er. *Das war nicht meine Absicht …* Aber wie hätte er es verhindern sollen? Es war alles viel zu schnell passiert.

Er umklammerte seinen Schädel, als könne er so die schrecklichen Bilder herausreißen.

Saffron zog ihn an sich, zwang ihn, sich abzuwenden.

»Wir müssen gehen«, befahl sie.

Die beiden anderen Wachen traten zu den leblosen Körpern. Einer von ihnen nahm die Waffe aus der Hand des Angreifers, während der andere Dr. Newton Longville umdrehte. Jimmy musste nicht hinsehen. Er wusste bereits, dass jede Hilfe zu spät kam. Beide Männer waren tot.

Jimmy hob die verbeulte Box über den Kopf und schleuderte sie auf den Teppich. Der Aufprall beschädigte die Festplatte kaum, doch dann hagelten Jimmys Fäuste darauf nieder. Er nahm Felix die kleinere Festplatte ab, kniete nieder und zermalmte das Metall beider Boxen, als wäre es Kartoffelbrei. In kürzester Zeit hatte er die Innereien herausgerissen, jeden Draht zerpflückt und jede Platine zerbröselt.

»Jimmy!«, rief Saffron. »Jimmy, das reicht jetzt!«

Jimmy war verzweifelt. Er ließ sich nach vorne fallen, eine Hand klatschte in die schwarze Blutlache. Er schloss die Augen und wünschte sich, die Dunkelheit würde auch ihn umhüllen und für immer mit sich nehmen.

»Komm schon«, sagte Felix und packte Jimmy an der Schulter. Seine Stimme bebte, aber sein Griff war fest. »Wir müssen hier raus.«

Gemeinsam stürmten sie zur Hotellobby.

*Raus hier*, dachte Jimmy, immer wieder. *Raus aus dem Hotel, raus aus der Gefahr …* Aber die Flucht vor dem *NJ7* war nicht das Einzige, was Jimmy beschäftigte. Während seine Füße über den Marmorboden der Lobby hämmerten, verfolgte ihn vor allem ein Gedanke: Jede Stimme für Viggo war doppelt gezählt worden. Trotzdem hatte er die Wahl verloren. Das bedeutete, er hatte haushoch verloren. Fast jeder im Land musste für Ian Coates gestimmt haben. *Der Wahnsinn herrscht überall*, dachte Jimmy. Er hörte eine Stimme in sich: *Raus hier … raus aus London … raus aus England!* Je mehr er sich nach Freiheit sehnte, desto größer wurde sein Schmerz. Dann begriff er auch, warum.

Seinem eigenen Bewusstsein würde er niemals entkommen.

# KAPITEL 16

Sie preschten durch die Lobby und weiter zum Vorplatz. Dort röhrte bereits der Bentley. Die Fahrertür öffnete sich und Helen Coates sprang heraus.

»Los!«, rief sie, blickte zu Saffron und deutete auf das Lenkrad. »Fahrt zum Treffpunkt! Holt Chris! Wir kümmern uns um *die.*«

»Um wen?«, fragte Felix.

Helen packte ihn und zusammen sprinteten sie über den Vorplatz zu einer der dort wartenden Limousinen.

»Um die«, sagte sie und deutete mit einem Kopfnicken die Straße hoch.

Jimmy sah eine Flotte von langen schwarzen Autos auf sie zukommen, über die gesamte Breite der Straße verteilt.

»Geh mit Saffron!«, rief Helen Jimmy zu. Sie lächelte ihn strahlend an. Ein gewaltiges Gefühl der Erleichterung und der Wärme stieg in ihm auf. »Ihr seid ein gutes Team!«

»Aber, Mum …«, schrie Jimmy. Er wollte ihr alles erzählen, was passiert war: die Explosion in Chisley Hall, die Daten, die sie im Computer gefunden hatten, den Kampf, die Kugeln … das Blut. Tränen stiegen ihm in die Augen und seine Kehle war wie ausgedörrt. Er wollte sich alles von der Seele reden, aber bevor er Luft holen konnte, packte ihn Saffron und schob ihn zum Heck des Bentleys.

Sie rasten los, während Jimmy sein Gesicht ans Wagenfenster drückte und gerade noch sah, wie seine Mutter den beiden verwirrten Sicherheitskräften Anweisungen gab. Die beiden eilten zur zweiten Limousine, während Helen Coates in der ersten losfuhr, Felix und Georgie auf der Rückbank.

Der *NJ7* hatte offensichtlich die Straßen weiträumig blockiert, denn es herrschte keinerlei Verkehr. Saffron beschleunigte den Bentley so heftig, dass Jimmy in seinen Sitz gepresst wurde. Endlich konnte sie die volle Kraft des Motors entfesseln. Der Wagen flitzte über den Asphalt wie ein Komet über den Nachthimmel. Jimmy drehte sich um.

Die beiden Limousinen folgten ihnen, auf beiden Fahrbahnen nebeneinander. Eine von ihnen blendete auf.

»Hast du das gesehen …?«, begann Jimmy, aber Saffron reagierte bereits. Sie lenkte den Wagen auf die Abbiegespur.

»Das war deine Mutter«, sagte sie. »Sie hat mir ein Zeichen gemacht, dass ich hier runterfahren soll.« Im gleichen Moment riss sie abrupt das Lenkrad herum und bog mit kreischenden Reifen in eine Ausfahrt. Jimmy wurde quer über den Rücksitz geschleudert und knallte gegen die Tür.

»Wie wäre es, wenn du mich in Zukunft etwas vorher warnst?«, stotterte Jimmy.

»Wie wäre es, wenn du dich in Zukunft anschnallst?«, rief Saffron grinsend.

Jimmy krabbelte zu seinem Platz zurück, gerade noch rechtzeitig, um zu verfolgen, was hinter ihnen geschah. Eine der Limousinen bog ebenfalls ab, stellte sich dann aber an der engsten Stelle der Ausfahrt plötzlich quer.

»Sie haben die Straße blockiert …«, keuchte Jimmy.

»Ich weiß«, antwortete Saffron, biss die Zähne zusammen und jagte den Bentley um eine Kurve.

»Aber wie werden sie entkommen?«, fragte Jimmy. »Es sieht nicht so aus, als würden sie flüchten.«

Der Bentley röhrte weiter, aber kurz bevor die Limousine hinter ihnen verschwand, erblickte Jimmy die beiden bulligen Bodyguards, die mit erhobenen Händen ausstiegen, sowie drei *NJ7*-Autos, die auf sie zuschossen. Er war erleichtert, dass es nicht die Limousine mit seiner Mutter, seiner Schwester und seinem Freund war, gleichzeitig fragte er sich, was der *NJ7* mit den beiden unschuldigen Sicherheitskräften anstellen würde.

»Sie werden keine Probleme kriegen«, erklärte Saffron, als hätte sie Jimmys Gedanken gelesen. »Sie werden mit dem *NJ7* kooperieren, so wie der andere Bodyguard.«

Sie lächelte und trat noch fester aufs Gas.

Jimmy hätte es nicht für möglich gehalten, dass noch

mehr aus dem Wagen herauszuholen war, doch er machte erneut einen Satz vorwärts und schnitt jede Kurve, während er weiter in Richtung Londoner Innenstadt dröhnte.

»Glücklicherweise«, fuhr Saffron fort, »wissen diese Sicherheitsleute nichts über uns, was dem *NJ7* weiterhelfen könnte.«

Jetzt fiel Jimmy das größere Problem wieder ein – die manipulierte Wahl. Ihm wurde klar, dass er Saffron noch nicht die Wahrheit darüber gesagt hatte, was sie auf der Chisley-Hall-Festplatte entdeckt hatten. Doch die Wachen waren im Raum gewesen und hatten es mitbekommen. Sie wussten also, dass jemand versucht hatte, die Wahl für Viggo zu fälschen. Was, wenn sie es dem *NJ7* verrieten? Jimmy überlegte. *Es gibt keine Beweise*, sagte er sich. *Ohne die Festplatte ist es lediglich eine Behauptung*. Jimmy beruhigte sich für den Bruchteil einer Sekunde, bevor ihn erneut der Zorn übermannte. Steckte Viggo hinter diesem Betrug?

»Mach schon!«, zischte Saffron, während sie einen Lastwagen zu überholen versuchte, der sich auf der Straße breitmachte und sie aufhielt.

»Warte«, sagte Jimmy, durch das Schaukeln des Wagens aus seinen Gedanken gerissen. »Halt unter der nächsten Brücke an.«

Saffron war verblüfft. »Aber sie verfolgen uns«, sagte sie. »Auch wenn keine Autos direkt hinter uns sind, beobachten sie uns über Satellit und schicken einen Hubschrauber. Oder sie warten einfach ab, wo wir anhalten, und das Netz schließt sich um uns. Wir müssen in den Untergrund. Ich bin unterwegs in Richtung des nächsten Tunnels.«

»Nein«, beharrte Jimmy. »Das würde uns sowieso nicht helfen, wir –«

»Das ist unsere beste Chance –«

»Hör zu!« Jimmy war selbst überrascht von seiner Entschlossenheit, aber er besaß Informationen, über die Saffron nicht verfügte. »Sie haben keine Satellitenüberwachung.«

»Was?«

»Eva hat uns erklärt, dass sie Probleme damit haben. Wir können unter der nächsten Brücke anhalten, abwarten, bis die Suchhubschrauber weg sind, und weiterfahren.«

»Eva hat es dir gesagt?«

»Ja.« Jimmy versuchte, selbstsicher zu klingen, obwohl er Zweifel in sich spürte. Es schien lange her zu sein, dass Eva ihnen von den Satellitenproblemen des *NJ7* erzählt hatte. Was, wenn das System inzwischen repariert war? »Es ist unsere beste Chance«, drängte Jimmy, mehr um sich selbst zu beruhigen.

Ohne ein weiteres Wort verlangsamte Saffron das Tempo, und in weniger als einer Minute parkten sie unter einer Brücke auf dem Seitenstreifen. Jimmy öffnete seine Tür einen Spalt, damit sie über den Verkehrslärm hinweg die Hubschrauber hören konnten. Dann warteten sie.

Felix reckte den Hals, um zu sehen, wie sich die beiden Bodyguards dem *NJ7* ergaben, während Helen an der Auffahrt vorbeiraste. Sie strapazierte den Motor der Limousine bis zum Äußersten.

»Jimmy und Saffron sind entkommen, glaube ich«, sagte Felix. »Aber was ist mit den Bodyguards? Was wenn …?«

»Ich habe ihnen sehr konkrete Anweisungen gegeben«, erklärte Helen Coates mit einem sanften Lächeln.

»Aber warte …« Felix ließ sich auf die Lederbank zurückplumpsen, sein Verstand raste. »Wir haben sie gerade dem *NJ7* ausgeliefert. Werden sie nicht, du weißt schon …«

»Du machst dir wirklich *Sorgen* um sie?« Georgie klang schockiert. »Sind das plötzlich deine besten Freunde?«

»Schließlich waren nicht sie diejenigen, die versucht haben, uns zu erschießen, oder?« Felix' Gesicht war blass und seine Lippen zitterten. Er hatte noch nicht vollständig realisiert, dass gerade vor seinen Augen zwei Männer getötet worden waren. Durch den Schockzustand war das Erlebnis in ihm wie zu einem Eisblock erstarrt, der darauf wartete zu schmelzen.

»Keine Sorge«, sagte Helen. »Sie werden erklären, dass sie die Opfer sind – und es ist wahr. Sie hatten keine andere Wahl, als uns zu helfen, und der *NJ7* hat keinen Grund, ihnen etwas zu tun, außer ihnen eine Tasse Tee einzuschenken und ein paar Fragen über uns zu stellen.«

»Ich kann mir nicht vorstellen, dass jemand beim *NJ7* Tee serviert«, murmelte Georgie.

»Ich kann mir nicht vorstellen, dass sie dort irgendwas anderes servieren«, sagte Felix. »Tee in feinem englischem Porzellan mit Biskuits, plaudernd über das Wetter, in ihren Salons, mit steifen Sofas …«

»Wie plaudert man mit einem Sofa über das Wetter?« Georgie neckte ihn, bis Felix ihr den Ellenbogen in die Rippen stieß. Er wusste, dass sie nur versuchte, von dem Schrecken abzulenken, den sie gerade durchmachten. *Aber das ist doch mein Spezialgebiet,* dachte er.

»Schnallt euch an!«, befahl Helen, trat aufs Gas und versuchte dem Verkehr auszuweichen. »Wir sind ihnen noch nicht entkommen.«

»Sind die immer noch hinter uns her?« Felix setzte sich aufrecht und verdrehte den Hals, um aus der Heckscheibe zu spähen. »Schneller! Sie holen auf!«

Helen blieb ruhig. Sie fädelte sich durch die Autoschlangen, nutzte schmale Lücken, kaum groß genug für die Limousine. Zweimal rammte sie die Stoßstangen von Autos, die sie gerade überholte. Sie wechselte wild die Fahrspuren, brachte andere Fahrzeuge ins Schleudern, hinterließ Chaos in ihrem Kielwasser. Aber der *NJ7* blieb ihnen hart auf den Fersen. Ihre Autos waren schneller und wendiger als die Limousine. Sie preschten zwischen den anderen Fahrzeugen hindurch wie Bluthunde, ihre Kühlergrills schienen zu geifern und zu knurren.

»Wir müssen von dieser Straße runter«, zischte Georgie zwischen den Zähnen. »Wenn sie Einsatzkräfte vor uns haben, wird uns der Weg abgeschnitten!«

»Captain Offensichtlich schlägt wieder zu«, spottete Felix.

»Irgendwelche Vorschläge?« Helen blickte in den Rückspiegel.

»Der Flughafen!«, rief Felix plötzlich aus.

»Dort tummelt sich mehr Sicherheitspersonal als irgendwo sonst auf der Welt …«

»Aber wir kommen durch«, sagte Felix. »Der UN-Typ, er sagte, er müsste nicht einchecken, oder so was. Er könnte direkt auf die Startbahn fahren und sein Flugzeug würde auf ihn warten.«

»Das hat er gesagt?«, fragte Georgie ungläubig.

»Er würde direkt reinfahren können!«, wiederholte Felix. »In diesem Auto!«

»Und was dann, du Genie?«, fragte Georgie. »Selbst wenn wir es auf die Startbahn schaffen, wir werden …«

Plötzlich riss Helen das Lenkrad nach rechts. Die Reifen jaulten und ihre Limousine drehte sich um hundertachtzig Grad. Die Autos hinter ihnen konnten nicht rechtzeitig bremsen – einschließlich der *NJ7*-Einheit. Sie schleuderten kreuz und quer über die Fahrbahn, während die Limousine zwischen ihnen hindurchpflügte und zurück zum Flughafen raste.

»Was machst du da?!«, schrie Georgie. »Auf der Startbahn werden wir sofort umzingelt!«

»Manchmal muss man mitten hinein in die Falle«,

erklärte Helen. »Wir haben die Wahl: eine blockierte Straße oder eine Landebahn voller Flugzeuge.«

»Wir entführen ein Flugzeug?«, strahlte Felix.

»Nein«, sagte Helen.

Felix ließ sich enttäuscht zurückfallen.

»Wir werden improvisieren. Auf einer Landebahn haben wir mehr Möglichkeiten.«

Helen umrundete das Hauptterminal und folgte der Beschilderung des Flughafens. Polizeiautos und Panzerwagen rollten über die Straßen um sie herum, trotzdem jagten sie in kürzester Zeit durch eine schmale Betonschlucht – die VIP-Zufahrt zu den Gates hinter Terminal 3.

Die Limousine rumpelte über Bodenschwellen, sodass Felix und Georgie sich die Köpfe am Dach stießen. Aber Helen wurde kein bisschen langsamer.

»Bist du sicher, dass er einfach auf die Startbahn fahren konnte?«, rief Helen und klang plötzlich weniger selbstsicher.

»Ja!«, schrie Felix. »Warum?«

Helen antwortete nicht. Als Felix und Georgie aus der Windschutzscheibe schauten, entdeckten sie das Problem. Die Straße vor ihnen war blockiert, durch massive Stahlpoller und eine scharfgezackte Metallschwelle im Boden.

»Stop!«, rief Felix und grub seine Nägel in das Leder.

»Sagtest du schneller?«, erwiderte Helen. Sie hatte neben der Blockade den Laserscanner entdeckt. In letzter Sekunde scannte er das Nummernschild der Limousine. Die gezackte Metallschwelle verschwand im Boden, bevor die Limousine darüberfuhr. Die Stahlpoller versanken quälend langsam. Der Boden des Wagens schabte noch ihre Oberseiten, dann schoss er schleudernd hinaus auf die riesige Betonfläche.

»Welches davon ist das richtige Flugzeug?«, fragte Felix nervös.

»Das *richtige* Flugzeug?«, fragte Helen. »Seit wann bist du so wählerisch?«

Sie rasten auf eine Reihe Jumbo-Jets zu, die alle an den Gates warteten. Gepäckwagen und Flughafenarbeiter wichen ihnen aus. Die Limousine fädelte sich zwischen den Flugzeugen hindurch, surrte unter den Tragflächen entlang wie ein dickes schwarzes Insekt. Endlich entdeckte Helen das Passende – ein kleineres Flugzeug, in dem noch keine Passagiere saßen. Es wurde betankt, während das Gepäck über die Förderbandrampen auf beiden Seiten verladen wurde.

»Macht euch bereit zu rennen«, befahl Helen, während die Limousine über den Asphalt dröhnte, gejagt von der Polizei und den *NJ*7-Autos. »Wenn ich es sage, steigt ihr aus und rennt los.«

»Und wohin?«, fragte Georgie, die es schaffte, erstaunlich ruhig zu klingen.

»Direkt in das Flugzeug. Und haltet eure Köpfe gesenkt.« Helen riss das Lenkrad herum, die Limousine schleuderte erneut um 180 Grad herum. Das Kreischen übertönte das Geräusch der Sirenen, das Fahrzeug kippte leicht, und Felix war überzeugt, dass sie sich gleich überschlagen würden. Sie schrammten an dem Tankwagen entlang und fielen dann wieder auf vier Räder zurück.

»Los!«, rief Helen.

Alle drei sprangen aus der Limousine und sprinteten geduckt die wenigen Meter zum Flugzeug, immer im Schutz der Limousine.

Helen hüpfte auf die Laderampe des Flugzeugs, wo das Servicepersonal panisch davonstob. Georgie und Felix waren direkt hinter ihr. Gemeinsam sprangen sie über Taschen und Koffer, direkt hinein in den Bauch des Flugzeugs – aber dort blieben sie nicht. Helen führte sie auf der anderen Seite wieder heraus. Da die Gepäckrampe dort gerade wieder hochgeklappt wurde, kostete sie das einige Mühe. Felix wäre beinahe gestolpert, fing sich aber gerade noch rechtzeitig.

Es herrschte ein Riesendurcheinander. Während die Polizei und der *NJ7* das Flugzeug stürmten, rannte das Service-Personal in die entgegengesetzte Richtung davon.

Helen, Georgie und Felix schlossen sich ihnen an. Sie stürzten zum nächsten verlassenen Gepäckwagen. Helen schnappte sich eine Handvoll fluoreszierender Westen, zog sich eine über und warf die anderen Felix und Georgie zu.

»Duckt euch!«, rief sie, während sie ihre Haare unter eine Mütze stopft, die sie sich vom Vordersitz geschnappt hatte. Sie startete das Transportwägelchen, das mit einem leisen Jaulen über den Asphalt kroch.

Zu Felix' Erstaunen rasten die Sicherheitskräfte direkt an ihnen vorbei, ignorierten das verängstigt flüchtende Flughafenpersonal. Stattdessen umstellten sie das Flugzeug. Die blinkenden blauen Lichter der Polizeiwagen brachen sich in aufsteigenden Treibstoffdämpfen. Der Geruch stach in Felix' Nasenlöcher. Eine große Lache Kerosin hatte sich unter dem Flugzeug ausgebreitet, die Räder des Gepäckwagens hatten im Vorbeifahren eine Treibstoffspur hinter sich hergezogen.

»Felix«, sagte Helen fest. »Ich bin dabei, dich um etwas zu bitten, das du deinen Eltern niemals erzählen darfst.«

»Was?«

»Ich will, dass du das Flugzeug in die Luft jagst.«

Felix' Mund stand offen.

»Durchsuche die Taschen hinter dir, ob du ein Feuerzeug findest«, fuhr Helen fort.

»Ich tu das in jedem Fall für dich!«, rief Felix mit großen Augen. Eilig hob er einen Koffer nach dem anderen hoch und riss sie auf, um den Inhalt zu durchwühlen. »Hier muss es doch ein Feuerzeug geben«, murmelte er. »Hat denn niemand ein Feuerzeug dabei? Kommt schon! Das könnte die einzige Chance meines Lebens sein, etwas in die Luft zu jagen!«

»Ich kann nicht glauben, dass du ihn das tun lässt«, sagte Georgie mit einem leichten Lächeln.

»Sie werden sonst beim Durchsuchen nach ein paar Sekunden feststellen, dass wir nicht da drin sind«, erklärte ihre Mutter. »Aber wenn sie ein Wrack nach unseren Leichen durchsuchen müssen …«

»Ja!« Felix boxte in die Luft, ein rosa Plastikfeuerzeug in der Faust.

»Warte, bis der ganze Treibstoff von unseren Rädern verflogen ist«, sagte Helen und blickte zurück. »Ich will nicht, dass du uns mit hochjagst.«

Die Spur von einem ihrer Räder war nur noch eine einzige, dünne Linie, die sie mit der leicht entflammbaren Kerosinpfütze verband.

Felix kletterte über das Gepäck nach hinten und lehnte sich über das Heck. Er entzündete die Treibstoffspur, während Helen den Wagen beschleunigte, raus aus der Gefahrenzone.

Flammen leckten über den Boden hinter ihnen, fast unsichtbar, bis plötzlich ein Feuerstreifen aufloderte und auf das Flugzeug zuschoss.

*BOOM!*

Eine riesige schwarz-orangefarbene Faust schien aus dem Boden zu ragen und das ganze Flugzeug zusammenzuquetschen. Einsatzfahrzeuge wurden umgeworfen, die Sicherheitskräfte von den Füßen geschleudert.

»Das ist der fantastischste Moment meines Lebens«, flüsterte Felix.

# KAPITEL 17

Das beständige Knattern der Hubschrauber über Jimmy und Saffron wollte einfach nicht enden. Der *NJ7* gab die Suche nicht so schnell auf.

»Sieht so aus, als hättest du mit ihren Satelliten recht gehabt«, sagte Saffron. Sie hatten das Auto verlassen und saßen auf dem feuchten Abhang unter der Brücke. »Vielleicht lassen sie die Hubschrauber oben, bis es dunkel wird.«

Sie spähte hinaus, um einen Blick auf die Flugmuster der Helikopter zu erhaschen. Es dämmerte bereits.

Jimmy neben ihr war nicht interessiert an der Welt da draußen. Er starrte auf etwas in seinen Händen: die kleine rechteckige Karte, von der Capita durch das Fenster geschossen, nachdem sie Viggo entführt hatten. Die Ecken waren umgeknickt, etwas von der Farbe war abgerieben, weil Jimmy sie in seiner Gesäßtasche getragen hatte. Aber die Schrift war klar und deutlich zu lesen: *LOCO.*

»Sobald es dunkel ist, müssen wir schnell handeln«, sagte Jimmy. »Die Capita sagte, wir haben vierundzwanzig Stunden, und ich glaub nicht, dass sie uns eine Verlängerung geben werden.«

Er stopfte die Karte zurück in seine Tasche. In ihm bildete sich bereits ein wirbelndes Energiefeld: seine Konditionierung schaltete sich ein. Brütete sie einen Plan aus? Jimmy hatte keine Ahnung, wie sich sein Körper auf die kommende Nacht vorbereitete, und wahrscheinlich würde er es nur herausfinden, wenn er seinen Agenten-Instinkten folgte. Wie sollte er Viggo zurückbekommen? Er suchte in sich selbst nach einem Hinweis.

»Wir haben nichts, um ihn einzutauschen«, seufzte er leise. »Nichts. Wir haben nicht das Geld, das Chris ihnen schuldet, wir haben keinen Code H, wissen nicht mal, was das ist, und die Computer von Chisley Hall waren nutzlos. Wir stellen uns der Capita, mit nichts in den Händen.«

Mindestens eine Stunde lang saßen sie so unter der Brücke, beobachteten die länger werdenden Schatten und hörten den Hubschraubern beim Kreisen zu.

Jimmy hatte inzwischen ziemlichen Hunger, und seine Energie fing an nachzulassen. Immer wieder musste er an die Schüsse denken. Er sah vor sich, wie Dr. Longville und sein Bodyguard zusammenbrachen. Ein Feind, und ein Mann, der sich als Freund erwiesen hatte. Zwei Leben, in Sekundenbruchteilen ausgelöscht.

»Wir werden einen Weg finden«, sagte Saffron sanft. »Wir müssen. Das schulden wir Chris. Wie auch immer er in letzter Zeit gehandelt hat, er ist einer von uns.«

Jimmy ließ den beruhigenden Klang ihrer Stimme auf sich wirken. Er hörte kaum zu. Sie hatte keine Ahnung von dem, was ihn belastete, von den inneren Qualen, die seine Eingeweide verknoteten.

»Ich habe viel darüber nachgedacht«, fuhr Saffron fort. »Auch wenn danach zwischen uns alles anders ist – auch wenn Chris nicht ...« Sie hielt inne und suchte nach dem richtigen Wort. »Wir schulden es Großbritannien, ihn zu retten. Dieses Land verdient den Anführer, für den es gestimmt hat.«

Jimmy schauderte. Er hatte ihr die Wahrheit bisher noch nicht verraten können. *Sie glaubt immer noch, dass der NJ7 die Wahl zugunsten der Regierung manipuliert hat.* Jimmy schwieg. Er wollte dieses Geheimnis noch nicht preisgeben. Viggo sollte zumindest die Chance haben, sich selbst zu verteidigen. Stand Viggo hinter dem Wahlbetrug, oder war es die Capita? Jimmy hätte gerne an die Unschuld seines Freundes geglaubt, aber je mehr er darüber nachdachte, desto unwahrscheinlicher erschien es ihm.

Seine Gedanken wurden düster. Warum nur hatten so viele Menschen gegen Viggo gestimmt? Selbst das manipulierte HERMES-System hätte nichts am Wahlausgang ändern können. Jimmy blickte auf, um die vorbeifahrenden Autos zu studieren. All diese Menschen – glaubten sie wirklich an Ian Coates? Jimmy hasste es, an den Mann zu denken. Trotzdem musste er herausfinden, warum so viele Leute überzeugt schienen, dass er Großbritannien führen sollte. Einige Autos trugen Aufkleber mit dem Wahlslogan der Regierung: *Effizienz. Stabilität. Sicherheit.*

*Vielleicht sind sie getäuscht worden*, dachte Jimmy. Vielleicht hatte Miss Bennett eine so brillante Kampagne organisiert, hatte das Fernsehen, die Presse, die Berichterstattung manipuliert … und schließlich auch die Wähler.

Hatten all diese Menschen am Ende vielleicht sogar recht? Hatten sie für Ian Coates gestimmt, weil es die richtige Entscheidung war? Obwohl er versprochen hatte, die freien Wahlen wieder abzuschaffen – ein für allemal. Vielleicht war es das, was die Leute wirklich wollten. Vielleicht war es der beste Weg, ein Land zu führen … *Effizienz. Stabilität. Sicherheit.* Christopher Viggo hatte ihnen nichts dergleichen garantieren können.

Jimmy barg den Kopf in den Händen. War das seine *NJ7*-Programmierung, die ihn plötzlich positiv über die Neo-Demokratie denken ließ? Aber die Gedanken schienen nicht aus seiner Konditionierung, sondern aus ihm selbst zu erwachsen.

»Hör mal«, sagte Saffron, packte Jimmys Arm und schreckte ihn aus seinen Gedanken auf. »Ich glaube, sie sind …« Sie blickte nach oben.

Jimmy bemerkte, wie viel dunkler es geworden war. Auch das Knattern der Hubschrauber hatte deutlich nachgelassen, es wurde vom Dröhnen des Verkehrs übertönt.

»Gehen wir.« Saffron sprang auf und streckte Jimmy die Hand hin. Beide liefen eilig zum Bentley.

»*LOCO*«, sagte Jimmy und starrte erneut auf die Karte. Er atmete tief durch und rüstete sich für den bevorstehenden Kampf.

Die Flotte der schwarzen Autos teilte sich auf, fegte jetzt zu einem Dutzend verschiedener Orte in London. Alle hatten kleine, vertikale, grüne Streifen am Kühlergrill und neben den Rückleuchten. Es war eine Armee von Schatten, die fast unbemerkt durch die nächtlichen Straßen glitt.

Nur einer war zum *NJ7*-Hauptquartier abkommandiert worden. In diesem Augenblick hielt er auf der untersten Ebene einer Tiefgarage in der Great College Street in Westminster, mitten in London. In der dunkelsten Ecke des Parkdecks öffnete sich eine unscheinbare weiße Tür. Nur ein dezenter grüner Streifen am Scharnier verriet, wohin sie führte.

Miss Bennett und Eva warteten auf die Agenten. Eva fragte sich, ob sie über ihr Scheitern verhört werden sollten. Miss Bennett war sicherlich nicht hier, um ihnen zu gratulieren – sie hatten bei ihrer Mission, Jimmy und die anderen zu eliminieren, völlig versagt. Eva hat sich immer noch nicht daran gewöhnt, wie rasch die Stimmung ihrer Chefin umschlagen konnte. Manchmal gab Miss Bennett vor, wütend zu sein, obwohl alles in bester Ordnung war, und dann wieder umgekehrt, nur um etwas Bestimmtes zu erreichen.

Eva beobachtete den Fahrer und die beiden anderen

Männer beim Aussteigen. Typische *NJ7*-Agenten: groß, breitschultrig, mit kurz geschnittenem Haar, schlichten schwarzen Anzügen und dünnen schwarzen Krawatten. Zwei von ihnen trugen kleine grüne Streifen auf dem Revers. Eva schätzte, dass der dritte noch nicht lange genug im Dienst war. Dann stieg eine vierte Person aus dem Heck des Wagens. Als Eva den Mann erkannte, begriff sie, warum sich Miss Bennett die Mühe gemacht hatte, dieses Team zu begrüßen.

Es war Miss Bennetts anderer Schützling, aber im Gegensatz zu Eva war *er* ein echter Anhänger des *NJ7*. Auch er trug einen schlichten schwarzen Anzug, aber seine Krawatte war gelockert, der Knoten baumelte auf Höhe seiner Brust. Das Hemd hing ihm aus der Hose. Auf den ersten Blick wirkte er wie eine unordentlichere und etwas kleinere Version der anderen, aber sein Gesicht war viel jünger. Und obwohl er die breiten Schultern eines Mannes hatte, waren sie gebeugt und seine Hände tief in den Hosentaschen vergraben. Seine Wangen waren frisch und glatt, aber seine Miene war finster. Eva wusste, dass dieser Junge ziemlich gut aussehen konnte, wenn er lächelte, aber das tat er leider nur selten.

»Guten Abend, Mitchell«, sagte Miss Bennett.

Mitchell Glenthorne grunzte eine unverständliche Antwort, während die anderen Agenten weitergingen. Alle vermieden Miss Bennetts Blick, und für eine Sekunde glaubte Eva, Miss Bennetts missbilligendes Zungenschnalzen zu hören.

»Sieht aus, als hättest du wieder versagt«, sagte Miss Bennett zu Mitchell, als die anderen vorbei waren.

Mitchell wurde rot.

»Diesmal war ich nicht schuld«, presste er zwischen zusammengebissenen Zähnen hervor. »Das Team hat sie einfach entwischen lassen. Allein wäre mir das nicht passiert.« Er wirkte wütend und enttäuscht.

Eva zog sich in den Schatten zurück. Sie fühlte sich so fehl am Platz – als wäre sie in einen Streit zwischen einer Mutter und ihrem Sohn geraten. Nur dass diese beiden hier über Angelegenheiten von Leben und Tod stritten.

»Sie hätten mich alleine schicken sollen«, beharrte Mitchell, atmete dabei tief ein und aus, um seine Gefühle zu kontrollieren.

»Das haben wir doch schon mal versucht, oder?« Miss Bennett drehte sich auf ihren hohen Absätzen um und marschierte den Flur entlang, zurück zum Bunker des *NJ7*.

Mitchell wirkte sichtlich verletzt.

Eva war überrascht, dass sie plötzlich Mitleid mit ihm empfand. Sein Ziel war es, Jimmy Coates zu töten, aber jedes Mal, wenn sie gegeneinander angetreten waren, konnte Jimmy ihm um Haaresbreite entkommen.

»Aber wenn Sie ein ganzes Team schicken …«, rief Mitchell und eilte Miss Bennett hinterher. Eva folgte ihnen mit etwas Abstand. »Dann ist das … ungeschickt. Da rückt eine Riesenarmee an, und Jimmy kriegt natürlich sofort mit, dass wir kommen.« Mitchell raufte sich verzweifelt die Haare, zerrte an den kurzen blonden Strähnen. »Der einzige Weg, ihn auszuschalten, ist, indem wir ihn überraschen. Ein einzelner Killer. Der aus dem Nichts zuschlägt.« Er boxte in seine Handfläche, um seine Worte zu unterstreichen. »Ich alleine.«

Eva spürte seine wütende Entschlossenheit sogar noch einige Meter hinter ihm.

»Vertraust du mir?«, fragte Miss Bennett sanft.

Eva schauderte bei der Frage, wusste aber, dass Mitchell ein Narr wäre, würde er nicht sofort antworten. Und das tat er.

»Natürlich.« Mitchells Tonfall nach zu urteilen, war es ihm sogar ernst.

»Und du weißt auch, dass du mir etwas bedeutest?«, fragte Miss Bennett, wieder in diesem seidigen Ton, als würde sie ein Baby zum Einschlafen bringen wollen.

Mitchell reagierte diesmal zögernder. Er senkte den Blick und nickte.

»Wenn ich Ihnen etwas bedeute«, murmelte er, »dann sollten Sie mich meinen Job machen lassen.«

Miss Bennett stieß einen tiefen Seufzer aus. Er hallte durch die *NJ7*-Tunnel.

»Du könntest recht haben«, sagte sie. »Wir müssen analysieren, was heute Nachmittag passiert ist, und zukünftig Fehler vermeiden. Vielleicht bedeutet das, dich allein zu schicken. Oder vielleicht brauchst du eine andere Art von Unterstützung.« Während sie durch das graue Betonlabyrinth schritten, legte sie eine Hand auf

Mitchells Schulter. Ihr hellgrüner Nagellack blitzte im Licht der Leuchtstoffröhren. »Denk dran«, fuhr sie fort, »du bist noch nicht ganz … entwickelt. Du wirst es bald sein. Ich will nicht, dass du vorher verletzt wirst. Ich habe nur dein Bestes im Sinn.«

Sie hielten an einer Kreuzung. Mehrere *NJ7*-Mitarbeiter eilten um sie herum, graue Menschen in einer grauen Welt.

»Das weißt du doch, oder, Mitchell?« Miss Bennett drehte sich zu ihm und sah ihn eindringlich an, bis er nickte. »Gut. Und jetzt geh zur Nachbesprechung des Einsatzes. Eva«, rief sie über die Schulter. Eva schoss herbei. »Ich brauche einen ausführlichen Bericht von der Nachbesprechung. Begleite Mitchell.«

Bevor Eva antworten konnte, schlenderte Miss Bennett weiter in ihr Büro.

»Ich kann fast die Leine spüren, an der sie mich hält!«, knurrte Mitchell, als er mit Eva allein war. Er riss sich die Krawatte vom Hals und warf sie zu Boden. »Warum lässt sie mich nicht …?« Er verstummte mit einem wütenden Grunzen. Eva starrte ihn an und versuchte ihn zu verstehen. Was nur in ihm vorging? In einem Augenblick fand sie ihn hilflos und ein wenig rüpelhaft, im nächsten schaute sie ihm in die Augen und sah dort einen grausamen und effizienten Killer.

»Warum willst du ihn überhaupt …?«, begann Eva, unterbrach sich aber sofort. Wie konnte sie seine Handlungsweise infrage stellen, wenn die doch Teil seiner

Natur war? Mitchells DNA war eigens modifiziert worden, um einen skrupellosen Agenten und Killer aus ihm zu machen.

Mitchell lehnte sich an die Wand, beugte sich vor und stützte die Hände auf die Knie. Er blieb lange so, den Kopf gesenkt.

Eva trat nervös von einem Bein auf das andere. Sie wusste nicht, ob sie ihn trösten oder sich davonschleichen sollte. *Oder sollte ich einfach von hier verschwinden und um mein Leben rennen*, überlegte sie, hasste sich aber sofort wegen dieses Gedankens.

»Ich habe nichts anderes«, flüsterte Mitchell schließlich.

Eva bemühte sich, seine Worte zu verstehen. Sie hatte nicht geahnt, dass Mitchells Stimme so weich und verletzlich sein konnte. »Ich habe nichts anderes«, sagte er erneut und sah sie an. Er weinte nicht, aber jeder Muskel in seinem Gesicht war angespannt, um die Tränen zurückzuhalten.

»Du hast nichts als …« Eva breitete ihre Arme aus, deutete auf die nackten Betonwände um sich herum. »Nichts als das hier?«

»Ich wurde dafür geboren«, sagte Mitchell schwer atmend. »Dafür gemacht. Es gibt nichts für mich außer dem *NJ7*. Nichts in mir außer …«

»Das glaube ich nicht.« Eva war überrascht von der Kraft ihrer eigenen Stimme. Warum kümmerte es sie, wie Mitchells Leben verlief? Warum redete sie überhaupt mit ihm? »Dein Leben ist viel mehr als der *NJ7*.

Jedenfalls könnte es das sein, auch wenn es das jetzt noch nicht ist.«

»Woher willst du das wissen?«, schnappte Mitchell. »Dein Leben ist auch nicht viel anders. Wann hast du diesen Ort das letzte Mal verlassen? Warum wissen deine Eltern nicht …«

»Sie müssen es nicht wissen«, erklärte Eva. Sie schluckte das bittere Gefühl herunter, das in ihrer Kehle aufstieg. Ihre Eltern hatten es nicht verdient, etwas über sie zu erfahren. Sie hatten Jimmy verraten, hatten Eva dazu zwingen wollen, einer tyrannischen Regierung gegenüber loyal zu sein. »Du weißt *nichts* über mich.«

Sie starrte Mitchell in die Augen, zwang sich, nicht zu blinzeln. Am liebsten hätte sie ihn jetzt so fest geschlagen, wie sie nur konnte, gleichzeitig hätte sie ihm am liebsten alles erzählt. Sie sehnte sich danach, ihre Geheimnisse zu beichten, jedes Detail ihres Doppellebens. *Dann würde er es verstehen*, dachte sie und versuchte, ihr Zittern zu unterdrücken. Dann würde er vielleicht begreifen, dass es noch etwas anderes auf der Welt gab als Miss Bennett und den *NJ7* – und dass Eva bereit war, alles dafür zu riskieren. *Wenn er das alles wüsste*, dachte sie, *was würde er dann von mir halten?*

Eva presste die Lippen aufeinander. *Sag nichts*, ermahnte sie sich selbst. *Nicht einmal atmen*. Sie ballte ihre Hände zu Fäusten, verbot sich mit aller Kraft, Mitchell von der guten Sache zu überzeugen. Er würde sie angreifen, ohne nachzudenken. Mehr denn je fielen ihr die enormen Muskeln am Nacken und den Schultern des Jungen auf. Das Neonlicht warf harte Schatten und ließ ihn älter aussehen.

»Was schaust du mich so an?«, fragte er.

»Tu ich nicht«, sagte Eva schnell. »Ich …« Sie verdrängte den Gedanken an Mitchells Konditionierung, wozu diese ihn fähig machte – und wozu sie ihn zwang. Würde er jemals erkennen, wie viel Gutes er bewirken könnte? »Ich muss dir etwas zeigen«, fügte Eva hinzu. »Komm mit.«

Sie wartete nicht auf eine Antwort, sondern eilte durch die düsteren Tunnel davon. Kurz darauf hörte sie Mitchells Schritte hinter sich.

»Wohin gehen wir?«, fragte er. »Ich war schon überall in diesem unterirdischen Labyrinth. Du kannst mir nichts zeigen, was ich nicht kenne.«

Eva marschierte einfach weiter, machte größere und schnellere Schritte. Würde sie langsamer gehen oder sich von seinen Fragen ablenken lassen, verließe sie vielleicht der Mut, und sie könnte ihn nicht mehr an den Ort führen, den sie ihm zeigen wollte.

Schließlich ließen sie die geschäftigeren Bereiche des Tunnelsystems hinter sich und erreichten die Technikabteilung. Wieder einmal bemerkte Eva, wie viel dunkler es hier war.

»Bescheuerte Energiesparlampen«, murmelte Mitchell, nur einen halben Schritt hinter ihr. »Ich schätze, die Wissenschaftler müssen alle Vampire sein oder so.« Er stieß ein nervöses Lachen aus.

Eva führte ihn durch die Labore. Zu ihrer Erleichterung waren sie weitgehend verlassen. Sie begegneten nur ein paar Reinigungskräften und einem einzelnen Techniker, der in seine Arbeit vertieft war. Eva schauderte bei dem Gedanken, dass sie erneut auf William Lee treffen könnte. Sie entspannte sich jedoch, als sie in das nächste Labor spähte und dort Lees leeren blauen Bürostuhl bemerkte. Allerdings drehte sich der Stuhl noch. Lauerte der Mann irgendwo? Vielleicht versteckte er sich hier vor Miss Bennett. Oder vielleicht hatte er an etwas gearbeitet. *Reparierst du immer noch das Satelliten-Überwachungssystem?*, fragte sie sich. Nein – sicher hätte er inzwischen schon ein ganzes Technik-Team hinzugezogen.

Eva eilte weiter und in den Tunnel, der sie zu dem schmalen Spalt in der Betonwand führte. Eva konnte sich ein Lächeln nicht verkneifen. Etwas in ihr hatte sich schon gefragt, ob sie das Ganze nur fantasiert hatte und ob die Lücke verschwunden wäre. Sie blieb an der Schwelle stehen und atmete tief durch.

»Was ist da drin?«, fragte Mitchell verwirrt.

»Achte auf die Stufen«, flüsterte Eva, ohne ihn anzusehen. Tat sie das Richtige? Sollte Mitchell das wirklich sehen? Doch für Zweifel war es jetzt zu spät.

Sie trat in die Dunkelheit und führte Mitchell die schmale Treppe hinunter, in Richtung des hellen Lichtstreifens. Mitchell musste seine Schultern einziehen, um hindurchzupassen, aber er folgte ihr ohne Zögern. Eva konnte seinen Atem in ihrem Nacken spüren.

Unten pausierte Eva wieder und lauschte. Diesmal drangen keine Stimmen aus dem Labor. Sie linste noch einmal um die Ecke in den hell erleuchteten Raum, um ganz sicherzugehen, dann trat sie ein.

»Was ist hier…?« Mitchell folgte ihr, schaute sich blinzelnd um.

»Das habe ich neulich entdeckt«, erklärte Eva nervös. »Als mir klar wurde, was es ist… Ich meine, *wer* es ist…«

»Was meinst du damit?«

Eva marschierte zum Metalltisch in der Mitte des Raumes. Eine schwarze Plastikfolie bedeckte jetzt den menschlichen Körper darauf, aber der grüne Laser war noch immer an derselben Stelle. Als Eva näher kam, entdeckte sie ein kleines Loch im schwarzen Plastik um das Auge. Der Laser war noch in Betrieb. Eva stockte der Atem, als sie jetzt alles aus der Nähe sah, der schwache Geruch nach Bleichmittel ließ sie würgen, aber sie würde jetzt nicht aufgeben. Mitchell musste es sehen. Er musste wissen, was der *NJ7* im Geheimen trieb. Er musste erkennen, dass es für ihn auch eine andere Art zu leben gab.

»Dann zeig es mir!«, knurrte Mitchell. »Warum hast du mich in diesen bescheuerten –«

Eva schlug die Folie zurück.

Sie tat es in einer raschen Bewegung, um ihren inneren Widerstand zu überwinden. Plötzlich schien die Raumtemperatur um mehrere Grad zu sinken. Eva wich zurück, wandte zitternd den Blick ab. Mitchell taumelte vorwärts. Ein Geräusch entfuhr seiner Kehle, das Eva noch nie zuvor gehört hatte – ein heiseres, rasselndes Pfeifen, wie ein verzweifelter Schrei. Seine Knie schienen nachzugeben und er musste sich am Rand der Metallplatte abstützen.

Eva beobachtete, wie Mitchell sich über den stark mitgenommenen, aber noch atmenden Körper seines einzigen Bruders Lenny Glenthorne beugte. Dann verließ sie den Raum.

# KAPITEL 18

Auf der Markise über dem Bürgersteig stand in großen Lettern *LOCO*. Die vier verschnörkelten roten Buchstaben wirkten wie sich windende Teufel, die versuchten, nach den Menschen darunter zu schnappen. Jimmy und Saffron fuhren vorbei, ohne ihre Geschwindigkeit zu drosseln, und bogen dann um die Ecke. Der Bentley hätte zu viel Aufmerksamkeit erregt.

Jimmy erhaschte nur einen kurzen Blick auf die Szenerie vor dem Lokal, prägte sie sich aber genau ein. Da waren die beiden riesigen Türsteher. Ein Mann und eine Frau. Beide bewaffnet. Warum scheuchten sie die Leute nicht sofort nach drinnen? Und warum war die Polizei nicht da, um die Menge zu zerstreuen – oder alle zu verhaften?

»Ich dachte, solche unangemeldeten Menschenansammlungen wären illegal«, murmelte Jimmy leise.

»Das sind sie auch«, antwortete Saffron. »Sieht ganz so aus, als hätte die Capita die örtliche Polizei bestochen.«

Jimmy nickte und verlagerte seinen Fokus auf die anderen Aspekte des *LOCO*. Er verschaffte sich ein präzises Bild des Gebäudes: ein riesiger, von den umliegenden Häusern abgetrennter Komplex. Ein umgebautes Kino, wie Jimmy schnell an der bröckelnden Art-Deco-Fassade und den Backsteinwänden ohne Fenster erkannte. Sein Gehirn filterte die Informationen, berechnete jedes Detail und prüfte es auf seine Wichtigkeit. Zum Beispiel die Größe der Menge draußen. Jimmy ging davon aus, dass der Laden innen ähnlich voll war. Der Größe des Gebäudes nach zu urteilen, bedeutete das viele Menschen.

*Jede Menge Platz, um eine Geisel zu verstecken*, dachte er und stellte sich vor, wie Viggo irgendwo gefesselt lag, möglicherweise bewusstlos.

»Wir müssen den Wagen in die Nähe bringen«, sagte er und war kurz irritiert, wie fremd seine Stimme klang. Flach, fast mechanisch. »Der Gesuchte könnte bewegungsunfähig sein.« Diese Worte kamen aus einer Region in seinem Inneren, die präziser, automatischer funktionierte. Dort waren Menschen *Gesuchte* oder *Zielobjekte*, und das Leben war nur eine Mission, die es zu erfüllen galt. Ohne Zweifel. Ohne Zögern. Ohne Gefühle.

»Können wir sicher sein, dass er da drin ist?«, fragte Saffron.

Jimmy hatte das auch schon erwogen. Was, wenn die Capita Viggo woanders festhielt? *Was, wenn er bereits tot ist?*, dachte Jimmy plötzlich. Er schüttelte die Frage ab, die seine Konditionierung durchaus zu recht stellte. Ohne echte Beweise, dass Viggo noch am Leben war und sich im *LOCO* befand, wäre es da nicht unsinnig riskant, dort einzudringen? *Nein*, versicherte Jimmy sich selbst und rang darum, die Kontrolle über seine Gedanken zu behalten, die sich wie eine Meute wilder Hunde aufführten. *Das Risiko ist ein ganz anderes. Wenn Viggo tatsächlich da drin ist und wir ihn im Stich lassen, bedeutet das sein Todesurteil.*

»Wir müssen davon ausgehen, dass er dort ist«, verkündete Jimmy. »Denn die Capita geht davon aus, dass wir den Code H haben.«

»Der Code H«, wiederholte Saffron erschrocken. Sie starrte für einen Moment ins Leere. »Was machen wir jetzt nur?«

Jimmy beugte sich vor und fuhr mit beiden Händen über den Mittelteil des Armaturenbretts.

»Wir brauchen den Code H nicht«, sagte Jimmy, seine Stimme wurde immer entschlossener, während übermenschliche Energie seinen Körper durchflutete und jede Verletzlichkeit auslöschte. »Wir brauchen nur ein paar extra Sekunden.« Es gab ein Klickgeräusch und das Armaturenbrett löste sich. Jimmy hob es vorsichtig ab und griff in das Geheimfach darunter.

Der Bentley war voller Verstecke. Er hatte zunächst dem französischen Botschafter gehört, der damit unter anderem Dokumente von Großbritannien nach Frankreich geschmuggelt hatte. Dann hatte der *NJ7* das Auto beschlagnahmt und es gerade durchsuchen wollen, als Viggo es entwendete und für seine Flucht vor dem Geheimdienst benutzte. Seitdem war es mehrfach repariert, neu gestrichen und durch Viggos und Saffrons zackige Fahrweise immer wieder beschädigt worden. Bei jeder Reparatur hatte Viggo weitere Geheimfächer entdeckt. Das Fach im Armaturenbrett war das offensichtlichste. Jimmy und Saffron hatten es benutzt, um den Laptop aufzubewahren.

»Das gibt uns Zeit«, sagte er.

»Es wird nicht funktionieren, Jimmy. Sie werden Chris nicht im Austausch für einen Laptop rauslassen. Wir müssen ihnen irgendwie weismachen, dass der Code H auf diesem Computer ist.«

Jimmy zuckte mit den Achseln. »Damit werden wir fertig.« Er suchte in sich nach einer Strategie, aber da war nur Finsternis, als würde ein Wespenschwarm das Licht verdunkeln. Es war Zeit zu handeln. Jimmy atmete tief durch und lockerte seine Schultern.

»Wir müssen das gründlich planen«, drängte Saffron. »Und wir sollten auf die anderen warten. Helen kann uns sicher helfen.«

Jimmy blickte auf die Uhr hinter dem Lenkrad. Jede weitere Unterhaltung war überflüssig. Das Treffen sollte in acht Minuten stattfinden. Die Capita würde nicht warten.

»Okay, Rambo«, sagte Saffron und wirkte leicht ärgerlich. »Willst du einfach durch die Vordertür rein? Durch die Menge? An den Türstehern vorbei?«

Jimmy dachte kurz nach, dann war er zum Handeln bereit. Er war sich seiner Kraft bewusst und gleichzeitig völlig gelassen.

»Wer ist Rambo?«, fragte er, stieß die Autotür auf

und sprang hinaus in die Nacht, den Laptop unter den Arm geklemmt.

Saffron hatte keine andere Wahl, als ihm zu folgen. Sie hielt ihren Kopf gesenkt und rannte los, um ihn einzuholen.

Jeder Schritt der beiden ließ Blätter emporwirbeln, die vom Wind weitergetragen wurden und um ihre Beine tanzten. Sie waren wie zwei Tornados, die Fahrt aufnahmen.

»Sie werden uns entdecken«, flüsterte Saffron. »Da sind Kameras.«

Jimmy hatte die Positionen und Winkel der Sicherheitskameras genau im Kopf. Es erschien ihm so selbstverständlich, dass er es nicht für nötig gehalten hatte, das zu erwähnen.

»Wir gehen direkt daran vorbei«, zischte er. »Kopf runter. Zur nächsten Häuserzeile.«

Jimmy verlagerte seine Konzentration von den Sicherheitskameras auf etwas anderes, ein Detail, scheinbar so unbedeutend, dass er es nur beiläufig registriert hatte. Im Vorbeifahren hatten die Blätter und der Müll vor dem Bordstein getanzt. Sie waren nicht vom Wind getrieben worden oder im Schutz des Bordsteins zur Ruhe gekommen, sondern sie waren gehüpft. *Rhythmisch*, dachte Jimmy.

»Der Bass dringt aus dem Keller des Clubs«, verkündete er und beschleunigte sein Tempo. »Stark genug, um ihn auf dem Bürgersteig zu spüren. Wir gehen durch die Souterrainwohnung des Nachbarhauses rein.«

»Und die Leute, die dort wohnen?«, fragte Saffron.

»Ich …« Jimmy verstummte. Was würden seine Instinkte vorgeben, um die Kontrolle über die Wohnung zu bekommen? Alles, was er vorhersagen konnte, war Effizienz, Schnelligkeit … Gewalt.

»Überlass das mir«, befahl Saffron. Sie tauchte in der Menge vor dem *LOCO* unter. Jimmy verlangsamte sein Tempo, um sie nicht zu verlieren, doch sie verschwand kurz aus seinem Gesichtsfeld. Jimmys Blick war überall zugleich, immer auf der Suche, jedes Detail wahrnehmend. Er musterte die Gesichter in der Menge. Der Agent in ihm analysierte ihre Körpersprache. Waren sie feindselig? Vorsichtig? Hatte man diese Leute vor Jimmy gewarnt? Würden sie Widerstand leisten? Wären sie leichte Gegner?

Die ganze Zeit über fühlte sich Jimmy, als würde er durch vereiste Scheiben schauen und dieselben Gesichter auch mit seinem anderen Selbst wahrnehmen – seiner rein menschlichen Seite. Er fragte sich, wie alt diese Menschen waren, ob sie Familie hatten, ob sie wussten, dass sie das Gesetz brachen, wenn sie hier standen … und ob er selbst jemals einen Club betreten würde, um seinen Spaß zu haben, anstatt immer nur zu kämpfen.

Jimmy hätte gerne über diese Fragen nachgedacht, aber er konnte nicht. Sein Gehirn und sein Körper weigerten sich. Er war wie eine startklare Rakete. Er schob seine einfühlsamen Gedanken beiseite, spürte erneut die Erschütterungen des Gehwegs, die den unterirdischen Club verrieten.

Ein Schrei ertönte. Jimmy spannte alle Muskeln. An einer Stelle in der Menge herrschte Aufruhr, und Jimmy konnte hören, wie die Türsteherin für Ordnung sorgte. Eine Sekunde später wurde Saffron von der Menschenmenge ausgespuckt. Sie marschierten gemeinsam weiter, mit gesenkten Köpfen.

Saffron klingelte bei der Souterrainwohnung gleich neben dem Club. Es war das erste Haus einer Reihe altmodischer Gebäude, die vor Jahren modernisiert worden waren.

Eine Frau mittleren Alters öffnete, eine Serviette hing vorne an ihrer Hose. Sie kaute noch.

»Entschuldigen Sie die Störung, Madam«, begann Saffron. Sie klang entschlossen, aber freundlich. »Wir sind vom Elektrizitätswerk.« Sie hielt der Frau einen Ausweis vor die Nase. Jimmy lächelte, als sich die Frau blinzelnd nach vorne beugte.

»Ich habe keine Brille auf.« Sie zuckte mit den Schultern. »Was ist los?«

Im Dunkeln wäre es sowieso unmöglich gewesen, den Ausweis zu lesen.

Jimmy blickte zurück auf die Straße und fragte sich, ob die Türsteherin Schwierigkeiten haben würde, die Menge ohne ihren Sicherheitsausweis in den Griff zu kriegen.

»Es gab einen Notruf«, erklärte Saffron. »Wir haben einen Spannungsanstieg im Netzwerk, der unserer Meinung nach durch einen Fehler in Ihrer Verkabelung verursacht wurde. Wenn es Ihnen nichts ausmacht, würden wir gerne reinkommen und einen schnellen Scan machen.«

Die Frau wirkte verwirrt, aber Saffron plapperte ungerührt weiter.

»Das hier ist mein Neffe«, sagte Saffron, als die Frau Jimmy misstrauisch ansah. »Er macht sein Praktikum bei mir. Er ist ein ziemlicher Computerfreak.« Sie beugte sich mit verschwörerischer Miene vor. »Ich könnte diesen Job nicht ohne ihn machen, wenn ich ehrlich bin.«

Die Frau zuckte mit den Achseln, kaute weiter und trat aus dem Weg.

»Es dauert nicht lange«, sagte Saffron. »Genießen Sie einfach Ihr Essen.«

Jimmy klappte den Laptop auf, schaltete ihn ein, hielt ihn gegen die Wand und tat so, als würde er etwas scannen. Saffron ihrerseits klopfte an die Wand, presste ihr Ohr dagegen und arbeitete sich so allmählich durch die ganze Wohnung.

»James!«, rief die Frau. »Es sind Leute vom Elektrizitätswerk!« Sie schob die Tür zur Küche auf, wo Jimmy ihren Ehemann sah, der sich über das leckere Essen hermachte und sich von beiden Tellern bediente. »Ich wette, es ist wegen des Höllenlochs nebenan«, fügte die Frau hinzu, wieder an Jimmy und Saffron gewandt. »In den meisten Nächten ist es so laut, dass ich mich nicht mal denken hören kann.«

Inzwischen hatte sich Jimmy weiter bewegt bis zu dem Raum, der an den Keller des Nebengebäudes grenzte. Es stellte sich heraus, dass es ein kleines Badezimmer war: ihr Zugang zu dem Club.

»Ich fürchte, wir müssen die Fliesen von der Wand entfernen«, rief er und trat hinaus in den Flur.

»Fliesen entfernen?« Die Frau war entsetzt. »Das klingt nicht …« Sie musterte Saffron und Jimmy. »Lassen Sie mich kurz einen Anruf machen …«

»Moment«, rief Saffron, als die Frau nach dem Telefon griff.

»Was ist los?« Der Mann kam aus der Küche geschossen.

»Also gut«, sagte Saffron mit einem tiefen Atemzug. »Ich sage Ihnen die Wahrheit: Christopher Viggo ist im Gebäude nebenan.«

»Was?!«, keuchte die Frau.

»Und wenn wir nicht einschreiten …«

»Genau«, schaltete Jimmy sich ein. Sein Blick fiel auf einen Behälter mit Bleistiften neben dem Telefon. »Wenn wir ihn nicht verhaften, werden wir seine Pläne niemals durchkreuzen können.«

»Was plant er?«, fragte der Mann.

»Ich fürchte, das dürfen wir Ihnen nicht verraten, Sir«, antwortete Jimmy. »Wir sind von einer Regierungsbehörde namens *NJ7*. Diese Aktion hier ist streng geheim und wichtig für die Sicherheit unserer Nation. Können wir uns auf Ihre Loyalität verlassen?«

Das Paar sah sich an.

»Natürlich«, flüsterte der Mann.

»Ich wusste gleich, dass Sie nicht von der Elektrizitätsgesellschaft sind«, sagte die Frau mit einem aufgeregten Lächeln.

»Ihre Regierung wird Sie dafür belohnen«, sagte Jimmy. »Also los!« Er wandte sich an Saffron. »Komm mit und mach dir Notizen.« Er reichte ihr einen Bleistift aus dem Topf neben dem Telefon. Auf den Stift waren drei Wörter gedruckt: *Effizienz. Stabilität. Sicherheit.*

»Er ist der technische Experte«, erklärte Saffron und folgte Jimmy ins Badezimmer. »Aber wir brauchen vielleicht ein paar Werkzeuge …«

Innerhalb einer Minute klapperten die Badezimmerfliesen von der Wand, während Jimmy mit allen notwendigen Werkzeugen in der Badewanne kniete. »Bist du sicher, dass wir nicht gestört werden?« Er nickte in Richtung Tür.

Saffron zuckte mit den Achseln. »Sie scheinen ziemlich aufgeregt zu sein. Ich habe ihnen erklärt, dass Verstärkung auf dem Weg ist.«

»Verstärkung?« Jimmys ratloser Blick verwandelte sich in ein Lächeln, als er Saffron simsen sah. »Sag Felix, er soll mir was zu essen mitbringen. Bei dem Geruch des leckeren Abendessens hier kriege ich richtig Kohldampf.«

Jimmy öffnete ein klar umrissenes Viereck in der Wand, das Loch sollte nicht größer werden, als nötig, um hindurchzukriechen. Sobald die Fliesen weg waren, klopfte er sich rasch durch den Putz, dann durch die Ziegel. Dann bremste eine harte Steinschicht das Vorankommen.

Jimmys Arm arbeitete im Rhythmus des dröhnenden Beats von nebenan. Die Kraft, die Jimmy in die Schläge des Meißels legte, schien durch die Vibrationen aus dem Club noch verstärkt zu werden. Saffron hinter ihm entfernte den Schutt. Entschlossen beseitigten sie die letzten Barrieren zwischen ihnen und Viggo, zwischen ihnen und der Capita.

»Warte«, rief Jimmy über den Lärm hinweg. Er ließ den Meißel in die Badewanne fallen und legte einen Finger auf seine Lippen. Die Geräusche aus dem Club waren jetzt deutlich zu hören. Nicht nur Bass und Drumbeat, sondern der volle Sound. Jimmy schloss für einen Moment die Augen. Er vernahm sogar einzelne Stimmen. Er kratzte am Ende ihres Tunnels. Roter Staub rieselte herab – Ziegelstaub. Sie hatten die Wand des Clubs erreicht.

»Hol den Laptop«, befahl Jimmy.

Saffron griff nach dem Computer und reichte ihn Jimmy. »Was ist der Plan, wenn wir drin sind?«, flüsterte sie.

»Du bewegst dich nach links, ich nach rechts. Du durchkämmst die gesamte Etage, suchst nach Ausgängen, Treppen, Aufzügen, Sicherheitspersonal …«

»Ich weiß, wonach ich suchen muss«, sagte Saffron. Das Licht des Badezimmers betonte die Umrisse ihres Gesichts, beleuchtete ihre hohen Wangenknochen. Jimmy spürte ihre Entschlossenheit. Für eine Sekunde wurde Jimmys harter innerer Panzer durchlässig, sein menschliches Mitempfinden regte sich.

»Willst du immer noch seine Freundin sein?«, flüsterte Jimmy unwillkürlich.

Saffron wirkte angespannt.

»Wie meinst du das?«

»Du wirkst nicht besorgt«, sagte Jimmy und studierte ihr Gesicht. »Du hattest mal große Angst um Chris, aber jetzt bist du …«

»Klettere durch die Wand«, befahl Saffron. »Ein Schritt nach dem anderen.«

# KAPITEL 19

Jimmy krabbelte auf der anderen Seite aus dem Loch, wo er sich etwa auf Kniehöhe eines Raumes voller tanzender Menschen wiederfand. Sofort rollte er sich ab und sprang auf, seine Augen huschten in alle Richtungen. Hatte man ihn gesehen? Rückten bereits die Sicherheitsmannschaften der Capita an? Die unrhythmisch tanzende und zappelnde Menschenmenge wogte gegen Jimmy, drückte ihn zurück gegen die Wand. Über das Stampfen hinweg hörte er das Surren der Überwachungskamera an der Decke. Der Laden war so voll und wurde nur von farbigen Lichtblitzen erhellt, dass ihn die Wachmannschaft unmöglich entdeckt haben konnte. Noch nicht.

Saffron schlüpfte direkt hinter ihm aus dem Tunnel. Sofort tauchte sie in den wogenden Schatten unter. Selbst das schwarze Loch in der Wand war in der Dunkelheit so gut wie unsichtbar.

Jimmy bewegte sich an der Wand entlang. Die Decke war niedrig, ein Geruch nach Schweiß und Alkohol hing in der Luft. Jimmy entdeckte die einzigen Ausgänge: eine Wendeltreppe, die zum oberen Teil des Clubs führte, bemannt von einem Wachmann, und die

Türen zu den Toiletten. Auf Saffrons Seite gab es eine Bar, und Jimmy vermutete, dass von dort eine Leiter hinauf zur Straße führte. Aber er benötigte keine Bestätigung durch Saffron. Seine Instinkte hatten bereits eine Strategie gewählt. Sie war einfach, direkt und tödlich.

Jimmy schlich sich in Richtung des Wachmanns am Fuß der Treppe. Es war ein riesiger Mann, ganz in Schwarz gekleidet. Eine Ausbuchtung in dessen Kleidung verriet Jimmy, wo er seine Schusswaffe trug. Und seine Agenteninstinkte erfassten sofort, auf welche Art der Mann sich verteidigen würde. Ein derart durchschaubarer Gegner war bereits so gut wie erledigt.

Jimmy näherte sich geduckt. Dann wirbelte er blitzschnell herum, hämmerte seine Ferse gegen das Knie des Mannes und schob zugleich seine Hand unter dessen Jackett. Der Mann schnappte mit schmerzverzerrtem Gesicht nach Luft, sein Knie knirschte bedenklich. Er griff nach seiner Waffe, aber Jimmy packte das Handgelenk des Mannes und nutzte seinen Schwung, um ihn zu Boden zu reißen.

»Bringen Sie mich zu Viggo!« Jimmy fauchte seinen Befehl direkt ins Ohr der Wache, die jetzt mit dem Gesicht in einer Getränkelache lag. »Ich habe eine Einladung.« Jimmy hielt die Waffe des Mannes direkt vor dessen Gesicht. Vorne im Lauf steckte der *LOCO*-Flyer, zu einer dünnen Röhre gerollt.

Genau in diesem Augenblick tauchte Saffron hinter Jimmy auf. Die beiden lächelten sich an, dann zerrten sie die Wache hoch. Ohne ein weiteres Wort stolperte der Mann die Treppe hinauf und führte Jimmy und Saffron zu ihrer Verabredung mit der Capita. Saffron verbarg die Waffe in ihrer Tasche und klemmte den Laptop unter ihren Arm.

Als sie das Erdgeschoss erreichten, erschloss sich ihnen erst die wahre Größe des Clubs. Die oberen Etagen waren durchbrochen und am Rand durch Balkone ersetzt worden, sodass ein riesiger Saal mit einer großen Tanzfläche entstanden war, mit mehreren Bars an den Seiten. Die Balkone erstreckten sich über acht oder neun Stockwerke, alle waren voller Menschen.

Die Wache brachte Jimmy und Saffron in die oberste Etage, in die hinterste Ecke eines der Balkone. Er führte sie hinter eine Bar, wo sie von Gästen und Barkeepern misstrauisch begutachtet wurden, als die Fremden an ihnen vorbeischlüpften. Dann marschierten sie durch einen hell erleuchteten Lagerraum mit Getränkekisten, bis die Wache vor einer Bürotür anhielt.

»Nicht stehen bleiben«, befahl Jimmy über die Musik hinweg. Er bedeutete der Wache, dass sie die Tür öffnen und dann aus dem Weg gehen sollte.

Die Wache schaute ihn an. »Ich mache das nur, weil sie dich erwarten«, grunzte er.

»Ja«, sagte Jimmy mit einem sarkastischen Grinsen. »Das ist sehr nett von Ihnen.« Er donnerte den Fuß gegen die Tür, direkt unter dem Griff, wobei er die Hand der Wache um einen Millimeter verfehlte. Die Tür flog auf, aber Jimmy verharrte bewegungslos. Seine Instinkte schützten ihn vor einem möglichen, reflexartigen Gegenangriff eines Capita-Mannes.

»Du hättest ruhig anklopfen können«, rief die Frau mitten im Raum. Jimmy erkannte sie sofort wieder: die kleine Frau aus Viggos Hauptquartier. Das dämmrige Licht beleuchtete ihre Wangen, die hinter dem schwarzen Vorhang ihres Haares fast zu glühen schienen. Sie trug immer noch den dicken weißen Mantel, der ihre zarte Gestalt verbarg. Für eine Sekunde sah sie aus wie ein Eisbärbaby, das unvermutet aus der arktischen Nacht auftauchte.

»Wir kommen wegen Viggo«, verkündete Jimmy, als er das Büro betrat. Seine Sinne waren hellwach. In jeder Ecke des Raumes waren Capita-Leute mit gezückten Pistolen postiert.

Das Licht der Bar drang durch die Tür und warf Jimmys Schatten über den Boden. Am Rand des helleren Rechtecks entdeckte er den nackten Fuß eines Mannes. Getrocknetes Blut klebte auf dem Nagel seiner großen Zehe. Jimmy hatte Christopher Viggo gefunden.

Er war auf einen Stuhl geschnallt, seine Hände auf den Rücken gefesselt, ein schwarzer Sack über seinen Kopf gestülpt. War er überhaupt noch am Leben? *Ja*, versicherte Jimmy sich selbst. *Das muss einfach so sein.*

»Der Code H?«, fragte die Frau im weißen Mantel.

Jimmy Muskeln spannten sich. Saffron musste es genauso ergehen. Aber hatte sie auch einen Plan, um Viggo zu befreien und zu fliehen?

Die Tür schloss sich, dämpfte den Lärm des Clubs etwas. Doch die dumpf hämmernden Beats peitschten Jimmys Gedanken weiter. Sie überfluteten sein Bewusstsein, bis er nicht mehr wusste, ob die Musik in seinem Schädel wummerte oder durch die Mauern des Raums.

»Wir haben den Code«, antwortete Saffron. Sie zeigte auf den Laptop. »Aber wir brauchen zuerst Garantien.«

»Garantien?«, schnaubte die Capita-Frau. »Ich verkaufe hier keine Waschmaschine.«

»Zeigen Sie uns sein Gesicht«, befahl Saffron und ignorierte die höhnische Grimasse der Frau. »Sie haben uns zugesichert, dass er noch leben würde.«

»Er lebt.« Die Capita-Frau zog Viggo den Sack vom Kopf.

Jimmys Kehle schnürte sich zu.

Viggos Augen und Mund waren offen. Und soweit Jimmy in der Dunkelheit sehen konnte, hatte er keine ernsthaften Schnitte oder Prellungen im Gesicht. Aber obwohl er noch atmete, wirkte er völlig weggetreten. Sein zombiehafter Gesichtsausdruck war unerträglich, trotzdem konnte Jimmy den Blick nicht abwenden.

Jimmys Eingeweide krampften sich zusammen. Wie sollte er den Mann lebend hier rausholen, wenn er den Verbrechern im Gegenzug nichts bieten konnte?

»Ich weiß, dass Sie die Wahl manipuliert haben«, verkündete Jimmy der Capita-Frau. *Überrumple sie,* sagte er sich. *Lass sie wissen, dass du ihre Geheimnisse kennst.*

Er fühlte, wie Saffron sich irritiert an seiner Seite bewegte – sie wusste noch nicht, was Dr. Longville auf dem Computer in Chisley Hall wirklich gefunden hatte.

»Das taten wir nur, um unsere Investition zu schützen«, raunzte die Capita-Frau nach einer Weile. Dann fügte sie murrend hinzu: »Wir haben es jedenfalls versucht.«

»Es ist ein schwer zu hackendes System«, sagte Jimmy, während er weiter nach einem Fluchtweg Ausschau hielt. Unauffällig registrierte er die Positionen der Wachen, die Abmessungen des Raumes, die einzelne nackte Glühbirne an der Decke …

»Manchmal sind Menschen effektiver als Computer-Systeme«, antwortete die Capita-Frau. »Wir hatten von Anfang an einen Mann, der verdeckt am HERMES-Projekt mitarbeitete. Als Maulwurf, könnte man sagen.«

»Es gab einen Capita-Mann, der an HERMES mitarbeitete?«, fragte Jimmy scharf. *Verunsichere sie,* dachte er. *Provoziere sie. Wut sorgt für Fehler.* »Und Sie haben trotzdem die Wahl verloren? Da hat Ihr Mann aber keine gute Arbeit geleistet, oder?«

»Er wurde bereits eliminiert«, antwortete die Capita-Frau automatisch.

»Eliminiert?!« Jimmy konnte seine Abscheu nicht verbergen. Sein Versuch, die Capita zu verunsichern, war fehlgeschlagen. »Bringen Sie ihn in die Bar«, sagte er fest und wedelte mit der Hand in Viggos Richtung.

Die Capita-Frau schnaubte: »Du bist ja wohl noch etwas zu jung, um ihm einen Drink auszugeben, oder?«

»Tun Sie es einfach«, kommandierte Jimmy, während er jede Bewegung der Wachen um sich herum registrierte. »Wir müssen eine Garantie haben, dass Sie uns lebend rauslassen, sobald Sie den Code H haben. Wir müssen unter Leuten sein.«

Die Frau schnaubte erneut. »Gib mir erst den Laptop«, beharrte sie und sah dann zu Saffron. »Und die Pistole.«

Saffron blickte zu der Wache, deren Waffe sie genommen hatte. Die Verlegenheit des Mannes war ebenso offensichtlich wie die Ausbuchtung in Saffrons Tasche. Saffron wollte protestieren, aber Jimmy hob die Hand, um sie zu stoppen. Sie konnten mit der Pistole ohnehin nichts ausrichten, wenn so viele bewaffnete Wachen sie umzingelten.

Die Capita-Frau stopfte die Waffe in ihren Mantel und reichte den Laptop dem Mann neben ihr.

»Schließen Sie das an«, befahl sie. »Oder tun Sie, was immer notwendig ist, um mir zu bestätigen, dass wir den Code H haben.«

»Wissen Sie, was Sie damit auslösen können?«, fragte Jimmy und tat so, als wisse er, wovon er sprach. In Wahrheit wollte er nur Zeit schinden. Es würde nicht lange dauern, bis die Capita merkte, dass Jimmy und Saffron nur blufften.

»Ruhe jetzt, Jimmy«, sagte die Frau. »Genug geredet.«

»Aber Sie wissen, dass Sie …«

»Sei still.« Die Frau verschränkte die Arme und beobachtete ihren Assistenten, der im hinteren Teil des Raumes den Laptop in seinen Armen hielt und ihn anschloss.

*Halte ihn auf*, hörte Jimmy sich selbst denken. *Vernichte ihn.* Er ballte seine Fäuste und verdrängte die gewalttätigen Gedanken aus seinem Kopf.

»Haben wir es?«, fragte die Frau. Sie erhielt keine Antwort. »Haben wir es?«, rief sie.

Jimmy wusste, dass seine Zeit ablief. Er konnte das Surren des Laptopventilators hören, als die Festplatte hochgefahren wurde. Die ganze Zeit über dröhnte die Musik des Clubs unerbittlich. Sie schien ihn zu umhüllen. Aber da war noch ein weiteres Geräusch – ein schwaches Klopfen. Viggos großer Zeh bewegte sich in einem langsamen, aber regelmäßigen Rhythmus auf und ab, und Jimmy war der Einzige im Raum, der ihn hören konnte.

Jimmy blickte auf Viggos Gesicht. Für den Bruchteil einer Sekunde war der Zombie verschwunden und der Mann wirkte hellwach und lebendig. Aufregung durchflutete Jimmy. Waren Viggos Körper und Geist stark genug gewesen, um dem standzuhalten, was die Capita ihm angetan hatte? Im nächsten Moment war Jimmy sich sicher. Viggo hob kurz eine Augenbraue und seine Augen zuckten zu einer Seite. Er hatte ihm ein Zeichen gegeben, danach nahm er sofort wieder den zombiehaften Gesichtsausdruck an, aber Jimmy wusste, was zu tun war. »Man braucht ein Passwort«, verkündete er. »Für den Laptop.«

»Nein, braucht man nicht«, erwiderte die Wache und starrte auf den Monitor.

»Es ist ein gesichertes Betriebssystem«, log Jimmy und trat langsam näher.

»Bleib stehen«, sagte die Frau und postierte sich zwischen ihm und dem Laptop. »Wie lautet das Passwort? Wo muss er es eingeben?«

Jimmy war fast auf Augenhöhe mit ihr. Er konnte spüren, wie sich sein Körper auf den Kampf vorbereitete, kontrollierte Kraft vibrierte in ihm. Aber er verbarg seine Stärke perfekt. Er durfte nicht verraten, dass er bereit war, jeden Moment zuzuschlagen.

»Man muss nach einer bestimmten Datei suchen«, erklärte Jimmy langsam und deutlich. »Öffnen Sie das Suchfeld.«

»Weiter?«, fragte die Wache drängend. »Was gebe ich ein?«

»Geben Sie *jetzt* ein«, antwortete Jimmy.

»Jetzt?« wiederholte die Wache verwirrt.

»J, E, T, Z, T«, sagte Jimmy, dann schrie er: »JETZT!«

Jimmy und Viggo explodierten im gleichen Moment. Jimmy sprang zur Decke und packte das Lampenkabel wie ein Basketballspieler, der einen Slam Dunk macht. Dann riss er die Glühbirne ab und schleuderte sie auf die Capita-Frau. Sie hob ihren Arm, um ihr Gesicht zu schützen, das Glas zerplatzte an ihrem Ellenbogen, aber Jimmy ließ einen gezielten Tritt folgen, noch während er in der Luft schwang. Sein Fußballen traf die Schläfe der Frau, sie taumelte rückwärts, verdrehte die Augen und musste sich an der Wand abstützen.

Währenddessen ließ Viggo seine Arme nach vorn schnellen. Irgendwie hatte er die Fesseln an seinen Handgelenken gelöst. Im Chaos bemerkte niemand den Kronkorken einer Limonadenflasche, der nun zu Boden fiel. Immer noch auf dem Stuhl sitzend wirbelte er herum und donnerte seine Faust in den Bauch der Wache neben ihm.

An der Tür hoben zwei weitere Wachen ihre Pistolen, aber Saffron reagierte schneller. Sie schlug beidseitig zu und hämmerte die Handgelenke der Wachen gegen die Wand. Panisch umklammerten die Männer ihre Waffen, doch Saffron rammte dem einen ihr Knie in die Leiste und dem anderen ihre Faust gegen die Nase. Dann packte sie Viggo am Kragen. Er war immer noch mit den Knöcheln an den Stuhl gefesselt, also schleifte sie ihn sitzend in den Lagerraum.

Als Jimmy die Glühbirne zerschmettert hatte, war der Wächter mit dem Laptop herumgefahren, um einen Angriff zu starten. Aber er war zu langsam. Jimmys Ferse traf die Mitte des Bildschirms. Nicht nur der Bildschirm zerbrach, sondern die Wucht des Trittes ließ den Laptop wie einen Rammbock gegen die Brust der Wache knallen. Jimmy wartete nicht darauf, dass seine Feinde Luft holen konnten. In vollem Tempo schlidderte er hinter Saffron und Viggo her in den Lagerraum. Sie waren nirgends zu sehen, aber auf dem Boden lagen das Messer des Barkeepers, eine Zitrone und Viggos durchtrennte Fußfesseln.

Jimmy machte einen Satz über die Bar hinweg und landete in der Menge. Er ignorierte die überraschten Schreie, stürmte bis an den Rand des Balkons und blickte hinunter in die Dunkelheit. Seine Augen scannten die riesige Tanzfläche, dann das Halbrund der Balkone unter ihm. Blitzschnell zeigten ihm seine besonderen Fähigkeiten, was er sehen musste – Saffron und Viggo hatten es bereits auf die Ebene darunter geschafft. Sie stürmten den Balkon entlang, pflügten durch die Menge, direkt auf eine Treppe zu.

*Wir schaffen es*, dachte Jimmy. *Wir sind der* Capita *entkommen.*

*PENG!*

Der Knall des Schusses übertönte die hämmernde Musik, hallte im Zentrum von Jimmys Nervensystem wider. Automatisch duckte er sich, rannte aber weiter. Seine Augen waren weit aufgerissen, jeder einzelne Muskel vibrierte. Niemand um ihn herum hatte reagiert. Sie hatten keine Ahnung, was sie da gehört hatten. Jimmy verdoppelte seine Anstrengungen, sprintete weiter, bis die Musik abrupt verstummte. Alle Lichter gingen an. Überall blinzelten die Menschen, taumelten durcheinander, schrien und beschwerten sich.

Jimmy bahnte sich einen Weg zum Rand des Balkons. Er musste sehen, was passiert war. Sein Verstand raste, er vergegenwärtigte sich den Klang des Schusses und woher er gekommen war. Daraus konnte er die Position des Schützen und sein Ziel ermitteln. Hatten sie auf Viggo geschossen? Auf Saffron? Auf ihn selbst? Bevor Jimmy noch einen weiteren Schritt machen konnte, peitschte ein zweiter Schuss durch den Club – und diesmal löste er Chaos aus.

# KAPITEL 20

Jimmy wurde von der Menschenmasse gegen das Balkongeländer gedrückt, die nun panisch zu den Ausgängen flüchtete. Mitten im Zentrum der Hysterie blieb Jimmy kühl und konzentriert. Er musste unbedingt erfassen, was los war. Er suchte Deckung hinter einer massiven Säule, falls man es auf ihn abgesehen hatte. Ein weiterer Schuss übertönte die Schreie. Diesmal war Jimmy darauf vorbereitet, den Schützen zu lokalisieren. Er wirbelte gerade rechtzeitig herum, um auf dem Balkon direkt gegenüber den schwarzen Lauf eines Gewehrs zu erspähen. Der Lauf zog sich zurück, verschwand in der Menge, aber der Schuss war eindeutig nach unten gerichtet gewesen.

Seine Augen huschten durch die Halle und berechneten die Flugbahn der Kugel.

Überall herrschte heilloses Chaos, aber inmitten des wogenden Meeres von Körpern auf der Ebene darunter entdeckte Jimmy Saffron, die sich einen Weg bahnte, Viggo stützend. Er war getroffen worden! Jimmy versuchte Genaueres zu erkennen, doch gleich darauf verschwanden die Köpfe seiner beiden Freunde wieder in der Masse. *Sie werden es schaffen*, versicherte

Jimmy sich selbst. *Wahrscheinlich nur ein Streifschuss. Kein Schütze kann in diesem Durcheinander jemanden gezielt treffen.* Aber die Menge zerstreute sich allmählich, besonders auf der obersten Ebene, wo Jimmy sich befand. Er war jetzt zunehmend exponiert. Er drehte sich um und suchte nach dem Schützen. Dann sah er durch die Menge den weißen Mantel der Capita-Frau. Hatte sie geschossen? Jimmy wusste sofort, dass sie es nicht war – sie kletterte auf die Bar, um über die Köpfe der Menge zu spähen. Ihre Hände waren leer und sie wirkte ängstlich.

»Nicht schießen!«, schrie sie. Ihre Stimme verlor sich in dem Lärm, aber Jimmy las von ihren Lippen ab. »Wir brauchen ihn lebend! Nicht schießen!« Als sich der oberste Balkon endlich geleert hatte und das panische Geschrei der Gäste tiefer gewandert war, konnte Jimmy ihre Worte verstehen: »Wir haben den Code H nicht!«

Natürlich – die Capita-Leute wären Narren, würden sie Viggo jetzt töten. Viggo war der Einzige, der wusste, wo der ominöse Code H war. Jimmy wusste nicht einmal, um was es sich dabei handelte, und die Capita-Frau musste inzwischen mitbekommen haben, dass er nur geblufft hatte.

Die Capita-Frau versammelte ihre Leute um sich. Rasch erteilte sie ihnen Befehle: »Haltet sie auf! Bringt Viggo lebend zurück!« Dann fiel ihr Blick auf Jimmy. Die Frau entließ ihre Leute und rief ihm zu: »Halte sie auf!«

*Meint sie mich?*, dachte Jimmy, der unter ihrem Blick erstarrte. Er wollte weglaufen, aber seine Konditionierung ließ ihn wie angewurzelt stehen bleiben. Hier oben lauerte irgendwo ein Killer, der es auf Viggo abgesehen hatte, also durfte Jimmy nicht einfach verschwinden.

»Warum schießen deine Leute auf Viggo?«, schrie die Frau, während sie auf ihn zukam. »Sag ihnen, sie sollen aufhören!«

»Das sind nicht unsere …«, stammelte Jimmy.

Die Verwirrung in seinem Gesicht spiegelte sich in dem der Capita-Frau wider. Sie starrten einander an, ihre Nasen berührten sich fast. Und im gleichen Moment erkannten beide, dass die Situation sich entscheidend verändert hatte. Jemand wollte Viggo töten, und keiner von ihnen wusste, wer es war.

Ein weiterer Schuss ließ Jimmy erschaudern. Seine Konditionierung jagte einen leichten Stromstoß durch seinen Körper und zwang seine Sinne, sich wieder zu konzentrieren. Dann herrschte plötzlich völlige Dunkelheit.

William Lees Finger zitterten auf der Tastatur. Er krümmte sich über den Computer, als ob ihm jemand ständig über die Schulter spähen würde. Dabei war außer ihm niemand mehr im großen *NJ7*-Tech-Labor. Er hämmerte auf die Tasten, als wolle er eine Ameise zerquetschen. Das war seine Waffe.

Er war in direkter Konfrontation mit einem Feind

nie gut gewesen. Waffen machten ihn nervös. Mit einem Messer konnte er höchstens eine Zwiebel schneiden. Mit einer Computertastatur dagegen konnte man so viel mehr bewirken, sauberer, effizienter und heimlicher.

Mit dem Tippen der letzten Taste schickte er seine sorgfältig formulierte Sicherheitswarnung an alle *NJ7*-Mitarbeiter in der Region und im NJ7-Hauptquartier. Miss Bennett hatte er natürlich ausgelassen. Er wollte, dass sie hierblieb. Er hatte Pläne mit ihr. Aber er prüfte noch einmal, ob die persönlichen Bodyguards des Premierministers zu den Empfängern gehörten.

Ein nervöses Lächeln huschte über seine Lippen. Er sprang auf und rannte durch die Gänge des *NJ7*. Freudig verfolgte er, wie Agent für Agent den Alarm empfing. Einige von ihnen berieten sich miteinander, andere blieben in ihrer Verwirrung lieber alleine, aber sie alle wussten um die jüngsten Probleme mit dem Satellitenüberwachungssystem. Ein Sicherheitsalarm in dieser Situation musste sehr ernst genommen werden – vor allem eine Warnung, dass alle das *NJ7*-Hauptquartier verlassen und sogar die umliegenden Straßen räumen sollten.

Lee war völlig außer Atem, als er eine entfernte Ecke des *NJ7*-Komplexes erreichte, wo ein Ausgang zum Parkplatz der Great College Street führte. Er lehnte sich gegen die Wand und versuchte, tief durchzuatmen. Sein Herz hämmerte vor Aufregung, Panik und tausend anderen Emotionen. Er konnte es selbst noch nicht richtig fassen, dass er im Begriff war, eine Regierung zu stürzen. Wo eine demokratische Wahl gescheitert war, wo ein genetisch programmierter jugendlicher Agent versagt hatte, da würde William Lee in Kürze triumphieren. In wenigen Minuten wäre Ian Coates tot.

Und wenn der gleichzeitige Anschlag auf Christopher Viggo planmäßig verlaufen war, wäre auch dieser Mann nicht mehr da, um die Macht zu übernehmen. *Und ich erledige Miss Bennett*, dachte Lee. Dann bliebe nur noch eine Person, um die Macht zu übernehmen. Für Lee spielte es keine Rolle, dass der Plan eigentlich von seinen neuen Befehlsgebern stammte und er einfach nur half, ihn in die Tat umzusetzen. *Sie können sich ruhig einbilden, sie hätten die Kontrolle*, dachte er, *aber* ich *werde an der Macht sein*. William Lee würde Premierminister, und sobald er das erreicht hatte, würde es für die Leute, die dachten, sie könnten ihn kontrollieren, ein wenig schwieriger.

Lee atmete tief durch und spähte den Flur entlang, ob der wirklich verlassen war. Er musste sich keine Sorgen wegen der Überwachungskameras machen. Darum hatte er sich schon gekümmert. Er wartete so lange wie möglich, um den *NJ7*-Agenten Zeit zu geben, die Gänge zu räumen, dann schob er die kleine weiße Tür auf, die hinaus auf den Parkplatz führte. Sein Gast trat im gleichen Moment ein, als wäre ihr Erscheinen auf die Sekunde genau getaktet. Es war eine Frau, groß und elegant, in einem langen grauen Mantel.

Ein einzelner silberner Ohrstecker glänzte hinter einem Vorhang aus langen schwarzen Haaren.

Die Killerin nahm William Lees Anwesenheit nicht zur Kenntnis. Sie glitt einfach an ihm vorbei und huschte mit lautlosen Schritten in Richtung Downing Street 10.

Eva eilte durch die *NJ7*-Korridore. Sie musste unbedingt pünktlich zu dem Termin mit ihrer Chefin erscheinen. Wenn sie sich auch nur eine halbe Minute verspätete, würde Miss Bennett misstrauisch werden. Und der geringste Verdacht vonseiten Miss Bennetts könnte verhindern, dass Eva an die Informationen kam, die Jimmy so dringend brauchte.

Eva war inzwischen mit den seltsamen und geheimnisvollen Systemen des *NJ7*-Archivs vertraut. Sie war absolut sicher, dass sie irgendwann das finden würde, was Jimmy brauchte. Das durfte sie nicht durch so etwas Albernes wie eine Verspätung aufs Spiel setzen.

Plötzlich spürte sie eine Hand um ihren Arm. Sie wurde herumgerissen und gegen die Wand gedrückt, bevor sie überhaupt Luft schnappen konnte. Der ganze Korridor schien sich um sie zu drehen.

»Was machen die da mit ihm?«, ertönte ein heiseres Flüstern, keinen Zentimeter von ihrem Gesicht entfernt. Mitchell drückte sie gegen die Wand und starrte sie an.

Eva fühlte eine Mischung aus Erleichterung und

Panik. Sie konnte den Blick nicht von seinen riesigen, schiefergrauen Augen wenden.

»Du lässt mich besser los«, sagte sie leise und war selbst überrascht, wie ruhig sie klang.

»Du bringst mich dazu, meinen Bruder in diesem Zustand zu sehen, mit einem Laserstrahl im Auge? Und dann verrätst du mir nicht, was los ist? Ich wusste, dass sie ihn irgendwo festhalten, aber was haben sie ihm angetan? Wie lange haben sie …?« Mitchell brachte den Satz nicht zu Ende und senkte den Blick.

Eva nahm sich einen Moment Zeit, bevor sie ihm antwortete. Sie hatte keine Ahnung, wie viel sie ihm verraten durfte. Wenn sie ehrlich war, war sie nicht einmal sicher, wie viel von dem, was sie herausgefunden hatte, tatsächlich stimmte.

»Ich glaube, es ist …« Sie holte tief Luft, als Mitchell wieder zu ihr aufblickte. »Ich habe etwas darüber in Dr. Higgins' alten Akten gefunden.«

»Dr. Higgins?«

Eva bereute sofort, dass sie Mitchell von ihrer Suche in den Akten des Mannes erzählt hatte. Dr. Higgins hatte das Programm ins Leben gerufen, bei dem Superagenten durch Genmanipulation erschaffen worden waren, aber der Wissenschaftler war vor dem *NJ7* geflohen und möglicherweise inzwischen sogar tot. Welchen Grund sollte Eva also haben, in seinen Unterlagen zu schnüffeln?

»Ich verstand nicht alles«, fuhr sie fort, in der Hoffnung, sie könne Mitchell ablenken, indem sie das unwissende kleine Mädchen spielte. »Es sah alles so kompliziert aus.« Sie zog einen kleinen Schmollmund und spürte, dass Mitchells Griff nachließ.

»Was stand da?«, fragte er zögernd.

»Es tut mir leid, Mitchell. Ich glaube, Dr. Higgins suchte nach einem Weg, deinem Bruder neue … Fähigkeiten zu verleihen.«

»Du meinst, solche wie … wie mir?«, stammelte Mitchell.

»Du hast sie durch deine Gene, aber dein Bruder nicht. Ich glaube, Dr. Higgins hat ein älteres Experiment wiederbelebt. Bevor er Superagenten genetisch erschaffen konnte, versuchte er es durch …«

»Durch was? Sag schon!«

»Gehirnwäsche«, erwiderte Eva schnell, fassungslos, dass es ihr überhaupt über die Lippen kam. Sie verstand nicht ganz, wie das funktionieren sollte, aber das hatte sie aus den staubigen, verblassten Regierungsberichten über Dr. Higgins' alte Experimentalprogramme entnommen. Im Laufe der Jahre war das *NJ7*-Tech-Team immer wieder mal gezwungen gewesen, Regierungsleuten ihre Forschungen zu erklären – besonders wenn sie mehr Geld wollten. Diese Dokumente waren Evas einzige Chance, zu verstehen, warum Lenny Glenthorne im Labor am Leben gehalten wurde, mit einem ständig auf sein Auge gerichteten Laser.

»Ich denke«, fuhr sie leise fort, »sie versuchen immer noch, einen Weg zu finden, die Persönlichkeit und die Absichten einer Person zu verändern … durch Manipulation ihres Gehirns.«

»Können sie auch bei schon geborenen Menschen die Gene noch verändern?«, fragte Mitchell.

Eva war überrascht. Das war nicht die Frage, die sie erwartet hatte. Warum war es das Erste, was Mitchell wissen wollte? Und warum sein seltsamer Gesichtsausdruck?

Er ließ Eva los, wich zurück und sah plötzlich verletzlicher aus, als Eva es je gesehen hatte.

»Können sie …?«, flüsterte er und sah überall hin, außer zu Eva. »Können sie jemanden vielleicht umprogrammieren …«

»Davon weiß ich nichts«, antwortete Eva und runzelte die Stirn. »Was sie mit deinem Bruder machen, ist keine Gentechnik. Das ist Gehirnwäsche! Sie halten ihn am Leben, um die alten Experimente fortzusetzen. Sie wollen das Gehirn eines Menschen verändern, wenn es schon ausgewachsen ist.«

Einige Sekunden lang starrten sie einander in die Augen, an die gegenüberliegenden Wände gelehnt. Die Haltungen ihrer Körper spiegelten einander perfekt.

»Sie verändern, wer er ist«, erklärte Eva, obwohl sie sich nicht sicher war. Ehrlich gesagt, hatte sie keine Ahnung, was man Lenny Glenthorne da in sein Hirn ballerte. »Wenn sie ihn zurückholen«, fuhr sie fort, »ist er vielleicht nicht mehr dieselbe Person.«

Zu Evas Überraschung stieß Mitchell ein Lachen aus.

»Dieselbe Person?«, spie er. »Du meinst ein elender, gemeiner …«

»Möglicherweise erinnert er sich dann nicht mehr an dich«, sagte Eva, die verzweifelt die Weichheit zurückbringen wollte, die sie nur wenige Augenblicke zuvor in Mitchells Ausdruck gesehen hatte. Aber je mehr er an seinen Bruder dachte, desto verhärteter schien er in Körper und Geist zu werden. »Er ist vielleicht nicht mehr *er* selbst!«, rief Eva aus.

Mitchell starrte sie an.

Eva wünschte, sie hätte erraten können, was in ihm vorging. Zum ersten Mal hatte sie das Gefühl, Mitchell würde sie gar nicht sehen, und sie hasste dieses Gefühl.

Dann vibrierte das Handy in seiner Tasche und holte ihn zurück in die Realität. Erschrocken zog er es heraus und überprüfte die Nachricht.

»Sicherheitsalarm«, murmelte er. »Wir müssen hier raus.«

»Aber Miss Bennett …« In diesem Augenblick erhielt Eva die gleiche Nachricht. Zumindest würde das bedeuten, dass sie ihrer Chefin die Verspätung nicht zu erklären brauchte. »Komm schon«, sagte sie. »Gehen wir.«

»Du gehst«, antwortete Mitchell nach einer Sekunde. »Ich bleibe.« Er blickte den Gang entlang in die entgegengesetzte Richtung – weg vom nächsten Ausgang. Eva wurde klar, dass er auf die Technikräume starrte, in denen sich sein Bruder befand.

»Du kannst nicht …«, versuchte Eva zu protestieren,

aber ihre Worte gingen unter, als eine Reihe von *NJ7*-Agenten an ihr vorbeistürmten. »Was ist mit …?«

»Wenn er nicht mehr er selbst ist«, sagte Mitchell leise, »ist er es vielleicht wert, gerettet zu werden.« Er schenkte ihr einen letzten Blick, bevor er in der Dunkelheit des *NJ7*-Labyrinths verschwand. »Danke, Eva.«

»Wenn du bleibst, bleibe ich auch!«, flüsterte Eva ihm hinterher. Sobald die Worte ihren Mund verlassen hatten, fragte sie sich, warum sie das gesagt hatte. Hatte Mitchell sie etwa gehört? Eva beruhigte ihre Nerven und eilte den Flur hinauf zu Miss Bennetts Büro.

# KAPITEL 21

Rasch hatten sich Jimmys Augen an die Dunkelheit gewöhnt. Sein Körper wurde von der gebündelten Energie seiner Konditionierung überschwemmt. Er bemühte sich verzweifelt, seine menschliche Seite wach zu halten, um seine Agenten-Instinkte zu kontrollieren. Er benötigte seine kompletten Fähigkeiten, um herauszufinden, was hier geschah.

Er befand sich auf dem obersten Balkon des Clubs, und er wusste, dass der letzte Schuss von dieser Ebene aus gefallen war. Auf der Ebene darunter kämpften sich Saffron und Viggo durch die Menge. Irgendwo im bläulichen Schimmer dieser Halle gab es Antworten, die er finden musste.

Gerade als er dachte, er hätte die Kontrolle über sich selbst zurückgewonnen und genügend Mut zum Handeln, wurde er erneut zutiefst verunsichert. Diesmal nicht durch eine Kugel, einen Armbrustpfeil oder eine Faust, sondern durch einen plötzlichen Lichtblitz. Die gesamte Halle leuchtete für einen Sekundenbruchteil gleißend hell auf. Und gleich darauf explodierte der ganze Raum erneut in Helligkeit, bevor er wieder in völlige Dunkelheit versank. Stroboskopbeleuchtung –

der Killer hatte die Anlage des Clubs aktiviert und damit Jimmys Nachtsichtfähigkeit unbrauchbar gemacht. Seine Augen hatten so nicht genug Zeit, um auf die ständigen Wechsel zwischen Hell und Dunkel zu reagieren. Tatsächlich war Jimmy dadurch so blind wie jeder normale Mensch im Raum. Er sah die Ereignisse nur in kurzen Ausschnitten. In den Momenten dazwischen hatte er keine Orientierung – und solche Momente, das wusste Jimmy, waren tödlich.

Bevor er richtig in Panik geraten konnte, kletterte Jimmy kurz entschlossen über das Balkongeländer. Es war die einzige Chance, in diesem Chaos voranzukommen. Der Club war immer noch voller Leute, und obwohl sich die oberste Etage langsam leerte, waren die Treppenhäuser verstopft. Jimmy würde außen an den Balkonen hinunterklettern müssen. *Beschütze Viggo*, befahl er sich selbst und schob seine Angst beiseite. *Finde den Killer*.

Er biss die Zähne zusammen und ließ sich außen am Balkon herab. Seine Bewegungen waren sicher und das stärkte sein Selbstbewusstsein. Er war fast dankbar, dass er nicht sehen konnte, wie tief er stürzen könnte. Seine Programmierung schrie: *Runter! Beschütze Viggo! Finde den Schützen!* Von der Unterkante des Balkons schwang er sich auf die nächsttiefere Ebene und stürzte dabei mitten in eine Gruppe schreiender Club-Gäste. Sobald er sich aufgerappelt hatte, beugte er sich über die Balkonbrüstung auf dieser Ebene.

Er fühlte den brennenden Drang, in Bewegung zu

bleiben, trotzdem hielt er kurz inne, um sich ein Gesamtbild der Szenerie zu machen. Saffron war bereits zwei Stockwerke tiefer. Jimmy erspähte sie in der Menge, in der Halle ganz rechts von ihm. Aber Viggo war nicht bei ihr. Unter dem Beschuss hatte sie ihn wohl loslassen müssen. Gleich darauf aber sah Jimmy, wie Viggo sich hinter ihr einen Weg bahnte. *Er läuft*, bemerkte Jimmy erleichtert. *Er kann nicht so schwer verletzt sein.*

Jimmy schlüpfte über das Balkongeländer, um weiter nach unten zu klettern, aber der nächste Stroboskopblitz ließ ihn innehalten. Die Menge um Viggo dünnte sich aus. Gleichzeitig war Saffron zu weit von ihm entfernt – sie war von der panischen Menge vorangeschoben worden bis zum nächsten Treppenhaus. In diesem Moment stürzte das Einsatzteam der Capita aus dem Schatten und schnappte sich Viggo. Jimmy sah, wie der Mann sich wehrte, und er versuchte zu erkennen, wo er angeschossen worden war. Wie sehr würde das seine Kampffähigkeiten beeinträchtigen? In Sekundenschnelle erhielt Jimmy die Antwort: Die Capita-Wachen überwältigten ihn spielend und schleppten ihn weg.

»NEIN!«, schrie Jimmy und sprang über den Balkon. Eine Ebene tiefer packte er im Fall das Geländer, zog sich über die Brüstung und landete mit einer Seitwärtsrolle. Aber er war immer noch ein Stockwerk zu hoch. Er spähte hinunter, doch Viggo und die Capita-Wachen waren verschwunden.

*PENG!*

Ein weiterer Schuss, noch mehr verängstigtes Geschrei der Clubbesucher.

*Die* Capita *will Viggo lebend*, dachte sich Jimmy. *Sie werden ihn vor den Kugeln abschirmen.* Und dann sah er seinen Freund wieder, inmitten der Menge, Capita-Agenten zu beiden Seiten, die ihn schleppten. Die kleine Gruppe drängte sich rücksichtslos durch die Menge. *Sie benutzen die Leute, um ihn abzuschirmen*, realisierte Jimmy. Der Agent in Jimmy zollte ihnen Anerkennung – die Capita-Taktik würde sicher aufgehen. Aber Jimmys Freude verflog rasch, denn sein menschlicher Anteil fand es unmöglich, dass er sich für eine Strategie begeisterte, die unschuldige Leben gefährdete. *Finde den Schützen*, ermahnte er sich erneut. *Und dann rette Chris.*

Jimmy drehte sich, um den Überblick zu bekommen. Wo würde sich ein Attentäter verstecken?

Noch ein Schuss.

Alle zuckten zusammen, nur Jimmy nicht. *Das Gewehr!* Jimmy bemerkte es aus den Augenwinkeln. Ein schwarzer Schemen, der für einen Augenblick auftauchte, direkt gegenüber der Balkonseite, auf der sich Saffron und Viggo befanden. Beim nächsten Lichtblitz war der Schemen verschwunden, aber Jimmy hatte genug gesehen. Er kletterte auf das Balkongeländer und rannte nach links, ein wenig ungläubig, dass er sich so schnell auf einem derart schmalen Sims bewegen konnte.

Er lehnte sich sogar in die Kurve, flitze um die Halle,

wobei seine Zehen zuverlässig den Handlauf erspürten. Jimmy verfluchte das Stroboskoplicht. Deswegen hinkte seine Wahrnehmung immer eine halbe Sekunde hinter den realen Ereignissen her. Er scannte die Ebene eins tiefer nach sich eilig bewegenden Schatten. Eine Gestalt fiel ihm auf. Saffron kletterte über den Balkon. Versuchte sie ebenfalls, der Menge auszuweichen? Wollte sie zu Viggo? Jimmy lief weiter, entfernte sich von Saffron, näherte sich mit jedem Schritt dem Ort, an dem er die Waffe gesehen hatte.

Doch dann blickte er abrupt zurück. Etwas in ihm, irgendein Instinkt – menschlich oder nicht –, hatte ihn alarmiert. Was er sah, ließ sein Blut gefrieren. Ein einziger Stroboskopblitz erleuchtete die Silhouette einer Frau, die sich am Geländer des Balkons festhielt. Auch der Schütze musste das gesehen haben. Ein weiterer Schuss krachte. Jimmy rannte immer noch, wurde aber automatisch langsamer. Saffrons Körper zuckte. Aus ihrer Schulter lief Blut.

»NEIN!«, schrie Jimmy.

Im nächsten Augenblick hing Saffron nur noch mit einem Arm an der Unterkante des Balkons. Ihr anderer Arm baumelte schlaff an der Seite, eine Blutspur schlängelte sich von ihrer Schulter herab.

Jimmy blieb abrupt stehen, hielt nur mühsam die Balance. Auf einer Seite hing Saffron in der Luft, ihre Finger drohten abzurutschen, unter ihr die gähnende Tiefe. Auf der anderen Seite, irgendwo in der Dunkelheit, lauerte der Killer.

*Die Mission*, hörte Jimmy in seinem Kopf. *Finde den Schützen.* Seine Gedanken waren wie Maschinengewehrfeuer. Seine Programmierung würde keine andere Antwort akzeptieren – er musste weiterlaufen, er musste Saffron ignorieren und den Schützen finden. Für den Bruchteil einer Sekunde erinnerte sich Jimmy an Chisley Hall. *Jeder ist für sich selbst verantwortlich! Beende die Mission!*

Aber Jimmy wollte nicht nachgeben. Er brachte seine Muskeln unter Kontrolle, riskierte dabei, das Gleichgewicht zu verlieren. Die ganze Zeit sah er Saffron über dem Abgrund baumeln, jeder Lichtblitz offenbarte, dass sie immer mehr den Halt verlor. Und es gab niemanden, der ihr helfen konnte. Die Menge war weg, geflohen vor dem letzten Schuss, und trampelte die Treppen hinunter.

*Die Mission!*, schrie es in Jimmys Kopf. *Rette Chris! Findet den Schützen!* Jimmys Schädel pochte und seine Brust fühlte sich an, als würde sie platzen. *Soll sie doch stürzen! Sie ist nicht wichtig!*

»Die Mission ist es, lebend hier rauszukommen!«, brüllte er verzweifelt, um seine eigenen Instinkte zu überwältigen. »Wir alle!« Er sprintete los – nach rechts, in Saffrons Richtung. Die Schreie der Menge ignorierte er. Er hörte nur noch das Pochen seines Blutes in den Ohren. Seine Schritte hämmerten mit der doppelten Geschwindigkeit des Stroboskoplichts über das Balkongeländer, als wären die Blitze Treibstoff für seinen Körper.

Er war nur wenige Meter von ihr entfernt, als ein letzter Schuss durch die Halle krachte. Es hallte von den Balkonen und in Jimmys Kopf wider. Sein Verstand analysierte automatisch den Klang des Schusses und sein Echo. Der Lärm verriet ihm, dass sich diese Kugel in Fleisch gebohrt hatte.

*Ich hätte es verhindern können*, hörte Jimmy sich selbst denken. Da war er sich hundertprozentig sicher. Diesen Treffer hätte er verhindern können, wenn er seinen Instinkten gefolgt wäre und den Schützen gejagt hätte, anstatt zu Saffron zu rennen.

Seine Muskeln pumpten härter, verzweifelt um die zusätzliche Geschwindigkeit bemüht, die Saffron das Leben retten könnte. Er blinzelte in die weißen Blitze, bittere Tränen ließen seine Sicht verschwimmen. Immer wieder war da in seinem Kopf das Bild einer Kugel, die niemals hätte abgefeuert werden dürfen. Wen hatte sie getroffen?

Mitchell zog das schwarze Laken, das seinen Bruder bedeckte, herab. Er blickte auf den bewegungslosen Körper. Da lag Lenny Glenthorne, einen grünen Laser auf seine rechte Pupille gerichtet. *Geschieht dir recht*, dachte Mitchell. Er trat näher und legte seine Hände auf die Platte direkt neben der Schulter seines Bruders. Er war von sich selbst angewidert, als er sah, wie seine Finger zitterten.

»Es geschieht dir recht!«, sagte er laut und in der Gewissheit, dass ihn niemand stören würde. Auf dem

Weg zu den Techniklabors war er an zahlreichen flüchtenden *NJ7*-Mitarbeitern vorbeigekommen. Inzwischen hatten alle den unterirdischen Komplex verlassen. Mitchell war allein mit dem jungen Mann, der einst seine einzige Familie gewesen war. *Und mein schlimmster Feind*, dachte er. Durch seinen Verstand blitzten tausend Bilder, wie sein Bruder ihn runtergemacht hatte, der Klang seines spöttischen Lachens, das Gefühl seiner Schläge.

»Tut es weh?«, flüsterte Mitchell und beugte sich zum Ohr seines Bruders. Die Worte hallten von den Wänden des Labors wider. Mitchell ballte seine Fäuste. Was passierte gerade? Warum war er nicht glücklich über das, was er sah? Als Eva ihm seinen Bruder gezeigt hatte, war in ihm merkwürdigerweise nicht die überschäumende Freude aufgekommen, die er eigentlich erwartet hätte beim Anblick seines leidenden Bruders. *Es ist ein Schock gewesen*, wurde ihm klar. Aber jetzt, beim zweiten Mal, wollte er seine rachsüchtigen Gefühle genießen.

»Du hast es verdient!«, rief er. Doch seine Hände zitterten immer noch und seine Brust fühlte sich leer an. Er hämmerte seine Faust auf die Platte. »Was machen sie mit dir?«, flüsterte er. »Bist du noch da drin? Bist du immer noch … ein Mensch?« Mitchell verstummte, fühlte, wie sich alles in seinem Kopf drehte.

Endlich stieß er sich von der Platte ab, rang nach Atem. Er umkreiste die Liege und inspizierte die Maschine, die den Laser in Lenny Glenthornes Auge feuerte. Da war ein winziges Flackern im grünen Licht. Was bedeutete das? Machte der Laser etwas mit Lennys Auge, oder sollte er direkt ins Gehirn dringen, um eine Art Information zu transportieren? *Oder ist es ein Training?*, dachte Mitchell.

Es gab keine Hinweise auf die Art der Maschine, trotzdem inspizierte Mitchell sie eingehend, dankbar, weil es ihn von der inneren Qual ablenkte.

Plötzlich störte ein Geräusch seine Konzentration. Ein leises Schlurfen. Marschierten da flüchtende *NJ7*-Agenten an den Labors vorbei? Nein, es war eine einzelne Person, und sie marschierte nicht. Es war der Schritt von jemandem, der nicht gehört werden wollte.

Mitchells Instinkte traten in Aktion. Er durfte nicht hier sein, nicht gesehen werden. Schnell breitete er das schwarze Tuch wieder über seinen Bruder und stürzte lautlos die dunkle Treppe hinauf, die zum Hauptgang führte. Von dort sah er eine große Frau in einem langen grauen Mantel aus dem Schatten treten und vorbeigleiten. Im Licht glitzerte ihr Ohrring. Mitchell verharrte in der Dunkelheit und analysierte die Fremde. Sie war nicht vom *NJ7* – sie bewegte sich nicht mit der Präzision und Kraft von jemandem mit militärischem Training. Tatsächlich, dachte Mitchell, *bewegt sie sich mehr wie ein Zombie*. Ihr Blick war starr, ihr gleichmäßiges Tempo änderte sich nie.

Für eine Sekunde überlegte Mitchell, ob er einen Geist beobachtete. Ein Schauer durchlief ihn. *Sei nicht albern*, ermahnte er sich selbst. Dann, am Ende des Korridors, hielt die Frau inne. Unter ihrem Mantel holte sie eine schwarze Sturmhaube hervor und zog sie über den Kopf.

*Komischer Geist*, dachte Mitchell.

# KAPITEL 22

Ian Coates lauschte auf die Musik und wünschte, sie könnte seine Gedanken auslöschen und ihn in eine andere Welt entführen. Er war zum ersten Mal seit einer gefühlten Ewigkeit allein, genoss die kühle Luft und den beruhigenden orangefarbenen Schimmer der Schreibtischlampe. Er wusste nicht, wohin sein Personal verschwunden war, und es war ihm auch egal. Sogar seine Leibwächter waren zu einem Notfall gerufen worden. Er mochte der Premierminister sein, aber Miss Bennett hatte die Führung, und wenn sie entschied, den gesamten Geheimdienst für eine riesige Operation abzukommandieren, würde er nicht versuchen, sich ihr in den Weg zu stellen.

*Vielleicht ist es eine Übung*, dachte er, *oder jemand kommt, um mich zu töten.* Er ließ seinen Kopf an die Rückenlehne seines Sessels sinken und erlaubte sich ein Lachen, das nicht sonderlich glücklich klang.

Er schloss die Augen und versuchte sich wieder auf die Musik zu konzentrieren. Jeder Ton des barocken Klavierstücks schien eine andere Angst, ein anderes Bedauern in ihm auszulösen. Und rasch begann sein Gehirn, die Töne der Musik umzudeuten. Anstatt seinen Geist zu entspannen, war es plötzlich, als verhöhne ihn die Melodie, als würde sie ein Spottlied singen. Und jedes Wort dieses Lieds war ihm verhasst: *Macht, Verrat, Tod, Familie … Jimmy.*

»Genug!«, brüllte er und sprang auf. Er hob die Lautsprecher hoch und donnerte sie auf den Teppich, bis die Musik nur noch ein blechernes Wimmern war, dann verstummte sie ganz.

Als er aufblickte, erschrak er so heftig, dass es ihn fast von den Füßen gerissen hätte. Sein Herz hämmerte in seiner Brust: Da war noch jemand anderes im Raum. Eine Gestalt stand in der Ecke des Zimmers im Schatten.

»Wer sind Sie?«, raunzte Coates und versuchte, Autorität in seine Stimme zu legen. »Was haben Sie hier zu suchen?«

Plötzlich sprang der Schatten nach vorne. Ian Coates sah einen grauen Mantel, der sich hinter dem Angreifer bauschte, und eine blitzende Klinge. Ian Coates schrie, doch sein Körper geriet nicht in Panik. Er war vom *NJ7* trainiert worden, und obwohl er seit Jahren keinen aktiven Dienst mehr schob, war er immer noch stärker und schneller als jeder Zivilist. Sofort verlagerte er sein Gewicht zur Seite, ließ den Angreifer auf sich zukommen, wartete auf den perfekten Moment, um ihm auszuweichen.

Die Klinge zielte direkt auf seinen Hals. Coates lehnte sich zurück, bog den Hals zur Seite, alle seine Instinkte waren hellwach. Aber die Reichweite des

Angreifers war beträchtlich. Coates musste sich so weit zur Seite neigen, dass er fast das Gleichgewicht verloren hätte und einen Schritt nach hinten machen musste. Dabei stolperte er über die Trümmer der Lautsprecher. Krachend fiel er auf den Rücken, Plastiksplitter bohrten sich in seine Wirbelsäule, während die Metallklinge direkt auf seine Kehle zuschoss.

*KRAXX!*

Der Angreifer wurde zur Seite geschleudert und knallte gegen einen Aktenschrank.

Ian Coates blinzelte, schnappte nach Luft und betastete seinen Hals. Er war unverletzt. Als er wieder klar sehen konnte, bemerkte er, dass Mitchell über ihm stand und eine Hand ausstreckte. Dann dämmerte Coates, dass dieses Geräusch, das er gehört hatte, Mitchells Knie gewesen war, als er damit dem Eindringling die Rippen brach.

»Wo sind Ihre Bodyguards?«, rief Mitchell.

»Sie … sie …« Coates bekam kaum einen Ton heraus.

Er umklammerte immer noch seine Kehle, als ob er nicht fassen könne, dass darin kein Dolch steckte.

Der Eindringling neben ihnen war in einen langen grauen Mantel gehüllt. Erst jetzt bemerkte Coates an der Figur seines Angreifers, dass es eine Frau war. *Miss Bennett!* Der Name schoss ihm durch den Kopf, aber er verwarf ihn sofort wieder. Wenn sie ihn hätte töten wollen, hätte er die Klinge gar nicht erst zu Gesicht bekommen. *Wer dann …?*

Mitchell bemerkte, dass die Frau zuckte. Er packte sie am Kragen und schleppte sie durch den Raum. »Ihre Wachmannschaft!«, rief er dem Premierminister dabei zu. »Wo steckt sie?«

»Ich weiß nicht … Ich …« Ian Coates fand endlich seine Stimme wieder, konnte aber den Blick nicht von der Frau wenden, die mit einer Sturmhaube maskiert an der Wand lehnte.

»Der *NJ7* wurde evakuiert«, überlegte Mitchell. »Alle Agenten sind weg. Wir haben eine Nachricht …«

»Von Miss Bennett?«, platzte Coates heraus. »Sie hat den Killer hereingelassen, um …«

»Nein.« Entschlossen wies Mitchell dessen Idee zurück. Auch er wusste, dass ein Misserfolg auszuschließen gewesen wäre, hätte Miss Bennett Ian Coates tot sehen wollen. Trotzdem arbeitete Mitchells Verstand auf Hochtouren. Wenn Miss Bennett die Killerin nicht beauftragt hatte, wer dann? Sicherlich nicht Christopher Viggo. Er hätte Jimmy geschickt oder den Job selbst erledigt. Und sicherlich nicht die Franzosen, die Zafi, ihre eigene jugendliche Superagentin, eingesetzt hätten. Und wer auch immer dahintersteckte: Was hätte es gebracht, Ian Coates zu ermorden, solange Miss Bennett noch am Leben war? Denn Miss Bennett war diejenige, die das Land wirklich regierte. Wenn jemand etwas ändern wollte, müsste er sie ebenfalls beseitigen. Er müsste ….

»Miss Bennett!«, keuchte Mitchell. »Wo ist Miss Bennett?«

In diesem Moment flog die Tür auf und Mitchells Frage wurde beantwortet. Miss Bennetts Silhouette erschien im Türrahmen, das Haar ungewöhnlich wild, wie loderndes schwarzes Feuer um ihren Kopf. Sie stemmte eine Hand in die Hüfte, während die andere etwas gepackt hielt. Als sie das Arbeitszimmer des Premierministers betrat, funkelte Wut in ihren Augen. Dann sah Mitchell, was sie hielt. Ihre Finger umklammerten den dicken Haarbusch William Lees. Der lange Körper des Mannes erstreckte sich auf dem Teppich in Miss Bennetts Schatten.

»Schauen Sie, was ich gefunden habe«, verkündete Miss Bennett vor Zorn bebend. Sie stieß Lees Körper nach vorne, in die Mitte des Raumes. Das einzige Zeichen, dass er noch lebte, war ein Grunzen, als seine Brust auf den Boden schlug.

Ian Coates sah sie entsetzt an. »Er hat versucht …?«

»Ja, Ian«, seufzte Miss Bennett, während sie gekonnt ihr Haar ordnete.

»Dieser Idiot hat versucht, mich zu erstechen. Wollen Sie mir vielleicht erklären, was los ist?«

»Ich dachte, Sie hätten ihn unter Kontrolle«, erwiderte Coates.

Mitchell fühlte, wie sich Miss Bennetts Blick auf ihn richtete. Sie nahm alles um sie herum gleichzeitig auf.

»Diese Frau wollte Sie zur selben Zeit beseitigen«, sagte sie. Es war keine Frage. »Ich bin erleichtert, das zu sehen.«

»Erleichtert?«, staunte Coates.

»Ja«, kam die scharfe Antwort. »Wäre kein Anschlag auf Sie verübt worden, hätte ich angenommen, dass Sie mit *ihm* unter einer Decke stecken.« Sie stieß einen Daumen in William Lees Richtung. Der Mann war nur noch ein willenloser Gliederhaufen, der keuchend atmete.

»Wer hat Sie dazu angestiftet?« Miss Bennett trat in William Lees Rippen. Der Kopf des Mannes rollte nach hinten, seine Augen verdrehten sich unkontrolliert. »Wer hat Sie geschickt?!« Wieder keine Reaktion.

»Was haben Sie mit ihm gemacht?«, flüsterte Coates.

»Es war Selbstverteidigung«, ertönte eine weitere Stimme von der Tür.

Mitchell drehte sich um und bemerkte, dass Eva hinter ihrer Chefin in den Raum geschlüpft war.

»Miss Bennett wurde angegriffen«, sagte sie mit zitternder Stimme. »Und dann … dann …«

»Danke, Eva«, unterbrach sie Miss Bennett gelassen. »Sie will sagen, dass er nicht die geringste Chance hatte.« Ihre Augen wurden schmal. »Versuchen wir es mal bei ihr.« Sie machte Mitchell ein Zeichen, zu der maskierten Frau zu gehen. »Bring sie her. Finde heraus, wer sie geschickt hat.«

Mitchell packte die Frau an den Schultern und schleifte sie ins Licht. Seine Konditionierung arbeitete auf Hochtouren. Die Schultern dieser Frau waren nicht sonderlich kräftig. Das war keine trainierte Agentin. Er lehnte sie gegen den Schreibtisch des Premierministers und zog ihr langsam die Sturmhaube vom Gesicht, dabei blieb er immer in Verteidigungsbereitschaft, falls die Frau erwachen und einen Gegenangriff versuchen sollte.

Sie tat nichts dergleichen, sondern kam jetzt gerade erst wieder zu sich. Aber als Mitchell ihr Gesicht enthüllte, war die Wirkung auf die Anwesenden überraschender als jeder körperliche Angriff. Eva stockte kurz der Atem. Der Premierminister taumelte rückwärts und stützte sich gegen den Aktenschrank.

»Wo bin ich?«, sagte die Frau. »Was ist …?« Sie schaute sich um, blinzelte im schwachen Licht, um die Gesichter der Menschen im Raum zu erkennen. Nach ein paar Sekunden bemerkte sie den Premierminister. »Ian …«, sagte sie, halb lächelnd, als ob sie einen Freund wiedererkannt hätte. Dann runzelte sie die Stirn und sah sich ratlos um. »Wie bin ich hierhergekommen?« Sie starrte Eva an. »Du«, sagte sie neugierig. »Dich kenne ich auch.«

Eva versuchte etwas zu erwidern, aber ihre Kehle war wie zugeschnürt.

Endlich brach der Premierminister das Schweigen.

»Olivia«, sagte er sanft. »Wir müssen wissen, wer Sie hierhergeschickt hat.«

Die Frau sah zu ihm auf, die Augen ängstlich geweitet und mit zitternden Lippen.

»Aber wo sind wir?«, flüsterte sie. »Und wo ist Felix? Wo ist mein Sohn?«

Jimmy flankte über den Balkon, wobei er sich mit den Händen am Geländer festhielt. Dann kletterte er wie eine Spinne, verlagerte sein Gewicht mit Präzision und Tempo, schließlich schwang er sich in Saffrons Richtung, packte sie und ließ sich mit ihr auf die nächste Ebene hinuntergleiten. Dann musterte er sie mit besorgtem Blick.

»Mir geht's gut«, sagte Saffron sofort und versuchte kräftiger zu klingen, als sie es war. »Ich wurde schon schlimmer angeschossen, erinnerst du dich? Das ist nur ein Kratzer.« Sie umklammerte ihre Schulter, Blut sickerte zwischen ihren Fingern hindurch. Aber in ihren Augen funkelte Entschlossenheit. »Such Chris«, flüsterte sie. »Es gibt nur einen Schützen und Chris ist das Ziel. Ich gehe in den Keller. Deine Mutter und die anderen werden mir helfen.«

»Sie sind hier?«

Saffron nickte. »Ich hab eine SMS bekommen. Sie werden mich wegbringen und zusammenflicken.«

»Ja«, sagte Jimmy. »Felix ist ein medizinisches Genie.« Er zwang sich zu lächeln und war erleichtert, als Saffron zurücklächelte.

»Los!«, befahl Saffron, und Jimmys Körper reagierte prompt. Er schlich weiter, spähte in die Dunkelheit, prägte sich den Rhythmus der Stroboskopblitze ein – wann er laufen, wann er schauen musste.

Eine Ebene tiefer entdeckte er Viggo, der auf beiden Seiten von Capita-Wachen gehalten wurde und offensichtlich kampfunfähig war. Jimmy duckte sich und sprintete genau über ihnen hinweg. Dann hechtete er, ohne zu zögern zur Brüstung, ließ sich nach unten gleiten, umklammerte die Unterkante des Balkons und schwang sich mit gestreckten Beinen wie ein olympischer Turner auf diese Ebene. Er war so schnell, dass keiner der Wachen ihn kommen sah. Alles geschah in einem einzigen Atemzug zwischen zwei Stroboskopblitzen. Jimmys Fersen trafen exakt das Schlüsselbein einer Wache, der Mann taumelte, stolperte und fiel.

Jimmy drehte sich in der Luft und benutzte den Körper der Wache als Trampolin, um wieder auf die Beine zu kommen. Den zweiten Mann erwischte er mit einem *coup de pied bas* – einem niedrigen Tritt des Innenfußes, der dem Gegner das Knie wegfegte. Der Wächter brach zusammen und fiel auf seinen Partner.

Nun, da er nicht mehr gehalten wurde, schwankte Viggo, fiel nach vorne. Jimmy packte seinen Freund, lud ihn sich auf den Rücken und trug ihn weg von den Wachen, um die Kurve des Balkons. Er spürte die Wärme des Blutes aus Viggos Bauch, das sich über seinem eigenen Rücken ausbreitete. Als sie außer Sichtweite der Wachen waren, bettete Jimmy seinen Freund auf den Boden, um sich die Wunde anzusehen. Der Mann war schlimmer verletzt als gedacht. Er war zwei Mal getroffen worden.

»Jimmy …«, stöhnte Viggo.

Jimmy versuchte herauszufinden, ob er etwas tun konnte, um die Blutung einzudämmen. *Ich hätte den*

*Schützen ausschalten sollen*, dachte er. Er bereute diesen Moment des Zögerns zutiefst. Hier *ist die letzte Kugel gelandet! Ich hätte meinem Instinkt folgen sollen!* Würde diese Unentschlossenheit Viggos Leben kosten? Er hätte vielleicht die Kraft, sich von einer Kugel zu erholen, aber gleich zwei …

»Jimmy …«, flüsterte Viggo erneut, diesmal eindringlicher. Doch es blieb keine Zeit für weitere Worte. Ohne sich umzusehen, spürte Jimmy die schweren Schritte zweier riesiger Wachen, die auf sie zustürmten. Er vollführte einen Rückwärtskick in Kopfhöhe – mit perfektem Timing. Durch seinen Schuh spürte er die Zähne des Wachmannes. Gleich darauf stieß er sein anderes Bein nach hinten, rammte seinen Fuß in den Bauch der zweiten Wache.

Viggo hievte sich hoch, schwankte und umklammerte die Wunde in seinem Bauch. Doch statt in den Kampf einzusteigen, drehte er sich wie ein Blatt im Wind – und stürzte über das Balkongeländer. Jimmy packte ihn gerade noch mit beiden Händen. Er hielt ihn fest, um ihn vor dem Sturz zu bewahren. Genau in dem Augenblick entdeckte Jimmy den Killer.

Ein Blitz erhellte die Halle, während die letzten Clubgäste aus den Türen flohen. Allein auf der Tanzfläche blieb eine einzige Gestalt zurück: ein maskierter Mann in einem langen grauen Mantel, mit einem Gewehr in der Hand. Ein Blick auf Jimmy und Viggo reichte ihm. Er hob das Gewehr, aber Jimmy reagierte, bevor der Schütze zielen konnte.

In einer einzigen gewaltigen Bewegung riss Jimmy Viggo hinter den Schutz einer Säule, dann sprang er über die Brüstung. Es war ein Sturz über fünf Stockwerke, aber er hatte keine andere Wahl. Er zog die Knie an, überschlug sich mehrfach. Sieben Sekunden lang fühlte es sich an, als würde er sich wild in der Luft drehen. Der schwarze Boden des Clubs schoss heran, aber Jimmys innere Kraft war auf ihrem Höhepunkt. Er rammte noch im Fall seine Fäuste in den Nacken des Schützen. Die Landung presste den Atem aus Jimmys Lungen, aber der Mann unter ihm dämpfte seinen Sturz.

Sofort stieß Jimmy das Gewehr weg. Er drehte den Schützen auf den Rücken, der Präzisionstreffer auf die Nervenbahnen hatte ihn bewusstlos geschlagen. Jimmy platzierte seine Knie auf den Schultern des Mannes und zog ihm die Sturmhaube vom Kopf.

Der nächste Stroboskopblitz schien ewig anzudauern. Jimmy sah das Gesicht des Attentäters, doch sein Gehirn weigerte sich, die Information zu verarbeiten.

*Ich halluziniere*, dachte Jimmy. *Das kann nicht wahr sein.* Aber auch als er länger hinstarrte, blieb das Gesicht dasselbe. Der Mann war bewusstlos, seine Lider halb offen – er hatte große, braune Augen und Jimmy hatte oft ihren gütigen Ausdruck gesehen. Und da waren die vertrauten silberne Bartstoppeln auf den Wangen des Mannes. Sein Gesicht war dünner als das letzte Mal, als sie sich begegnet waren, aber da war immer noch eine Andeutung von Hamsterbacken um den Unterkiefer.

Jimmys Gehirn schrie vor Verwirrung: *Warum ist Neil Muzbeke hier? Warum versucht Felix' Vater, Christopher Viggo zu töten?*

# KAPITEL 23

Eva brachte ein Tablett mit Tee herein. Das Zittern ihrer Hände ließ die Tassen klappern. Miss Bennett erteilte am Telefon Befehle, berief ein *NJ7*-Einsatzteam ins Hauptquartier zurück und setzte andere an strategisch wichtigen Orten im ganzen Land ein, nur für den Fall, dass der Putschversuch noch nicht vorüber war. Ian Coates war hinter seinem Schreibtisch zusammengesunken und stützte den Kopf in die Hände, während Mitchell Olivia Muzbeke in einen Sessel half. Der Schmerz in ihren Rippen war offensichtlich, ebenso wie ihre totale Verwirrung.

»Wir müssen ein paar Antworten aus ihr rausholen«, sagte Miss Bennett zu niemandem im Speziellen.

»Was sollen wir tun?«, seufzte Ian Coates. »Sie erinnert sich an nichts!«

»Ich schlage ja auch nicht vor, dass wir es aus ihr herausprügeln«, murmelte Miss Bennett und donnerte das Telefon zurück in die Dockingstation. »Sie weiß offensichtlich nichts – zumindest nicht bewusst.«

»Ich kann mich nicht …« Olivia Muzbekes Stimme bebte, ihre Hände waren zittrig, und als Eva ihr die Teetasse gab, verschüttete sie etwas von der heißen braunen Flüssigkeit. »Ich erinnere mich an Blitze ...«, murmelte Olivia. »Nur einzelne Bilder, wirklich ... Ein alter Mann ...«

»Was ist das Letzte, woran Sie sich erinnern?«, fragte Miss Bennett.

Olivias Augen leuchteten. »Felix«, verkündete sie. »Ich erinnere mich, dass ich Felix gesehen habe. Wir waren in New York. Ja, das stimmt – ich erinnere mich, dass ich in Amerika war.«

»Die Amerikaner«, knurrte Miss Bennett. »So viel steht fest. Ich wusste, wir können ihnen nicht trauen! Sie konnten Großbritannien nicht einfach unabhängig regieren lassen, oder?!«

»Was ist mit ihm?«, fragte Mitchell und nickte in William Lees Richtung. »Er war in den letzten Monaten sicher nicht in Amerika.«

»Die *CIA* hat überall ihre Tentakel«, antwortete Miss Bennett. »Vermutlich haben sie ihn kontaktiert, als sie mitbekamen, dass er hier keine Autorität mehr hat. Oder er wandte sich an sie. So oder so, es spielt keine Rolle.«

»Die Satellitenüberwachung«, keuchte Eva. »Mr Lee sollte sie reparieren, aber ...«

»Aber er war derjenige, der sie sabotiert hat.« Miss Bennett nickte grimmig. »Er sollte für die Überwachungsausfälle sorgen, damit die *CIA* ihren Killer reinschicken konnte.«

»Killer?«, stöhnte Olivia Muzbeke, die mit den Tränen kämpfte. »Habe ich ...?«

»Keine Sorge«, sagte Eva sanft. Sie setzte sich neben Olivia und hielt ihre Hände. Als Eva der Frau in die Augen schaute, brach sie beinahe selbst in Tränen aus. Sie hätte ihr so gerne alles erzählt, was sie über Felix wusste. *Es geht ihm gut*, schrie es in Evas Kopf. *Es geht ihm gut! Er ist da draußen mit Jimmy, und sie vermissen dich, und es geht ihnen gut!*

»Versuche ihn wach zu bekommen«, sagte Miss Bennett zu Mitchell und deutete auf William Lee. »Wir müssen wissen, was er mit dem Überwachungssystem angestellt hat, damit wir es reparieren können.«

»Und finde heraus, ob da noch mehr Killer sind …«, fügte Ian Coates hinzu. Er sprang auf und trat von einem Fuß auf den anderen, während er zwischen den Vorhängen hindurchspähte. »Es könnten jede Menge von ihnen da draußen lauern … in Amerikas Auftrag …«

Mitchell kniete sich neben William Lee. Er überließ sich jetzt ganz seiner inneren Kraft. Nach dem Chaos der heutigen Ereignisse war es eine Erleichterung, zu spüren, wie seine Instinkte die Kontrolle übernahmen. Seine Hände schlossen sich um William Lees linken Fußknöchel. Mitchell zögerte keine Sekunde. Er fühlte, wie seine Finger einen Punkt oberhalb von Lees Achillessehne ertasteten. *Druckpunkt*, hörte er sich selbst denken.

Plötzlich schnappte Lee nach Luft. Seine Augen flogen auf und sein Körper krümmte sich. Im Nu saß er aufrecht da und starrte auf Miss Bennett, Ian Coates und die anderen. Er sah aus wie eine erschrockene Ratte, die von Hunden in die Enge getrieben worden war, aber dank Mitchell waren wenigstens seine Sinne hellwach.

»Also dann«, begann Miss Bennett mit einem Seufzer. »Möchten Sie uns etwas sagen?« Sie saß auf Ian Coates' Schreibtisch und lächelte. William Lee sagte nichts, er sah sich nur um, seine Panik war offensichtlich. »Wir wissen bereits von den Amerikanern«, fügte Miss Bennett hinzu und beobachtete Lees Reaktion aufmerksam.

»Sie wissen …?«, keuchte Lee.

Miss Bennetts knallrote Lippen schürzten sich spöttisch. In diesem Moment summte ihr Handy. Sie überprüfte kurz die Nachricht, dann wandte sie sich an Mitchell.

»Geh ins Labor, Mitchell«, befahl sie. »Einige der Techniker sind zurück. Sie arbeiten an der Satellitenüberwachung. Sobald die Anlage wieder funktioniert, verfolgst du Christopher Viggo von seinem letzten bekannten Standort aus. Finde heraus, wo er sich im Moment versteckt. Schnapp ihn dir. Nach diesem Angriff werden wir noch mehr öffentliche Unterstützung haben.«

»Sie werden Viggo die Schuld dafür geben?«, fragte Ian Coates.

»Natürlich«, erklärte Miss Bennett. »Das gibt uns die perfekte Rechtfertigung, ihn auszuschalten. Mitchell, mach dich an die Arbeit.« Eva sah Mitchells

Brust anschwellen vor Stolz. Er stand aufrecht, sein Kinn gehoben. Sie war erstaunt, wie schnell sich sein Verhalten vom verwirrten Jungen zum ausgebildeten Superagenten wandelte. Aber dann zögerte er. Ihr Herz hüpfte. Hatte er Zweifel? Sein Mund öffnete sich und Eva spürte eine Welle freudiger Hoffnung. Sie war sicher, dass Mitchell etwas über seinen Bruder sagen würde. Oder vielleicht wollte er einfach nicht gehen. Oder vielleicht …

»Geben Sie mir alles weiter, was Sie aus ihm rausbekommen«, erklärte Mitchell in einem schroffen Ton. Er reckte sein Kinn in William Lees Richtung, bevor er aus dem Zimmer eilte.

Eva hatte das Gefühl, als würde sich ein Teil ihres Inneren auflösen. Ihre Augen blieben auf die Tür geheftet, lange nachdem Mitchell verschwunden war. Selbst während Miss Bennett weiter William Lee befragte, versuchte Eva zu ergründen, was wohl in Mitchell vor sich ging. Sie wurde erst aus ihren Gedanken gerissen, als Ian Coates sich in Miss Bennetts Verhör einschaltete.

»Wie haben die das geschafft!«, brüllte er.

»Beruhigen Sie sich, Ian«, sagte Miss Bennett. »Die Frage der Satellitenüberwachung ist dringender.«

»Nein!«, bellte Coates, raufte sich verzweifelt die Haare und gestikulierte in Richtung Olivia. »Ich muss es wissen! Sie war eine Freundin!«

»Freundschaft ist ohne Bedeutung«, sagte Miss Bennett und hob eine Hand, um ihn zu stoppen. Sie wandte sich wieder an Lee. »Ignorieren Sie ihn. Sagen Sie mir genau, was das Technik-Team tun muss, um die Überwachungssatelliten freizuschalten, und zu welchen Daten die Amerikaner Zugang hatten.«

Lees Atmung war hart und schnell. Er war noch auf den Knien, aber Eva erkannte an seiner Haltung die wachsende Panik. Es gab keinen Ausweg für ihn. Miss Bennett musste ihm nicht einmal drohen. Das Wissen, wozu sie fähig war, und was sie den Feinden des *NJ7* in der Vergangenheit angetan hatte – diese Angst reichte aus, um jeden Mann um den Verstand zu bringen.

Lee stieß eine Flut von Worten aus. Miss Bennett lehnte sich zurück und lächelte. *Hört sie überhaupt zu*, fragte sich Eva, *oder genießt sie nur die Genugtuung, wieder gewonnen zu haben, und das so leicht?* Nach einigen Sekunden tippte Miss Bennett ein paar Tasten auf ihrem Telefon und hielt es dann in Lees Richtung, um jedes Wort seiner Erklärung einzufangen.

Das meiste davon verstand Eva nicht, aber sie besaß immerhin genug technische Kenntnisse, um zu begreifen, dass die volle Satellitenüberwachung des *NJ7* in wenigen Minuten wieder einsatzbereit und online sein würde und die Amerikaner aus dem System ausgeschlossen wären. Während Lee weiterplapperte, sah Eva zu Ian Coates. Der Mann stand direkt hinter dem Sessel Olivia Muzbekes, die zitterte und in Gedanken versunken war.

»Wie ist das nur möglich?«, flüsterte Coates mehr

zu sich selbst. »Ein normaler, gesunder, freundlicher Mensch, verwandelt in ... in ...«

»Es war Gehirnwäsche«, verkündete Miss Bennett plötzlich. Lee hatte seine Erklärung beendet und Miss Bennett drehte sich zu Olivia Muzbeke.

»Gehirnwäsche?!«, schrie Coates. »Was meinen Sie damit?«

»Wenn ich Sie *noch einmal* auffordern muss, sich zu beruhigen«, sagte Miss Bennett, »dann schicke ich Sie raus, wo Sie wieder auf den Teppich kommen können.«

Eva schauderte und erinnerte sich, dass diese Frau einmal undercover als Lehrerin eingesetzt worden war.

»Ich bin ruhig«, sagte Coates. »Ich muss nur wissen, wie viele hirngewaschene Zombie-Killer da draußen unterwegs sind.« Er packte den Vorhang und schlang ihn leicht um sich, fast so, als könnte er sich darin verstecken.

»Es ist keine sehr fortgeschrittene Technik«, erklärte Miss Bennett abschätzig. »Tatsächlich ist es ziemlich altmodisch. Man versucht es seit über einem Jahrhundert.«

»Ich weiß, dass die Leute es versucht haben«, sagte Coates. »Sieht aus, als hätten sie Erfolg gehabt!«

»*Wir* hatten Erfolg«, sagte Miss Bennett.

»Was?«

»Es ist eine *NJ7*-Technik. Eine sehr alte. Sie wurde erst später durch die genetisch veränderten Agenten ersetzt. Aber bevor Dr. Higgins dieses Konzept entwickelte, hatte er die Kunst der Gehirnwäsche perfektioniert, um ahnungslose Zivilisten in Killer zu verwandeln.«

»Es war Dr. Higgins?«, fragte Coates.

»Ja, und es klingt ganz so, als würde er jetzt für die Amerikaner arbeiten.« Sie wandte sich an Olivia Muzbeke. »Der alte Mann, an den Sie sich erinnern – das muss er gewesen sein.«

Ian Coates starrte Miss Bennett ungläubig an. »Aber wenn Dr. Higgins diese Technik entwickelt hat … warum können *wir* sie dann nicht anwenden?«

Miss Bennett zuckte mit den Achseln. »Wir können es, wir haben es bereits getan und …«. Sie hielt kurz inne. »Wir tun es im Augenblick.«

»Wir tun es?!« Der Premierminister stampfte auf Miss Bennett zu, packte sie an den Schultern und zog sie zu sich heran.

Eva fühlte, wie eine eisige Kälte in ihr hochkroch. Ein Teil von ihr wusste, was Miss Bennett jetzt sagen würde – aber sie wehrte sich innerlich dagegen. Doch dann bestätigte Miss Bennett ihre Befürchtung.

»Mitchell hat einen Bruder«, lächelte sie.

Eva vergaß zu atmen. Ihre Tasse zitterte in ihren Händen und Tee schwappte auf den Teppich. Niemand bemerkte es.

»Wenn ich den Befehl gebe«, fuhr Miss Bennett fort, »verfügen wir in fünf Minuten über einen weiteren Attentäter. Wir müssen nur das Zielobjekt bestimmen und es mit einem Laser direkt in Lenny Glenthornes Gehirn eingeben.«

»Schicken Sie ihn los!«, bettelte Ian Coates, plötzlich wieder voller Energie. »Ich will, dass Viggo ein für alle Mal ausgeschaltet wird. Er darf keine Chance mehr erhalten, Unterstützer um sich zu sammeln. Schicken Sie eine ganze *NJ7* Division!«

»Woher soll ich diese Division nehmen?«, fragte Miss Bennett. »Sämtliche Agenten wurden wer weiß wohin geschickt von diesem *CIA*-Maulwurf!« Sie deutete auf Lee, ohne ihn anzusehen. »Sogar die Sicherheitsmannschaft für dieses Gebäude ist weg! Aber Mitchell ist ausreichend. Er ist eine Präzisionswaffe.«

»Er hat schon einmal versagt.«

»Jedes Mal, wenn er versagt, lernt er dazu. Aber ich gebe Ihnen recht, er braucht Unterstützung. Ich schicke …«

Plötzlich stürmte William Lee durch den Raum. Miss Bennett und Ian Coates waren zu abgelenkt gewesen, um ihn im Auge zu behalten. Aber er startete keinen Angriff. Stattdessen hatte er es auf die Trümmer der Lautsprecher des Premierministers abgesehen. Niemand konnte ihn stoppen. Bevor Eva Luft schnappen konnte, gab es ein knisterndes Geräusch, Funken sprühten und dann eine Explosion. Eva sprang schreiend auf.

Ein Geruch nach verbranntem Fleisch erfüllte den Raum, und als sich der Rauch verzog, lag William Lee auf dem Rücken, blanke Drähte ragten aus seinem Mund. Seine Augen waren weit aufgerissen und die Haut um seine Lippen war schwarz.

Miss Bennett und Ian Coates eilten zu ihm. Miss Bennett zog den Netzstecker aus der Wand und die Kabel aus Lees Mund. Der Körper des Mannes zuckte entsetzlich.

Eva konnte nicht hinschauen. Instinktiv barg sie ihren Kopf an Olivia Muzbekes Schulter.

»Alles ist gut«, flüsterte Felix' Mutter.

*Was ist hier bitte schön gut*?, schrie Eva in ihrem Kopf. Sie versuchte, ihre Tränen zurückzuhalten, aber der Schrecken war zu heftig. Ein Mann hatte sich gerade vor ihren Augen einen Stromschlag verpasst. Der Geruch stach in Evas Nasenlöchern. Und das kurz nachdem sie herausgefunden hatte, dass man den Bruder ihres Freundes einer Gehirnwäsche unterzog, um einen Killer aus ihm zu machen. *Mein Freund?* Eva war schockiert über ihre eigenen Gedanken. *Ist Mitchell jetzt mein Freund?*

*Er ist ein Agent! Ein Killer!*

Sie vergrub ihren Kopf tiefer in Olivia Muzbekes Mantel und spürte die beruhigende Hand der Frau auf ihrem Hinterkopf. *Nichts ist gut*, dachte Eva. *Sobald sie alles haben, was sie von dir wollen, werden sie dich wahrscheinlich auch töten!* Diese Erkenntnis ging wie ein Ruck durch sie hindurch. Es gab keine Sicherheitskräfte im Haus. Das Satellitenüberwachungssystem war immer noch ausgefallen. Es würde nur noch ein paar Momente dauern, aber vielleicht war das genug.

»Sie müssen hier raus«, flüsterte Eva, direkt in Olivias Ohr. Sie fühlte, wie sich der Körper der Frau anspannte, aber hielt sie weiter umarmt, sodass es nicht auffiel. »Raus hier!«, wiederholte Eva. »Es gibt keine Sicherheitskräfte. Keine Überwachung. Verschwinden Sie schnell und entfernen Sie sich so weit wie möglich.« Doch dann wurde ihr etwas klar. »Nein, gehen Sie zur London Bridge. Kommen Sie morgen früh unter die Überführung.«

Sie konnte spüren, wie sich Olivias Atem beschleunigte.

»Aber ... aber ...«

Eva blickte schnell über ihre Schulter. Miss Bennett und Ian Coates hockten neben William Lee und versuchten, ihn bei Bewusstsein zu halten, während sie gleichzeitig in ihre Telefone schrien und ein medizinisches Notfallteam anforderten.

»Raus jetzt!«, flüsterte Eva.

Sie ließ Felix' Mutter los und flitzte durch den Raum zu Ian Coates' Schreibtisch. Unter dem Schreibtisch glitzerte in der Dunkelheit das Messer, mit dem Olivia Muzbeke die Kehle des Premierministers hatte durchbohren wollen. Eva packte es und rammte es sich, ohne überhaupt nachzudenken, in den Oberarm.

»Aagh!«, schrie sie. Blut spritzte, der Schmerz schoss durch ihren ganzen Körper. *Was habe ich getan?*, schrie sie innerlich.

»Eva!«, rief Miss Bennett und eilte zu ihr. »Was ist passiert?«

»Sie hat mich angegriffen!«, schrie Eva. »Sie hat ihr

Messer gefunden! Sie ist eine Mörderin! Haltet sie auf!«

Miss Bennett und Ian Coates standen verwirrt in der Mitte der Büros.

Olivia Muzbekes Sessel war leer. Sie hatte das Gebäude bereits verlassen.

# KAPITEL 24

Jimmy starrte gebannt auf Neil Muzbekes Gesicht, bis die Stimme seiner Mutter ihn aufschreckte.

»Jimmy!«, rief sie. Er drehte sich um und für Sekundenbruchteile wurde sie vom Stroboskoplicht beleuchtet. Sie kauerte am Anfang der Treppe, die hinunter in den Keller des *LOCO* führte. »Such Deckung!«

*Deckung*, dachte Jimmy und versuchte sich zu orientieren. *Ja – Schutz. Überleben.* Seine Konditionierung schaltete sich ein. Es spielte jetzt keine Rolle, dass der Vater seines besten Freundes ein Möchtegern-Killer war und sich in seiner Gewalt befand. *Genug!*, befahl Jimmy sich selbst. Schnell zog er die Sturmhaube wieder über Neil Muzbekes Gesicht. Er durfte die anderen nicht sehen lassen, wer es war – noch nicht. Der coole, nüchtern kalkulierende Agent in Jimmy sorgte für Konzentration inmitten des Chaos. Es hielt ihn in Bewegung.

»Schafft diesen Mann lebend raus!«, befahl er und schleifte ihn zur Treppe. Seine Mutter zögerte verwirrt. »Tu es einfach!«, rief er.

»Wo ist Chris?«, fragte seine Mutter.

Bevor Jimmy antworten konnte, hörten sie Saffrons Stimme.

»Er ist da oben«, sagte sie leise. Sie hatte sich von oben heruntergeschleppt, hielt immer noch ihren blutenden Arm umklammert. »Sie haben ihn wieder mitgenommen. Die Capita. Sie haben ihn oben auf einen der Balkone geschafft.«

»Welches Stockwerk?«, fragte Jimmy.

»Ich weiß nicht«, sagte Saffron mit brüchiger Stimme.

In Jimmys Kopf nahmen sofort tausend Strategien Gestalt an. »Ich werde ihn finden.« Er brachte seine Mutter zum Schweigen, bevor sie protestieren konnte. »Du sorgst dafür, dass es ihr gut geht.« Er nickte in Saffrons Richtung. »Sucht die Lichtanlage. Schaltet das Stroboskoplicht aus. Sorgt dafür, dass hier wieder Dunkelheit herrscht.«

»Ich habe es schon versucht«, antwortete Helen. »Aber …«

Doch Jimmy stürmte bereits die Treppe hinauf. Auf dem Balkon der nächsten Etage hielt er inne. Er musste jetzt mit äußerster Vorsicht vorgehen. Im Club herrschte Stille. Die Besucher hatten es nach draußen geschafft, und nur gelegentlich drangen Geräusche herein. *Die Menschenmenge wird Aufmerksamkeit erregen*, dachte Jimmy. *Sie werden die Polizei gerufen haben*. Das war gar nicht gut für Jimmy. Die Polizei stand entweder auf der Lohnliste der Capita oder unter dem Einfluss des *NJ7*.

Jimmy schlich den Balkon entlang, lauschte und spähte hinauf zu den Ebenen über ihm. Das Stroboskoplicht flackerte immer noch in hypnotisierendem Rhythmus.

»Chris, kannst du mich hören?«, rief er, bevor er sich rasch wieder in den Schatten zurückzog. »Ich muss wissen, ob es dir gut geht!« *Ich muss wissen, wo du bist*, dachte er. Ein Geräusch genügt. Antworte mir! Es kam keine Antwort, nur Jimmys eigene Stimme hallte von den Wänden wider.

Jimmy arbeitete sich weiter nach oben vor, suchte sorgfältig jeden Balkon ab, sodass ihm die Capita-Leute nicht entgehen konnten. *Komm schon*, dachte Jimmy. *Irgendein Geräusch! Wo bist du?* Die Blitze des Stroboskops machten ihn schier wahnsinnig. Wann würde das endlich aufhören?

»Sie brauchen Chris lebendig«, rief er und wandte sich jetzt an die Capita-Leute. »Wenn Sie den Code H wollen, müssen Sie ihn in ein Krankenhaus bringen. Und das bedeutet, Sie müssen ihn nach unten bringen – an mir vorbei. Sie sitzen also ohnehin in der Falle!«

Noch immer rührte sich nichts, nur Staubschwaden trieben in der Luft. *Gibt es noch einen anderen Fluchtweg?*, fragte sich Jimmy. *Über das Dach vielleicht?* Das war gut möglich. Hatte die Capita vielleicht einen Hubschrauber gerufen? Jimmy erwartete, jeden Moment das Knattern eines Helikopters zu hören. *Nicht aufgeben*, sagte sich Jimmy. *Ich muss sie in die Enge treiben. Panik erzeugen. Sie zu Fehlern zwingen.*

Er erreichte den siebten Stock. *Sie müssen jetzt ganz in der Nähe sein*, sagte er sich. Sobald ein Geräusch von oben zu ihm drang, würde Jimmy den Standort der Capita-*Leute* bestimmen können.

»Gleich habe ich euch«, flüsterte Jimmy. Er wusste, seine Stimme würde weit genug tragen, das Echo seine Position verbergen. Und da war es endlich – das Geräusch, auf das Jimmy gewartet hatte. Aber es war keine Stimme oder gar das Knarren eines Schrittes auf dem Holzboden. Es war ein Surren, ein leises Summen. *Ein Elektromotor*, bemerkte Jimmy. Er hatte dieses Geräusch schon mal gehört. In einem anderen Land, vor einer gefühlten Ewigkeit, bei seiner letzten Begegnung mit der Capita. Es war das Geräusch eines elektrischen Rollstuhls. Das konnte nur eines bedeuten: Das *Haupt* selbst war hier.

Das Haupt war der oberste Boss der gesamten Capita-Organisation, Gründer eines global agierenden kriminellen Netzwerks. Das machte ihn trotz seiner extremen körperlichen Schwäche mächtiger als jedes Staatsoberhaupt. Jimmy hatte den Mann bisher nur als Schatten gesehen, trotzdem hatte er ein Bild von ihm: ein geschrumpfter, lebloser Körper, der nur existierte, um das Haupt am Leben zu erhalten. Wenn das Haupt tatsächlich hier war, würde er in Viggos Nähe sein wollen, um die begehrten Informationen direkt zu vernehmen.

Jimmy eilte die Treppe hinauf zum nächsten Balkon. Er war nur noch eine Ebene unter ihnen, da war er sich ganz sicher.

»Du bist jetzt nah dran, Jimmy«, ertönte eine Stimme. Sie durchzuckte die Halle wie ein Lichtblitz. Es war eine dünne, alte Stimme, mit einem starken italienischen Akzent, aber jede Silbe war klar verständlich und voller Autorität – die Stimme des *Kopfes*. »Mach dir keine Gedanken um die Lichter, Jimmy«, sagte er. »Wir haben dafür gesorgt, dass sie nur von hier oben gesteuert werden können.«

War das eine Lüge? Jimmy versuchte, Hinweise in der Stimme zu finden, aber er wusste, dass das Haupt ein Meister der Manipulation war.

»Sie sitzen in der Falle«, rief Jimmy, während er aufmerksam lauschend über den Balkon schlich, um genau unter seinen Feind zu gelangen.

Wieder ertönte das Surren des Rollstuhls.

»Du sitzt auch in der Falle, Jimmy«, rief das Haupt. »Du willst Viggo lebend, aber du kannst ihn nicht kriegen, wenn du nicht zu uns kommst. Es ist uns egal, ob er stirbt, sobald er uns den Code H gegeben hat.«

*Sie haben sich bewegt*, erkannte Jimmy, während er beständig ihre Position zu orten versuchte. Doch der Motor war verstummt … Jimmy hielt inne und berechnete seine Position neu. *Veranlasse sie zum Reden …*

»Es gibt keinen Code H«, rief Jimmy, auf der verzweifelten Suche nach etwas, das die Capita-Wachen und das Haupt dazu bringen würde, ihr Versteck zu verraten.

»Aber du bist der lebende Beweis, dass es ihn gibt!«, kam die Antwort.

Jimmy blieb wie angewurzelt stehen. »Was?«, keuchte er.

»Was glaubst du denn, was der Code H ist, junger Mann?«, fragte das Haupt.

*Ignoriere ihn*, befahl Jimmy sich selbst. *Such weiter. Er ist da oben, über dir. Achte auf den Motor.* Erneut summte der Motor und Jimmy folgte dem Geräusch. *Lausche auf die Stimmen.*

»Viggo hat ihn uns versprochen, und wir werden ihn irgendwann kriegen«, erklärte das Haupt.

»Er hat Sie angelogen«, antwortete Jimmy. »Er existiert nicht.«

»Aber du existierst!«

Dann ein neues Geräusch – ein Stöhnen. *Chris!* Jimmy sprintete ein paar Meter weiter, zu dem Ort, wo er das Geräusch vermutete. Aber er merkte schnell, dass er sich im Kreis drehte. Er hatte diesen Teil des Balkons schon mal abgesucht. Sie waren knapp über ihm, aber wo? Wie täuschten sie ihn über ihre Position?

»Jimmy!« Diesmal war es Viggo. Er klang, als hätte er furchtbare Schmerzen, aber er war es definitiv. »Es tut mir leid, Jimmy!«

Jimmy nahm sein Tempo wieder auf und folgte der Stimme.

»Ich sagte ihnen, ich hätte den Code H, Jimmy«, schrie Viggo, Blut gurgelte in seiner Kehle.

Jimmy konnte sich nicht mehr beherrschen. »Wo ist er?«, rief er. *Genug gelogen*, dachte er. *Ich muss es wissen.* »Um was geht es da? Was ist der Code H?«

Er hörte den Rollstuhl surren und folgte dem Geräusch, zurück zu dem Ort, an dem er gerade gewesen war.

»In gewisser Weise, Jimmy«, sagte das Haupt mit einem leisen Lachen, »bist du der Code!« Die Worte schienen Jimmys Kehle zu durchbohren wie Dolche. »Der Code H ist die Technologie, die in dir steckt! Es ist der Masterplan, die Blaupause … er ist alles, was wir brauchen, um die DNA eines ungeborenen Menschen umzuprogrammieren, um sie … nicht-menschlich zu machen.«

Jimmys Blut schien in den Adern zu gefrieren. »Chris!«, rief er. »Das kann nicht wahr sein!«

Die einzige Erwiderung war Viggos leises Stöhnen, das sich mit dem Jaulen des Rollstuhls mischte.

Jimmy fürchtete, wahnsinnig zu werden, aber er bekämpfte das Gefühl, rannte auf die Geräusche zu.

»Er hat ihn, Jimmy!«, sagte das Haupt. »Er hat ihn versteckt! Und wir haben ihm Millionen dafür bezahlt!«

*Lügen*, wiederholte Jimmy in seinem Kopf. *Chris würde so etwas niemals verkaufen!*

»Er schmuggelte ihn aus den *NJ7*-Labors, als er den Geheimdienst vor vielen Jahren verließ«, fuhr das Haupt fort, »und hielt ihn seitdem versteckt!«

Jimmy ignorierte die Stimme, die im gesamten Club widerhallte. Er sprang hoch, packte eine Strebe an der Decke und schlug ein Loch durch die Dielen. Das Holz zersplitterte und Jimmy zwängte sich durch den Boden. Die Stimme des *Kopfes* mochte durch das Echo der

Halle verzerrt worden sein, aber das Surren seines Rollstuhls hatte ihn verraten. Jimmy wusste nun, wo er war. Er richtete sich auf, bereit zuzuschlagen, bereit, Viggo zu ergreifen und seine Feinde unschädlich zu machen.

Doch dann blitzte das Stroboskoplicht auf. Jimmy war immer noch allein. Vor ihm stand lediglich ein leerer Rollstuhl. Das Ding fuhr von selbst einen halben Meter weiter, wobei es leise surrte und den Jungen zu verspotten schien, der kampfbereit vor ihm stand, aber ohne Gegner.

»Nein!«, schrie Jimmy. Wütend boxte er in die Luft über dem Rollstuhl. »Nein!« Wie konnte er sich von so einem einfachen Trick täuschen lassen? Dann entdeckte er sie – gegenüber, auf dem gleichen Balkon. Der weiße Mantel der Capita-Frau leuchtete grell.

Vor ihr liefen vier Capita-Männer. Zwei von ihnen schoben etwas, das aussah wie eine hölzerne Schubkarre. Im Stroboskoplicht erkannte Jimmy, dass es eine Art antiker Rollstuhl war. Darin sah Jimmy, unter einem Haufen Decken hervorlugend, den Hinterkopf eines Mannes. Dann wurde ihm der Blick von den beiden anderen Wachen verstellt. Sie trugen die blutende, sterbende Gestalt Christopher Viggos.

»Chris!«, rief Jimmy. Er hetzte über den Balkon, während das Haupt und die Capita-Männer eine kurze Treppe erreichten, die zu einer Falltür in der Decke führte. Jimmy hatte richtig geraten: Sie waren auf dem Weg zum Dach. Doch bevor sie die Stufen betreten konnten, fegte ein neuer Gegner aus der Dunkelheit heran.

Jimmy sah ihn nur für einen kurzen Augenblick, erleuchtet vom Stroboskoplicht. Die Gestalt schoss in die Capita-Gruppe wie ein wilder Stier, der eine Schar Tauben auseinanderstieben lässt. Im nächsten Lichtblitz sah Jimmy die Capita-Leute konfus herumtorkeln. Viggo war verschwunden. Jimmy wurde klar, dass ein neuer Feind aufgetaucht war. Einer, der Viggo nicht am Leben erhalten musste: der *NJ7*.

Und abgesehen von Jimmy gab es nur eine weitere Person in Großbritannien, die eine Capita-Einheit in Sekundenbruchteilen auseinandernehmen konnte. Jimmy hatte keinen Zweifel: Mitchell war gekommen, um Viggo zu töten.

*BUMM!*

Etwas traf Jimmys Hinterkopf.

# KAPITEL 25

Jimmy stolperte vorwärts, fing sich aber wieder und nutzte den Schwung seines Sturzes für einen Kick. Sein Fuß erwischte den Angreifer an der Wange. Jimmy sah seinen Gegner im Blitzlicht und war verblüfft. Das Gesicht war von einer schwarzen Maske bedeckt, aber die Augen waren eindeutig Mitchells. Ebenso der Körperbau. Und auf der Brust des schwarzen, seidenen Hemdes prangte ein grüner Streifen. Aber wenn das Mitchell war, wer hatte dann Viggo weggeschleppt?

Jimmy duckte sich instinktiv, um sich zu verteidigen. *Bleib in Bewegung*, forderte ihn seine Konditionierung auf. *Schlag weiter zu.* Und genau das tat er – er rammte seine Faust in Mitchells Magen, bevor er lossprintete, um in der Dunkelheit nach Viggo zu suchen. Nach zwei Schritten prallte er gegen jemanden, der in die entgegengesetzte Richtung rannte.

Jimmy wurde zu Boden geschleudert, und er hörte, wie auch die andere Person stürzte. Das Stroboskoplicht blitzte auf und Jimmy war fassungslos: Ihm gegenüber auf dem Boden hockte die exakte Kopie Mitchells. Mitchells Augen. Mitchells Körper. Schwarzes

Hemd mit grünem Streifen auf der Brust. Wie war das möglich? Mitchell war an zwei Orten gleichzeitig.

Jimmy rappelte sich auf, kämpfte gegen seine eigene Verwirrung und Angst an. Diese Ausgabe Mitchells hatte Viggo getragen, ihn aber beim Zusammenprall losgelassen. Jimmy stürzte vorwärts, in dem verzweifelten Versuch, seinen Freund zu beschützen. Er zog Viggo hoch, strauchelte unter dem Gewicht des Mannes, verlagerte seine ganze Kraft in den Rücken und die Beine. Es blieb ihm keine Zeit, seine ungeschickte Haltung zu korrigieren. Sobald es wieder dunkel wurde, rannte er los. Er wusste, dass Mitchell in Sekunden wieder auf den Beinen sein würde. *Er ist schneller als je zuvor*, dachte Jimmy. Und er fürchtete, sein Feind könnte jeden Moment aus dem Schatten auftauchen. Jimmys Beinmuskeln pumpten mit aller Kraft. Wenn er nur die Treppe erreichen könnte, hätte er vielleicht eine Chance …

»Jimmy …«, keuchte Viggo.

Jimmy spürte den unregelmäßigen, blubbernden Atem des Mannes. *Da ist Blut in seinen Lungen*, dachte Jimmy. Er versuchte, Viggos Stammeln zu ignorieren, und lief weiter. Er konnte Mitchells Schritte hinter sich hören, die rasch aufholten. Unaufhaltsam strömte etwas Heißes aus Viggos Wunden über Jimmys Hals und Bauch.

»Jimmy …«, flüsterte Viggo erneut. »Es tut mir leid.«

Die Worte bohrten sich in Jimmys Gehirn und lösten eine Welle der Verzweiflung in ihm aus.

»Also ist es wahr«, sagte Jimmy, mehr zu sich selbst als zu dem Mann in seinen Armen. »Du hast alles an die Capita verkauft, um deine eigene Macht zu vergrößern? Und du hast versucht, die Wahl zu manipulieren?«

»Es war nur …« Viggo brachte den Satz nicht zu Ende. Seine Augen blickten flehend.

»Und was du verkauft hast …«, fuhr Jimmy fort, »… war ich das?«

»Nicht du …«, widersprach Viggo mit schwindender Kraft. »Nur … die Technologie … ein Computerchip … der Code H …«

»Du wolltest, dass die Capita …« Jimmy mochte den Gedanken nicht zu Ende führen. Es war zu schrecklich, um es sich vorzustellen, doch dann musste er es aussprechen. Er wollte es hinausschreien, um noch tiefer in Viggos Wunden zu bohren. »Du wolltest, dass sie weitere Killer wie mich entwickeln!«

»Nein, Jimmy!«, protestierte Viggo.

Im nächsten Blitzlicht sah Jimmy in seine Augen. Sie waren weit aufgerissen und blutunterlaufen. War da noch Ehrlichkeit in ihnen?

»Jimmy, ich habe nie …« Bei jedem Schritt, den Jimmy machte, würgte Viggo ein Wort hervor. Sie waren nur noch wenige Meter von der Treppe entfernt.

»Wo hast du ihn versteckt?«, drängte Jimmy. »Wo ist der Code H?«

»Ich kann nicht …«

Plötzlich kam eine Gestalt aus dem Treppenhaus.

Sie schoss durch die Dunkelheit und fegte Jimmy von den Füßen. Er und Viggo stürzten zu Boden. Im nächsten Lichtblitz sah er den Rücken des Angreifers, über Viggo gebeugt, den Arm erhoben, bereit zuzuschlagen. War das Mitchell? Wie war das möglich? Er war doch hinter ihnen!

Es blieb keine Zeit für Überlegungen. Jimmy sprang auf und warf sich auf den Rücken des Jungen. Er fing die erhobene rechte Hand ab, gerade als sie auf Viggos Hals zusauste. Jimmy verdrehte die Finger des Jungen, bis sie knackten, dann schleuderte er ihn zur Seite wie eine Stoffpuppe. Jimmy versuchte die physische Präsenz seines Gegners einzuschätzen, seine Technik, seine Geschwindigkeit. Dessen Körper glich dem Mitchells – war vielleicht sogar größer –, aber die Muskeln waren bei Weitem nicht so stark, die Kampffähigkeiten nicht so entwickelt. *Also, wer ist das?*, fragte Jimmy sich ratlos. Genau in dem Moment rammte der Junge seinen Kopf in Jimmys Solarplexus.

Der Atem wurde aus Jimmys Körper gepresst. Für eine Sekunde dachte er, er würde seinen Magen hervorwürgen. Er schwankte rückwärts, aber sein Angreifer ließ nicht locker. Jimmy fühlte, wie seine Sinne schwanden. Er konnte nicht mehr atmen. Wenn der Druck weiter anhielt, würde er ohnmächtig werden.

Plötzlich flog etwas Rotes an Jimmys Gesicht vorbei. Der Junge, der Jimmy bedrängte, wurde zur Seite gestoßen. *Viggo*, wie Jimmy sofort registrierte, als er eine Blutspur durch die Luft segeln sah. Jimmy japste immer noch nach Atem; er war gezwungen, den Rest des Kampfes, der sich in Zeitlupe abzuspielen schien, passiv zu verfolgen. Viggo war auf den Beinen, seine letzten Kraftreserven trieben ihn vorwärts, er stieß den Jungen von Jimmy weg – auf das Balkongeländer zu.

»Nein!«, rief Jimmy, sobald er wieder genug Luft hatte. Er konnte voraussehen, was passieren würde. Wenn Viggo bei voller Kraft gewesen wäre, hätte er sich selbst vielleicht rechtzeitig stoppen können, aber er hatte nicht die volle Kontrolle. Nicht mit den Schusswunden, und nicht bei der rohen Kraft, die er einsetzen musste.

Ineinander verkeilt krachten die beiden Körper gegen das Balkongeländer, wie Panzer, die einen Gartenzaun rammten. Die Balustrade erzitterte. Viggo richtete sich auf, den mysteriösen Angreifer immer noch fest umklammernd. Dann kippten beide nach hinten, über das Geländer in die Tiefe.

Jimmy stürzte nach vorne, streckte seine Finger nach ihnen aus, um die Fallenden zurückzureißen. Aber es war zu spät. Der nächste Lichtblitz zeigte sie wie eingefroren in der Luft, auf halbem Weg zur Tanzfläche. Jimmy war sicher, dass Viggo ihn direkt anstarrte. Bevor er reagieren konnte, war es wieder dunkel, und beim nächsten Blitz lagen die beiden Körper verrenkt nebeneinander auf dem Boden der Halle.

»Nein!«, kam ein Schrei von unten. Saffron rannte über die Tanzfläche, immer noch ihre eigene Wunde umklammernd. »NEIN! CHRIS!«

Saffrons Schreie vermengten sich mit dem Geräusch von Schritten, die in Jimmys Richtung kamen. Aber er war wie erstarrt. *Greif mich ruhig an*, dachte Jimmy. *Wer auch immer du bist – Mitchell oder Mitchells Geist. Ich werde nicht kämpfen. Nicht jetzt.*

Unten beugte Saffron sich über Viggo.

Helen Coates ging zu der anderen Leiche. Sie zog ihr die schwarze Maske herunter. Als das Licht wieder anging, konnte Jimmy das Gesicht erkennen.

»Lenny!«, stöhnte er. Das Bild von Mitchells Bruder, ausgestreckt auf dem Metalltisch im *NJ7*-Labor, war in sein Gehirn eingebrannt. Nun würde ein weiteres Bild hinzukommen – Leonard Glenthorne, den *NJ7*-Experimente zum Killer gemacht hatten und der jetzt neun Stockwerke unter ihm neben der Leiche Christopher Viggos lag. Es dauerte einige Sekunden, bis Jimmy merkte, dass die sich nähernden Schritte verstummt waren. Seine Haut kribbelte. Der Agent in ihm wollte fliehen, sich nur allzu bewusst, dass sein größter Feind nicht weit war. Jimmy drehte sich um und sah seine Vermutung bestätigt.

In einem Stroboskopblitz sah er Mitchells Gesicht direkt neben seinem. Auch er beugte sich über den Balkon. Auch er hatte Lenny in den Tod stürzen sehen. Die beiden Jungen starrten einander an, mit großen Augen, beide voller Angst und Verwirrung, keiner von ihnen wusste, was der nächste Schritt sein würde.

Dann wurde die Welt wieder dunkel und der Moment war Vergangenheit. Jimmy zitterte. Aber keine

Faust kam aus dem Schatten. Kein Tritt landete in seinem Bauch. Und als der nächste Lichtblitz explodierte, war Mitchell verschwunden.

Dann rüttelte ein Geräusch Jimmy aus seiner tiefen Verwirrung. Es war das Knattern eines Hubschraubers, der auf dem Dach landete. Das Haupt, dachte Jimmy. *Die Capita-Männer – sie fliehen.* Aber seine Gedanken waren distanziert, gedämpft von einem Schrecken, den er noch nicht verarbeitet hatte. Ein Teil von ihm überlegte, das Haupt und die anderen Capita-Leute zu verfolgen, aber was hätte das für einen Sinn? *Chris*, dachte Jimmy. *Er war unsere Hoffnung. Er war die Mission.*

Er drehte sich um, um über den Balkon zu schauen.

Saffron und Helen versuchten, Viggo vorsichtig über die Tanzfläche zu tragen. Aber Jimmy wusste, dass es keine Hoffnung mehr gab. Der Mann hatte in seinen Armen mit dem Leben abgeschlossen. Er hatte gesehen, wie Viggo seinen allerletzten Kampfeswillen mobilisiert hatte. Der Mann hatte Jimmy gestanden, dass er die Hilfe der Capita gekauft hatte, im Austausch für den Code H. Er hatte versucht, illegal Macht zu erwerben, die Wahl zu manipulieren. *In diesem Moment war er gestorben*, dachte Jimmy und bemerkte, wie ihm Tränen in die Augen traten.

Er wischte sich Mund und Augen mit dem Ärmel ab und sah zu, wie Saffron verzweifelt in die Knie ging. Helen versuchte, Viggo noch ein paar Meter weiterzuziehen, aber dann sank auch sie zu Boden. Ihr lautes Aufschluchzen bohrte sich in Jimmys Herz.

»Lasst ihn liegen!«, schrie Jimmy durch seine Tränen. Ein Teil von ihm wollte nicht aufhören hinzusehen, während der Rest von ihm nie wieder etwas sehen wollte. Er schloss die Augen, sah das Gesicht Viggos, der durch die Luft stürzte. Jimmy holte tief Luft und stieß einen Schrei aus, der jedes Holzbrett im Boden, jeden Ziegelstein in den Wänden zum Vibrieren brachte. Trotzdem wollte der Agent in ihm nicht schweigen. *Raus hier*, schrie er. *Mitchell ist noch hier.*

Jimmy wusste, dass Mitchell im Augenblick keine Bedrohung mehr darstellte. Der Agent in ihm würde das nicht verstehen, doch Jimmy hatte etwas in Mitchells Augen gesehen. Das genaue Abbild seiner eigenen Trauer. Mitchell hatte sich gefühlt, als habe er alles verloren, ebenso wie Jimmy. Sie waren füreinander wie Spiegelbilder, und an diesem Abend wollte keiner von ihnen noch mehr verlieren.

Das Geräusch von Polizeisirenen drang in Jimmys Bewusstsein. Der Lärm des Hubschraubers war verhallt, war dem Gejaule der Streifenwagen gewichen, die das Gebäude innerhalb weniger Minuten umstellten. *Ich muss weg hier*, ermahnte sich Jimmy, während er versuchte, seine Kräfte zu sammeln. *Wir alle müssen hier raus.*

Er flog die Treppe hinunter, ohne den Boden zu berühren. Er rannte auf die Tanzfläche.

Saffron und Helen waren immer noch wie erstarrt. Sie wirkten wie Statuen.

»Wir müssen gehen!«, schrie Jimmy. »Alle raus hier!«

»NEIN!«, schluchzte Saffron. »Chris!«

»Lasst ihn!«, befahl Jimmy. »Schnapp dir den Mann da!«

Helen und Saffron blickten verwirrt zu ihm auf.

Jimmy streckte den Arm aus und deutete auf den maskierten Angreifer – den Mann, der auf Saffron und Viggo geschossen hatte. Und der, wie Jimmy wusste, Neil Muzbeke war. Er war bewusstlos, aber am Leben.

»Nehmt ihn mit euch!«, rief Jimmy. »Was auch immer passiert, haltet diesen Mann am Leben. Schafft ihn durch das Loch im Keller zum Wagen!«

# KAPITEL 26

Nachdem Jimmy es zu der Maueröffnung im Keller geschafft hatte, konnte er Felix' Stimme hören. Sie gab ihm neuen Mut. Vorsichtig zog er Felix' Vater mit sich durch den engen Tunnel, während Helen die Füße des Mannes hielt. Saffron war ihnen vorausgegangen und war bereits in dem kleinen Badezimmer, wo Felix und Georgie warteten.

»Was ist passiert?«, fragte Felix. Außerdem konnte Jimmy das Klappern des Medizinschrankes hören – Saffron suchte nach Verbandsmaterial. Jimmy lauschte nicht weiter. Er kroch durch die Öffnung, als ob er so den ganzen Albtraum hinter sich lassen könnte. Lieber malte er sich Felix' Gesicht aus, wenn er seinen Vater wiedersehen würde.

»Hey, Jimmy!«, rief Felix, sobald Jimmy aus dem Tunnel kroch. Saffron saß auf dem Boden, Felix und Georgie knieten neben ihrem Arm, umgeben von Verbänden, Pflastern und Tinkturen aller Art. Saffron erklärte ihnen, wie sie ihre Verletzung versorgen sollten. Tränen liefen über ihr Gesicht.

»Hast du …«, begann Felix. Aber als er den bewusstlosen Körper sah, den Jimmy und Helen vorsichtig aus der Öffnung in der Wand in die Wanne hoben, verstummte er. »Was ist passiert?«

Jimmy verkniff sich eine Reaktion, marschierte quer durch das Badezimmer und öffnete die Tür.

»Wir müssen gehen«, verkündete er.

Die Sirenen draußen waren jetzt lauter, was Jimmy begrüßte. Sie drängten alle zum Handeln. Außerdem gab ihm das ein paar weitere Momente Zeit, bevor er die Ereignisse der Nacht noch einmal durchleben musste. Solange keiner es aussprach, konnte er tun, als wäre es alles nicht wahr. Vielleicht würde dann Christopher Viggo jeden Moment aus dem Tunnel hinter ihnen auftauchen und …

»Jimmy!«, flüsterte Georgie und unterbrach seine Gedanken. »Kommst du mit?«

Alle anderen waren schon durch die Tür und auf halber Höhe des Korridors. Jimmys Mutter trug Neil Muzbeke, unterstützt von Felix.

»Was ist mit Chris passiert?«, fragte Felix und hob ungeschickt die Füße seines Vaters an.

»Ich komme«, sagte Jimmy und drängte sich an ihnen vorbei auf die Straße.

»Danke für das Essen, Margaret!«, rief Felix und schloss die Eingangstür hinter sich. »Nette Frau«, fügte er hinzu. »Gutes Chili.«

Das *LOCO* war von der Polizei umstellt. Die Lichter der Streifenwagen blinkten und erhellten die blassen Gesichter der Menge, die alle hinter einer Absperrung entlang des Bürgersteigs eingepfercht waren. Helen ließ Neil Muzbeke bei Jimmy zurück, und während die anderen in einer dunklen Ecke warteten, schlüpfte sie durch das Chaos, um den Bentley zu holen.

»Was ist mit Chris passiert?«, fragte Felix erneut und klang immer verzweifelter.

»Nicht jetzt«, sagte Jimmy. »Verschwinden wir zuerst von hier.«

Innerhalb von Sekunden waren sie alle im Auto und rasten durch London. Helen fuhr, Saffron saß auf dem Beifahrersitz. Hinten war gerade genug Platz für Jimmy, Georgie, Felix und den bewusstlosen maskierten Mann, der an der Tür lehnte.

»Ohne Witz«, sagte Felix. »Sagst du mir endlich, wo Chris ist? Und wer ist das da? Ich meine, es wäre wesentlich bequemer, wenn wir ihn einfach rausschubsen könnten.«

Felix versuchte, mehr Platz für sich selbst zu schaffen, indem er sich gegen Georgie presste, die daraufhin so sehr gegen Jimmy drückte, dass dessen Gesicht gegen das Fenster gequetscht wurde.

»Sitzt still«, befahl Helen, während sie rasant um die Kurven bog. Auf dem Beifahrersitz hielt Saffron ihr Gesicht zum Fenster gedreht.

»Nimm ihm die Sturmhaube ab«, bemühte sich Jimmy zu sagen, während sein Mund ans Fenster und seine Rippen an den Türgriff gepresst wurden.

»Echt?«, fragte Felix.

Jimmy schob seine Schwester über den Sitz zurück, um sich mehr Platz zu verschaffen. »Echt«, sagte er. Er suchte in sich nach der Heiterkeit, von der er wusste, dass es sie irgendwo geben musste. Nach ein paar Sekunden spürte er sie in sich aufsteigen, aber sie war gemischt mit Verzweiflung. Jimmy atmete tief durch. Das war ein Moment, nach dem er sich gesehnt hatte, den er sich aber nie vorzustellen gewagt hatte. Und als es jetzt so weit war, wollte keine richtige Freude aufkommen. Zu viel war schiefgelaufen. Zu viel war verloren gegangen.

Felix schob seine Finger vorsichtig unter die Sturmhaube des Mannes und begann sie hochzuziehen. Gleich darauf schnappte er nach Luft. Die düstere Atmosphäre im Auto schien sich schlagartig zu verändern, erleuchtet von elektrischen Funken. Felix hatte nur das Kinn des Mannes freigelegt, aber das war genug.

»Dad!«, rief er und riss den Rest der Sturmhaube herunter. »Dad!« Er schlang die Arme um seinen Vater. Gleichzeitig stieß Georgie ein überraschtes Lachen aus, das Jimmys Trommelfell wehtat.

»Was?!« Helen Coates sah sich erstaunt um. Saffron tat dasselbe und wischte sich die Tränen aus den Augen. Innerhalb einer Sekunde kam der Bentley am Straßenrand zum Stehen.

»Es ist Neil!«, rief Helen. »Hast du ihn k. o. geschlagen?«, fragte sie Jimmy. »Weck ihn auf!«

Jimmy handelte wie auf Autopilot. Er streckte den Arm aus, vorbei an seiner Schwester und Felix, bis zu Neil Muzbekes Fußknöcheln. Er ließ sich von seinen Händen leiten, ohne genau zu wissen, was er tat, war aber zuversichtlich, dass sein Körper die Antwort kannte.

»Was ist los?!«, keuchte Felix' Vater und schnappte nach Luft. Er saß kerzengerade, seine Augen weit, das Gesicht ein Bild der Verwirrung. Dann sah er seinen Sohn. »Felix!« Er drückte den Jungen so sehr, dass Jimmy befürchtete, er könnte seinen Freund zerquetschen. »Wo … was …?«

»Alles in Ordnung«, sagte Jimmy. »Entspannen Sie sich. Erzählen Sie mir alles, woran Sie sich erinnern.«

Es dauerte fast den ganzen Abend, alles ausführlich zu klären. Jimmys Mutter fand ein Café und versteckte den Bentley in der Nähe. Jimmy war dankbar für das warme Essen in seinem Bauch und den Tee, der seine ausgetrocknete Kehle beruhigte. Er war auch erleichtert, dass seine Mutter und Neil Muzbeke das Reden übernahmen. Er selbst erklärte lediglich, was er über den Code H wusste, was sehr wenig war, und stellte hin und wieder eine Frage, wenn seine Konditionierung ihn dazu drängte. Aber den Rest der Zeit hörte er einfach zu, während die Informationen sich in seinem Kopf wie Puzzleteilchen zusammensetzten.

»Glaubst du, es war Dr. Higgins?«, fragte Felix, als Neil erwähnte, er erinnere sich an das Gesicht eines alten Mannes.

»Definitiv«, sagte Jimmy. »Soweit wir wissen, ist er immer noch in Amerika, und die US-Regierung hat ihn offenbar dazu gebracht, für sie zu arbeiten.«

»Und das grüne Licht?«, fragte Neil, und seine tiefe Stimme wirkte auf Jimmy so beruhigend wie eh und je. »Was glaubst du, was das war?«

»Ein Laser«, antwortete Jimmy, als wäre es die natürlichste Sache der Welt. Dann schwieg er. Da war wieder das Bild von Lenny Glenthorne, der leblos auf einer Metallplatte im Labor lag. Jimmy hatte den grünen Laser gesehen. Dann veränderte sich das Bild, und er sah Lenny auf der Tanzfläche vom *LOCO* liegen, wie er nach oben starrte, ganz weiß im Stroboskoplicht, neben der Leiche Christopher Viggos. Ein Anblick, den er nie vergessen würde.

Felix und sein Vater redeten lange miteinander. Felix fragte immer wieder nach seiner Mutter, aber Neil konnte sich nicht mehr daran erinnern, was passiert war, seit er in New York von der *CIA* entführt worden war. Dann wollte Neil unbedingt alles erfahren, was Felix erlebt hatte, und Felix war ein ausschweifender Erzähler. Das explodierende Flugzeug spielte eine besonders große Rolle.

Als die zweite Runde Tee am Tisch eintraf, kam der Moment, von dem Jimmy gehofft hatte, dass er nie kommen würde.

»Was ist mit Chris?«, fragte Neil.

»Ja«, sagte Felix. »Wo ist er?«

»Nachdem er die Wahl verloren hat«, fuhr Neil fort, »wo ist er da hin? Es hieß, diese Leute, die Capita, hätten ihn entführt. Aber war er denn nicht bei dem geplanten Austausch? Und wo ist er jetzt?«

Jimmy blickte zu seiner Mutter, die auf den Plastiktisch starrte. Dann streckte sie die Hand aus und legte sie auf Saffrons unverletzten Arm. Auch Saffron starrte nur nach unten.

»Es gibt etwas, das wir euch sagen müssen …«, begann Helen Coates.

Jimmy ließ sich von der Stimme seiner Mutter umhüllen. Das Ganze aus ihrem Mund zu hören, machte es für Jimmy ein wenig realer. Er sah Saffron weinen, und seine Mutter auch, und das machte es schmerzhafter, aber wenigstens war Schmerz etwas, mit dem er umgehen konnte.

Als es darum ging, wie Viggo gestorben war, erklärte Helen lediglich, er sei von einem *NJ7*-Attentäter vom Balkon gestoßen worden. Jimmy fügte dem nichts hinzu. Er versicherte sich selbst, dass es die Wahrheit sei – was es ja auch war, wenn auch nur zur Hälfte. Er wusste nicht, ob er jemals in der Lage sein würde, Felix von der Kugel aus Neil Muzbekes Gewehr zu erzählen, die dazu beigetragen hatte, Viggos Leben zu beenden.

Saffron überprüfte instinktiv den Verband an ihrem Arm. Auch sie war von Neil angeschossen worden, hatte aber das Glück gehabt, dass die Kugel ihre Schulter nur gestreift hatte. Und es sah ganz so aus, als wäre sie bereit, mit diesem Geheimnis zu leben.

Jimmy hörte wie aus der Ferne, wie seine Mutter weiterredete und erklärte, was sie getan hatten, um Viggo zu retten. Er konnte den Strom seiner Gedanken nicht aufhalten: *Ich habe gezögert. Ich habe mich ent-*

*schieden, Saffron zu retten. Wenn ich den Schützen verfolgt hätte …* Er beobachtete die Gesichter der anderen, insbesondere das von Felix. Wie konnte Jimmy ihm erklären, dass seine Taten Viggos Leben gekostet und Felix' Vater zu einem Mörder gemacht hatten?

Felix wischte sich die Tränen ab, und in diesem Moment konnte auch Jimmy endlich weinen, als ob sein Körper auf ein Zeichen gewartet habe.

Bei Sonnenaufgang saß Eva bereits aufrecht in ihrem Krankenhausbett. Ein Laptop lag offen auf ihren Knien und ein Exemplar der Times auf ihrem Nachttisch, die Sudoku-Seite aufgeschlagen. Sie tippte eilig, frustriert, dass sie nur eine Hand gebrauchen konnte. Ihr linker Arm steckte in einer Schlinge.

»Sind Sie bereit für Ihren Besuch, Miss Doren?«, fragte eine Krankenschwester und schob ihren Kopf durch die Tür.

»Natürlich ist sie das«, verkündete Miss Bennett, bevor Eva antworten konnte. »Dieses Mädchen bedeutet mir alles. Sehen Sie nur, wie sie sich für ihr Land aufgeopfert hat.«

Die Krankenschwester nickte schüchtern und ging, während Miss Bennett zum Fenster trat und die Jalousien schloss. »Haben sie sich gut um dich gekümmert, Eva?«, fragte sie. »Sie sagten mir, du hättest Glück gehabt – das Messer drang durch die Muskeln, aber keine Arterie wurde verletzt. Haben sie dir das schon gesagt?« Sie wartete nicht auf eine Antwort. »Anscheinend bist du fit genug, um heute Nachmittag wieder zur Arbeit zu erscheinen. Aber ich wäre auch einverstanden, wenn du dir eine Auszeit nimmst. Du müsstest natürlich hierbleiben, aber …«

»Nein, nein«, erwiderte Eva rasch. »Das ist in Ordnung. Ich fühle mich gut.«

Miss Bennett lächelte, und zum ersten Mal hatte Eva das Gefühl, dass eine echte Wärme darin lag. Miss Bennett hatte persönlich dafür gesorgt, dass Eva die beste medizinische Behandlung und ein Einzelzimmer im St.-Thomas-Krankenhaus erhalten hatte. *Fühl dich nicht zu sicher*, ermahnte Eva sich selbst. *Sie ist eine Schlange. Sie würde dich sofort töten, wenn sie ahnen würde …*

»Haben sie Olivia Muzbeke gefunden?«, fragte Eva.

»Ich fürchte, nein«, erwiderte Miss Bennett zögernd. »Unsere Einsatzteams waren zu jenem Zeitpunkt … unzureichend.«

»Werden wir versuchen …?« Eva wusste nicht, wie sie die Frage stellen sollte, aber Miss Bennett schien zu erfassen, was sie sagen wollte.

»Es hat keinen Sinn, ihr jemanden hinterherzuschicken, Eva. Tut mir leid. Weißt du, sie selbst stellt keine echte Bedrohung dar. Es war nur die Gehirnwäsche … Wir haben im Moment drängendere Sicherheitsprobleme. Aber ich will nicht, dass du dir ihretwegen Gedanken machst. Sie hat dich nur niedergestochen, weil sie in Panik war und fliehen wollte. Sie hat keinen Grund, dich erneut anzugreifen. Das verstehst du doch, oder?

Versprich mir, dass du dir keine Sorgen deswegen machst.«

»Ich verspreche es«, antwortete Eva schnell.

»Das ist gut«, sagte Miss Bennett heiter. »Dafür bekommst du vielleicht einen Orden, Eva. Ich weiß nicht, welchen, aber keine Sorge. Ich erfinde einen. Ich weiß nicht, vielleicht die Sekretariatsmedaille für Tapferkeit im Büro. Wie wäre das? Oder so ähnlich …«

Eva zwang sich zu lachen.

»Aber lass es dir nicht zu Kopf steigen«, fügte Miss Bennett hinzu. »Es gibt noch viel zu tun. Du musst die alten Unterlagen von Dr. Higgins durchgehen.«

Eva lief es eiskalt den Rücken hinunter. War das ein Trick? Wusste Miss Bennett, dass Eva bereits in Dr. Higgins' alten Papieren nach etwas gesucht hatte, das Jimmy helfen konnte?

»Sobald du wieder im Büro bist, werde ich dich ausführlich informieren«, fuhr Miss Bennett fort. »Mitchell könnte einen Hinweis auf den Verbleib des Code H gefunden haben.«

»*Der Code H?*«, fragte Eva bemüht ausdruckslos.

»Ja. Vor vielen Jahren ist ein Computerchip verschwunden. Angeblich haben die Franzosen ihn gestohlen, aber Mitchell hörte, wie Viggo zugab, ihn mitgenommen und versteckt zu haben …« Sie wedelte mit einer Hand in der Luft. »Wir müssen ihn finden.«

»Für was ist dieser Code?«, fragte Eva. *Und was ist mit Viggo?*, hätte sie am liebsten hinzugefügt. *Was hat Mitchell getan?* Sie versuchte sich zu entspannen, aber es erforderte große Anstrengung. Die Antworten auf diese Fragen mussten warten.

»Keine Sorge«, antwortete Miss Bennett. »Ich werde dir alles später erklären. Ich schicke dir einen Wagen. Viel zu klären nach dem Schlamassel, das uns diese mannsgroße Ratte hinterlassen hat!«

»Sie meinen William Lee?«

Miss Bennett schauderte übertrieben und lachte dann ein wenig. »Ich höre seinen Namen nicht gern«, sagte sie mit einem Augenzwinkern. »Aber es ist OK. Er ist tot.« Sie sagte das mit einer Leichtigkeit, als würde sie das Sackhüpfen auf einer Kinderparty ankündigen. Dann glättete sie ihr Haar und schwebte zur Tür. »Wir sehen uns später!«, verkündete sie im Gehen.

Eva hatte das Gefühl, als wäre ein schwarzer Wirbelsturm durch ihr Krankenzimmer gefegt. Ihr ganzer Körper zitterte, ihre Stichwunde schmerzte wieder, trotz der starken Schmerzmittel, die man ihr verabreicht hatte. Fragmente des Gesprächs schossen ihr durch den Kopf: *William Lee, Viggo, Mitchell … der Code H.*

Was hatte das alles zu bedeuten? Was war letzte Nacht wirklich passiert? Was war mit Jimmy? Sie schob ihre unverletzte Hand unter den Laptop und zog den Scan des alten Fotos heraus, den sie dort versteckt hatte. Da standen die *NJ7*-Wissenschaftler aufgereiht, so hässlich wie eh und je. Aber jetzt hatten sie alle schwarze Kreuze im Gesicht, bis auf zwei. Dr. Higgins war bereits eingekreist, über ihm stand *USA*. Es war nur noch ein Gesicht übrig. Das einer Frau.

Eva strich den Scan auf der Tastatur ihres Laptops glatt und nahm einen Markierstift von ihrem Nachttisch. Für ein paar Sekunden starrte sie die Frau an, als ob ihr Gesichtsausdruck die Geheimnisse enthüllen könnte, die Jimmy Coates retten würden. Schließlich zog Eva die Kappe vom Stift und zeichnete vorsichtig einen fetten Kreis um das Gesicht der Frau.

»Du«, flüsterte sie. »Dich brauchen wir.«

# KAPITEL 27

Als Jimmy an diesem Morgen das Sudoku-Rätsel studierte, schauderte ihn. Sie waren alle wieder im selben Café, genossen dort ein Frühstück mit Toast und Tee, nach einer unruhigen Nacht im Personalraum der U-Bahn-Station Finsbury Park. Für Saffron war der Einbruch dort ein Klacks gewesen, selbst mit einem Arm. Jimmy überprüfte noch einmal die Zeitung, dann klatschte er die Handflächen auf den Tisch. »Wir müssen gehen.«

»Wohin?«, protestierte Felix. »Ich habe meinen Toast noch nicht fertig.«

»Nimm ihn mit.« Jimmy war bereits aufgesprungen.

Saffron warf etwas Geld auf den Tisch und alle verließen eilig das Lokal.

Seit den Schüssen auf Viggo suchte Jimmy nach einem Motiv für diesen Anschlag. Inzwischen begannen sich einige der Geheimnisse der vergangenen Nacht zu klären. Zuerst hatte er angenommen, der *NJ7* hätte erneut versucht, die Opposition auszuschalten. Aber dann waren Mitchell und Lenny aufgetaucht, was bedeutete, dass der Schütze nicht von der Regierung geschickt worden war. Außerdem deuteten Neil Muzbekes verschwommene Erinnerungen darauf hin, dass er von der *CIA* einer Gehirnwäsche unterzogen und dann ausgeschickt worden war – aber warum? Warum wollte die *CIA* Viggo ausschalten?

»Sie wollten alle aus dem Weg schaffen«, erklärte Jimmy. Er lehnte sich über den Vordersitz, um seiner Mutter zuzuflüstern, wohin sie fahren sollte. Der Bentley röhrte durch den Londoner Verkehr.

»Alle?«, sagte Georgie. »Das ergibt keinen Sinn!«

»Hör zu«, sagte Jimmy und entwarf ein Bild der *CIA*-Strategie, während er sprach. Sein Gehirn schien ins Innere von tausend anderen Agenten zu schlüpfen, ihre Ideen und Taktiken zu ergründen, als ob die *CIA* eine Art Schattennetzwerk in seinem Kopf errichtet hätte. »Solange diese Regierung in Großbritannien herrscht, bekommen die USA nichts von uns. Keine militärische Unterstützung, keinen Handel, kein Geld. Aber es bringt nichts, eine Regierung loszuwerden, wenn man nicht weiß, was darauf folgt.«

»Sie wollten die Regierung aber gar nicht beseitigen«, protestierte Jimmys Mutter. »Sie wollten jemanden loswerden, der …« Sie brachte den Satz nicht zu Ende. Viggos Tod hing über ihnen allen wie eine düstere Wolke.

»Doch, ich glaube schon«, sagte Jimmy schnell. Er zog die Zeitung wieder heraus und faltete sie vom Sudoku zurück zur Titelseite. Dort verkündete die Titelstory, dass Christopher Viggo hinter dem versuchten Mordanschlag auf den Premierminister gestern Abend gestanden hätte, aber von Sicherheitskräften der Regierung *neutralisiert* worden sei.

»Wir haben nur die Hälfte der Operation mitbekommen«, erklärte Jimmy. »Ich denke, es lief so: Sie wollten den Premierminister loswerden, aber gleichzeitig auch die Opposition ausschalten, damit nur die von der CIA ausgewählte Person übrig bleiben und die Macht übernehmen könnte.«

»Wer?«, fragte Felix gefesselt. Er biss so fest auf seinen Toast, dass ihm fast ein Zahn ausbrach.

»Es ist egal, wer!«, rief Jimmy aus. »Der Punkt ist, sie brauchten zwei Attentäter! Wir haben einen gefunden.« Er deutete mit dem Daumen auf Neil Muzbeke. »Und der andere hat letzte Nacht in der Downing Street versucht, den Premierminister zu ermorden.«

Bei dem Wort *Attentäter* zuckte Neil Muzbeke zusammen, aber bevor jemand etwas erwidern konnte, hielt der Bentley an der London Bridge Station unter einer Überführung. Helen hatte etwas entdeckt.

Endlich entspannte sich Jimmys Gesicht, er lächelte und sah an seinen verwirrten Freunden vorbei aus dem Fenster. Es dauerte einige Sekunden, bis Felix, Georgie, Neil und Saffron sich ebenfalls umdrehten.

»Mama!«, schrie Felix. Er schubste Georgie beiseite, sprang aus dem Auto und in die Arme seiner Mutter. Toastkrümel flogen durch die Luft. »Ich werde dich nie wieder gehen lassen!« Seine Stimme wurde durch den Mantel seiner Mutter gedämpft. Eine Sekunde später wurden sie beide von Felix' Vater umarmt.

»Woher wusstest du …?«, keuchte Georgie und sah Jimmy ungläubig an.

»Eva hat eine Nachricht hinterlassen«, erklärte er und deutete auf die Rückseite der Zeitung. »Ich habe die Sudoku-Kästchen über das Kreuzworträtsel gelegt und da hieß es: *Jemanden gefunden, London Bridge, Überführung*. Ich habe es mit der Geschichte auf der Titelseite zusammengebracht, und na ja …«

»Weißt du«, strahlte Georgie, »dafür dass du so ein Blödmann bist, bist du ein ziemliches Genie!«

Sie blieben nicht lange unter der Überführung. Helen versteckte das Auto in einer der stillgelegten, mit Graffiti beschmierten Garagen der Gegend. Kurz darauf trafen sie sich im ersten Zug wieder, der den Bahnhof London Bridge verließ. Sie wussten nicht einmal, wohin er fuhr.

»Wir können jetzt endlich abhauen«, sagte Felix. »Alle zusammen.« Er saß zwischen seinen Eltern und lächelte so zufrieden wie schon seit Monaten nicht mehr.

Jimmy nickte, aber sein eigenes Lächeln war gezwungen. *Abhauen*, dachte er und versuchte dem Wort eine Bedeutung zu geben. Aber es ging nicht. Abhauen war keine Lösung für ihn. Dadurch würden seine Probleme nicht verschwinden. Sie steckten zu tief in ihm, unter seiner Haut. Der Kampf in seinem Körper hatte gerade erst begonnen.

»Wir müssen euch gut im Auge behalten«, sagte Helen Coates zu Felix' Eltern. »Ihr werdet viel Ruhe brauchen, um die Nachwirkungen der Gehirnwäsche zu überstehen.«

»Und dazu braucht es auch viel gutes Essen, nehme ich an«, fügte Saffron hinzu und zwinkerte Felix zu.

»Für mich sehen sie schon ziemlich okay aus«, sagte Felix.

»Sie sehen sogar ziemlich cool aus«, stimmte Georgie zu. »Wann habt ihr euch diese passenden Ohrstecker zugelegt?«

Gleichzeitig griffen Neil und Olivia Muzbeke an ihre linken Ohrläppchen und ertasteten die silbernen Knöpfe darin. Sie dort zu entdecken, machte sie offensichtlich völlig ratlos.

»Ich habe nie …«, begann Neil verwirrt.

»Das ist mir unbegreiflich …«, stammelte Olivia.

Die beiden warfen sich einen Blick zu, worauf sich ihre Überraschung in Gelächter verwandelte.

Jimmy hörte ihr Lachen, aber sein Innerstes war alarmiert, was ihn am Mitmachen hinderte. Sein Blick war auf die silbernen Ohrstecker gerichtet. »Nehmt sie raus«, flüsterte er plötzlich. »Nehmt sie raus. Sofort!«

»W-was?«, stammelte Neil.

Jimmy langte hinüber und löste die Stecker mit einem raschen, aber sanften Griff aus Neils und Olivias Ohr. Er ließ sie auf das Tischchen vor ihnen fallen, zog seinen Schuh aus und schlug damit auf einen der Stecker. Er zerbrach in zwei winzige Hälften. Jimmy tat das Gleiche mit dem zweiten Exemplar. In jedem von ihnen befanden sich die zerbrochenen Reste eines

Mikrochips. Jimmy untersuchte einen von ihnen genauer, bis ihm die Zusammenhänge klar wurden.

»Sie haben uns abgehört«, erklärte er.

»Die Funkverbindung ist vor wenigen Minuten abgerissen, Herr Präsident«, sagte der neue Chef der *CIA*, der voller Stolz zum ersten Mal im Oval Office des Weißen Hauses stand.

»Haben Sie das Protokoll?«, erwiderte Präsident Keays, ohne von den Papieren auf seinem Schreibtisch aufzusehen. Der CIA-Chef reichte ihm einen schmalen Ordner. Keays nahm ihn nach einer Sekunde, lehnte sich in seinem riesigen Ledersessel zurück und blätterte in der Mappe, wobei er am Ende jedes Absatzes seine Lesebrille neu auf der Nase positionierte.

Während der Präsident las, ließ der *CIA*-Mann seinen Blick durch das legendäre Büro schweifen. Wann würde er endlich eingeladen, auf einem der makellosen Sofas Platz zu nehmen, um mit dem Präsidenten über das Weltgeschehen zu diskutieren? Er verdrehte unmerklich seinen Hals, wollte auf die Papiere spähen, die auf dem Schreibtisch des Präsidenten lagen. Was hatte der Mann vor? *Es dauert hoffentlich nicht mehr lange*, dachte der CIA-Chef, *bis ich die Dokumente des Präsidenten genauer unter die Lupe nehmen kann, mit ihm auf der anderen Seite des Schreibtisches stehe – oder auch ohne ihn. Vielleicht könnte ich eines Tages auch auf seinem Stuhl sitzen?*

»Was ist das?«, knurrte der Präsident plötzlich und

richtete sich auf. Dann befahl er seiner Sekretärin: »Holen Sie Dr. Higgins!«

»Gibt es ein Problem, Mr President?«, fragte der *CIA*-Chef.

»Kein Problem«, kam die Antwort. »Aber Sie werden sich Notizen machen müssen.« Zum ersten Mal blickte er zu dem *CIA*-Mann auf, ein breites Grinsen im faltigen Gesicht. »Ein sehr kluger Mann wird uns gleich alles verraten, was wir über den Code H wissen müssen.«

»Wer hat uns abgehört?«, fragte Felix.

»Die Amerikaner!«, erwiderte Jimmy. »Die *CIA*, der Präsident … wer weiß! Aber sie haben alles mitgehört!«

Er barg den Kopf in den Händen und ging jedes Gespräch durch, das gestern Abend im Club stattgefunden hatte. Was war laut genug gesagt worden, um vom Abhörgerät in Neil Muzbekes Ohr aufgezeichnet zu werden? Wie viel war zu ihm nach unten gedrungen, während er bewusstlos auf der Tanzfläche lag? Jimmy zwang sich, jedes Detail zu rekonstruieren. Aber vor seinem inneren Auge sah er nur die Blitze des Stroboskoplichts und Christopher Viggos Gesicht. Er stöhnte laut auf, vertrieb die quälenden Bilder und schaute zu seinen Freunden. Warum sagten sie nichts? Begriffen sie denn gar nicht, was das bedeutete?

»Der Code H!«, flüsterte Jimmy. »Der Code H enthält alle Informationen über meine DNA, über meinen

Körper und wie er programmiert wurde. Chris sagte, auf der Basis dieses Programms wurde ich… entwickelt. Es ist der Schlüssel zur Technologie der Superagenten. Deshalb wollte ihn die *Capita* so dringend!«

Er blickte in ausdruckslose Gesichter. Das hatten sie bereits von ihm erfahren.

»Jetzt wissen auch die Amerikaner, dass es diesen Chip gibt!«, fuhr Jimmy fort. »Sie haben mitbekommen, dass Chris ihn hatte. Sie wissen, dass er den Chip irgendwo versteckt hat. Und ihnen ist klar, was sie damit anstellen können, wenn sie ihn finden!«

»Sollen sie ihn doch finden!«, sagte Saffron mit ruhiger Stimme. »Das hat jetzt nichts mehr mit uns zu tun. Mitchell hat auch jedes Wort mitgehört, also wird der *NJ7* ebenfalls nach dem Code H suchen. Sollen sie sich mit den Amerikanern darum prügeln. Wenigstens lassen sie uns dann in Ruhe.«

Jimmys Herz pochte laut. Am liebsten hätte er das Zugabteil auseinandergenommen, so zornig war er.

»*Ich* brauche den Chip!«, brüllte er. Er spreizte seine Hände auf dem Tischchen. Das Blau in seinen Fingerspitzen hatte sich zwar nicht weiter ausgebreitet, aber es war auch nicht zurückgegangen. Wenn überhaupt, dann war es tiefer, dunkler geworden. Und nur Jimmy wusste, dass sein Nasenbluten, die Schmerzen im Kopf und in seinen Muskeln immer schlimmer wurden.

»Ich bin noch nicht tot«, flüsterte er. »Und vielleicht sterbe ich auch noch nicht so bald…« Er starrte geradeaus und versuchte, sich auf etwas zu konzentrieren, um sich selbst zu beruhigen. »Aber in meinem Körper geht etwas vor, und es ist nicht gut. Eva versucht, eine alte *NJ7*-Ärztin für mich zu finden, aber was könnte sie ohne ein *NJ7*-Labor oder Dr. Higgins' Akten ausrichten? Es sei denn, sie hätte den Code H …«

»Also, wo ist der Code?«, fragte Felix ruhig. »Es ist ein Computer-Chip, richtig? Hatte Chris ihn tatsächlich?«

»Ich weiß nicht«, murmelte Jimmy. »Er hatte keine Gelegenheit, es mir zu sagen, bevor er …«

»Was ist mit der Capita?«, fragte Georgie leise.

In Jimmy regte sich neuer Horror. Georgie hatte recht: Die Capita würde weiter alles tun, um an den Code H zu kommen, vor allem, weil sie meinten, sie hätten bereits dafür bezahlt. In Jimmys Kopf wirbelten *CIA*, *NJ7* und Capita durcheinander, sie verschmolzen zu einem einzigen bedrohlichen schwarzen Monster.

»Also müssen wir uns weiter verstecken?«, fragte Felix. »Wir könnten doch alle das Land verlassen, um an einem warmen Ort zu leben. Du weißt schon, mit Stränden, Palmen, bunten Drinks und so …«

»Ich komme mit dir, wohin du auch gehst, und ich sorge dafür, dass du dort in Sicherheit bist«, flüsterte Jimmy. »Aber dann muss ich den Code H finden. Er könnte meine einzige Überlebenschance sein. Im Moment sieht es so aus, als würde ich gegen die Amerikaner, die Capita und den *NJ7* gleichzeitig kämpfen. Gut so. Ich nehme es mit jedem auf, der sich mir in den

Weg stellt. Ich werde den Code H finden, werde geheilt, und danach werde ich sicherstellen, dass niemals wieder jemand …« Er hielt inne, seine Wut schnürte ihm die Kehle zu. Er atmete zwei Mal tief durch. »Dass sie niemals wieder einen von meiner Art machen. Es endet hier. Es endet mit mir.«

Alle schwiegen. Das Rattern des Zuges war das einzige Geräusch. Jimmy schloss verzweifelt die Augen, um den Aufruhr in seinem Inneren zu beenden. Er spürte, wie sich seine Freunde um ihn herum bewegten. Eine Hand legte sich auf seine Hand, dann eine weitere. Dann sanfte Berührungen seines Knies und seiner Schulter. Seine Schwester, seine Mutter, seine Freunde – einer nach dem anderen hielt Jimmy fest, und sie hielten ihn bis zum Ende der Fahrt.

© privat

Joe Craig, geboren 1981 in London, arbeitete als erfolgreicher Songwriter, bevor er seine Leidenschaft für das Schreiben von Jugendbüchern entdeckte. Mit »J. C. – Agent im Fadenkreuz« schaffte er den internationalen Durchbruch. Wenn er nicht schreibt, liest er an Schulen, spielt Klavier, erfindet Snacks, spielt Snooker, trainiert Kampfsport oder seine Haustiere. Er lebt mit seiner Frau, Hund und Zwergkrokodil in London.

*Von Joe Craig bereits erschienen:*

**J. C. – Agent im Fadenkreuz** (Band 1; 17393)
**J. C. – Agent auf der Flucht** (Band 2; 17394)
**J. C. – Agent in höchster Gefahr** (Band 3; 17461)
**J. C. – Agent in geheimer Mission** (Band 4; 16507)
**J. C. – Agent unter Beschuss** (Band 5; 16521)
**J. C. – Agent zwischen den Fronten** (Band 6; 16544)

Mehr über cbj auf Instagram unter @hey_reader

Joe Craig

Jimmy Coates ist äußerlich betrachtet ein ganz normaler 12-Jähriger. Doch der Schein trügt: Er ist ein genetisch veränderter Super-Agent des Britischen Secret Service NJ7. Für den NJ7 ist Jimmy eine ihrer mächtigsten Waffen. Jimmys Fähigkeiten entwickeln sich im Laufe seines Heranwachsens mit ihm. Sobald er 18 ist, wird er ein voll ausgebildeter Agent sein, der seiner neoliberalen autoritären Regierung als tödliches Instrument dienen soll. Doch Jimmy beschließt, dass er allein entscheiden wird, wofür er seine Kräfte einsetzen will. Und so wird J. C. zum meistgejagten Jungen des Planeten.

J.C. – Agent im Fadenkreuz
Band 1, 320 Seiten,
ISBN 978-3-570-17393-0

J.C. – Agent auf der Flucht
Band 2, 336 Seiten,
ISBN 978-3-570-17394-7

J.C. – Agent in höchster Gefahr
Band 3, 320 Seiten,
ISBN 978-3-570-17461-6

J.C. – Agent in geheimer Mission
Band 4, 320 Seiten,
ISBN 978-3-570-16507-2

J.C. – Agent unter Beschuss
Band 5, 320 Seiten,
ISBN 978-3-570-16521-8

J.C. – Agent zwischen den Fronten
Band 6, 304 Seiten
ISBN 978-3-570-16544-7

J.C. – Agent gegen den Rest der Welt
Band 7, 336 Seiten
ISBN 978-3-570-16551-5

20264_7

www.cbj-verlag.de